De hinkelbaan

Sepha de Leeuw

De hinkelbaan

Uitgeverij An Dekker

Uitgeverij An Dekker, Amsterdam 1987
© Sepha de Leeuw, 1987
© Foto omslag: Nan Kooijman, 1987
Omslag ontwerp: An Dekker
Zetwerk: Vidicom-Vidiset bv, Den Haag
Druk: Koninklijke Wöhrmann bv, Zutphen

CIP-gegevens Koninklijke Bibliotheek, Den Haag

Leeuw, Sepha de

De hinkelbaan: roman/Sepha de Leeuw
Amsterdam: Dekker
ISBN 90-5071-027-1
UDC 82-31
NUGI 300
Trefw.: romans, oorspronkelijk

Zondag

Omdat hij te haastig is opgestaan en de staart van een dubbele kater gemeen tegen zijn slapen zwiept, staat inspecteur van Helden van de Dudoveense recherche verdwaasd te kijken naar een compleet verregende chaos wanneer hij samen met adjudant Tomesen om 8.43 uur op de plaats delict arriveert.

Met grote moeite registreren zijn hersenen wat zijn ogen zien. Aan de noordzijde van 'de kleine oase', een idyllisch plekje in het Leeuwendaelse bos, staan een tractor en een aantal personenwagens, aan de zuidzijde een Volvo met een hond erin en daarachter een VW-Transporter met drie snotterende jongetjes. Twee agenten proberen een opdringende menigte in bedwang te houden, één staat naast een bemodderd lijk dat voor een bank in de berm ligt, en wanneer Van Helden, héél even, het hoofd bekijkt, is hij plotseling blij met zijn eigen houten kop.

Tomesen schakelt de bandrecorder in en het eerste dat het apparaat registreert is: 'Godverdomme, zoiets wens je ook je schoonmoeder niet toe.' Daarna valt er een stilte.

Pas nadat Tomesen waarschuwt dat ze hoognodig aan de slag moeten, zet Van Helden zich in beweging. Hij loopt richting lijk maar oriënteert zich op de agent ernaast. En terwijl hij hem strak in de ogen blijft kijken en probeert te vergeten dat hij een maag heeft, laat hij zich in het kort informeren.

'Op het politiebureau is er niets misgegaan,' zegt de man. 'Bericht via de meldkamer om 8.22 uur binnengekregen. Met ons drieën er op uit. Roes en Keizer in de Volvo, ik in de VW-Transporter. Gelijktijdig kwamen we hier aan: 8.36 uur. Niet te beschrijven wat we zagen. Drie jongens renden achter een hond aan die dwars door mensen en struiken draafde. We hebben eerst de mensen teruggedrongen en toen zijn we achter die knullen aangegaan. Ze waren bijna niet te vangen.'

'En zo hebben jullie letterlijk het laatste eventuele sporenbestand aan jullie laars gelapt,' merkt Van Helden op.

'Het kon niet anders,' verontschuldigt de agent zich. 'De jongens hebben we in de Volvo opgesloten, de hond in de VW-Transporter.'

'Hebben de jongens het lijk gevonden?'

'Nee, maar wel versleept.'

'Wat zeg je?'

De agent wijst naar een grote man die boven op de tractor is geklommen om toch vooral niets te missen van wat zich op de begane grond afspeelt. 'Die man,' verduidelijkt hij, 'vertelde ons dat die lamlummels van Gerritsen nog bezig waren het lijk van het bospad naar de berm te verslepen toen hij hier aankwam.'

'Wie heeft dan de melding gedaan?'

'Ik denk Gerritsen.'

'Ik snap er geen donder meer van,' zegt Van Helden geïrriteerd.

'Het zit zo,' legt de agent uit. 'Een zekere Wertz heeft de jogger ontdekt, is toen overstuur bij Gerritsen binnengevallen en...'

'Godverdomme,' registreert de bandrecorder weer uit de mond van Van Helden, 'zoiets heb ik nog nooit meegemaakt.' En zijn stem slaat over wanneer hij schreeuwt: 'Idioot, ooit gehoord dat getuigen onderling gescheiden moeten worden om beïnvloeding tegen te gaan. Straks hebben we alleen het lijk nog.'

Dan herinnert hij zich dat een politieman de rust en kalmte zelve behoort te zijn, de status quo moet worden gehandhaafd, en zijn stem klinkt weer normaal als hij vriendelijk verzoekt de jongens te verdelen over de twee politie-auto's en zijn eigen Simca. Ineens is de kater verdwenen, hij kijkt zelfs naar het lijk en zakelijk en systematisch verdeelt hij nu het werk.

Alhoewel het in zijn ogen strikt overbodig is, laat hij toch een arts oproepen om het overlijden medisch vast te stellen. Er moet ook versterking komen. Aanwezigen mogen niet vertrekken, hun identiteit moet worden vastgesteld, het bos afgesloten, de plaats van het misdrijf, voorzover nog aanwezig, en de wijde omtrek onderzocht op voet-, banden- en schotsporen, biologische sporen, beschadigd struikgewas en achtergelaten goederen. Er moeten foto's van het stoffelijk overschot en de plaats van het misdrijf gemaakt worden, de jongens Gerritsen verhoord, een agent naar Wertz, etc, etc.

Wanneer een slecht uitgeslapen weekeind-arts arriveert en Van Helden hem beleefd vraagt of hij het onderzoek kan beperken tot het antwoord op de vraag of het slachtoffer al dan niet is overleden, kijkt deze hem verontwaardigd aan.

'Waarom?'

'Om te voorkomen dat u onnodige schade aan het sporenbestand aanbrengt,' legt Van Helden uit.

'Ach lazer op,' registreert de bandrecorder, 'je hebt toch zelf ook ogen in je kop. Die vent is zo dood als een pier. Laat de kadaverwagen maar aanrukken.'

In het brave plaatsje Dudoveen waar het pissen door een brievenbus van een alleenstaande oude vrouw als een ernstig misdrijf wordt beschouwd, is de hel losgebroken. Omdat nog niet is vastgesteld welke jogger zijn kop heeft verloren, wordt iedere mannelijke inwoner van boven de vijftien gecontroleerd op datgene wat hij op zijn romp draagt, waarna voltallige families naar het Leeuwendaelse bos rijden om toch maar een glimp te kunnen opvangen van de bomen waaronder de moord gepleegd moet zijn. En het is ook nooit weg door anderen bevestigd te horen wat ze zelf allang weten.

Op ieder afgevallen blaadje staat een auto of een fiets geparkeerd en de berg goederen die men op het politiebureau aflevert, heeft niets meer te maken met de misdaad, wel alles met een hysterische bereidwilligheid Dudoveen van deze enorme schande te verlossen. Het bos is nog nooit zo schoon geweest en de politiemacht nog nooit zo groot.

Van Helden is meer manusje van alles dan coördinator in een moordzaak. Hij repareert het fototoestel dat weigert opnamen te maken, hij smeekt Dudoveners eindelijk eens op te rotten, hij duwt de ambulance die in de modder blijft steken, ondertussen rijdt hij heen en weer naar het politiebureau waar commissaris Bos afwezig blijft, de burgemeester onbereikbaar is en de officier van justitie niet in stemming verkeert. Een gekkenhuis is een rustoord vergeleken bij Dudoveen.

Pas wanneer alles wat maar iets met de moord te maken heeft, afgevoerd of in veiligheid gebracht is, komt Van Helden ertoe Wertz te bezoeken. Die weigert namelijk bij monde van zijn vrouw ook maar iets over zijn vondst los te laten omdat de politie toch altijd de verkeerde pakt. Ook is hij met geen stok uit de keuken van boerin Gerritsen te krijgen waar hij tussen zijn vrouw en de boerin achter een kom koffie blijft snotteren.

Of Wertz een baby is, zo spreekt Van Helden de janker toe die langzaam, heel langzaam, ervan overtuigd raakt dat de politie niet hem zoekt maar door middel van hem op het spoor van de dader wil komen.

'Dus u verdenkt mij niet?' vraagt Wertz.

'Geen ogenblik,' antwoordt Van Helden.

Een paar maal slikt Wertz en dan verklaart hij te zullen zeggen wat hem vanmorgen overkomen is.

'Waarom was u in het Leeuwendaelse bos vanmorgen, meneer Wertz?' begint Van Helden meelevend.

'Om Asta uit te laten.'

'Je had bij ons in de buurt een paar straten kunnen lopen,' zegt mevrouw Wertz. En dan tegen Van Helden: 'Kijk, mijn zuster is vandaag jarig en we zouden naar Afferden gaan. Met de koffie zouden we daar zijn.'

'Het leek wel of we naar de nachtmis moesten in plaats van op koffievisite. Ze wilde al om negen uur vertrekken,' klaagt Wertz.

'Als je de hond bij ons in de buurt had uitgelaten, waren we ook om negen uur vertrokken,' houdt ze vol. 'Nu heb je je zin, geen verjaardag maar wel een moord.'

'Nee,' grijpt Van Helden in, 'zo beginnen we niet. Uw man,' zegt hij tegen mevrouw Wertz, 'is gewoon getuige. Ik vraag u vriendelijk uw mond te houden zodat uw man rustig zijn verhaal kan vertellen.'

'Ik ben toch geen moordenaar?' bibbert Wertz.

'Nee.'

'Kan ik dan gaan?' vraagt hij kinderlijk.

'Het spijt me,' zegt Van Helden, 'ik wil graag uw hele verhaal horen.'

De 59-jarige boekhouder laat de hand van zijn vrouw los. 'Het is altijd mijn gewoonte Asta 's zondags in het Leeuwendaelse bos uit te laten,' begint hij. 'Normaal rond een uur of tien maar vandaag al om half acht. Ik parkeerde mijn auto aan de rand van het bos...'

'Wat voor merk auto rijdt u?'

'Een Opel-stationcar.'

'Negen jaar oud, maar hij doet het nog prima,' zegt mevrouw Wertz.

...'En ik liet Asta uit de achterbak en liep met haar richting zijbeuk,' gaat Wertz door.

'Zijbeuk?' vraagt Van Helden.

'Ja, zo noemt hij het noordelijke gedeelte van het bos,' schampert mevrouw Wertz. 'Is gewoon een stuk bos met bomen.'

'Beuken,' corrigeert Wertz.

'Vertelt u maar verder, meneer Wertz,' dringt Van Helden aan omdat mevrouw Wertz haar mond opent.

'Nou, ik zag aan de lucht dat het slecht weer werd en daarom liep ik flink door. Misschien had ik meteen terug moeten gaan maar ik vind het zo zielig als Asta op mijn enige vrije dag...'

'Pas op wat je zegt,' waarschuwt mevrouw Wertz.

...'de hele dag binnen moet zitten. Ik zocht een korte dikke stok en die heb ik telkens weggegooid zodat Asta lekker kon rennen...'

'Ach man, hou toch op over die hond.'

'Bemoeit u zich er niet mee,' vermaant Van Helden weer.

...'Het regende al een tijdje maar ineens begon het te gieten. Asta vindt regen heerlijk...'

'Maar je pak niet,' snuift mevrouw Wertz.

...'en toen zag ik een jogger...'

'Juist,' blaast ze. 'Die was zo verstandig een gymnastiekpak aan te trekken. Dat kan je in een wasmachine wassen, maar een net pak moet je laten stomen.'

'Eruit,' roept Van Helden driftig.

Opgelucht staat Wertz op.

'Nee, uw vrouw.'

'Nooit,' zegt ze terwijl ze zich aan haar stoel vasthoudt.

'Iemand nog een kop koffie?' vraagt de boerin.

'Het enige dat ik wil,' antwoordt Van Helden, 'is dat meneer Wertz rustig zijn verhaal kan vertellen.'

'Hij is helemaal overstuur,' zegt mevrouw Wertz.

'Een reden te meer om uw mond te houden.'

'Waar was ik gebleven?' vraagt Wertz.

'U zag een jogger.'

Wertz begint te snikken. 'Ik wil er niet meer aan denken,' kreunt hij.

'Overgegeven,' roept mevrouw Wertz. 'Hij eet altijd teveel op zondag.' Ze staat op, loopt om de tafel en fluistert zo hard dat Wertz het nog duidelijk kan horen: 'Hij moest de hond van de dode aftrekken, vandaar.'

'Hij kwam hier totaal overstuur binnen,' vult de boerin aan. 'Gerritsen en ik en de kinderen zaten net te eten. Voordat we het in de gaten hadden, waren de jongens en de hond er vandoor. Het was me een spul hier vanmorgen. Ik liet de theepot kapot vallen en Gerritsen was zo de kluts kwijt dat hij het verkeerde nummer draaide. Niet van de politie maar van een vriend van 'm die aan de andere kant van 'de kleine oase' woont.'

'Wie heeft de politie gewaarschuwd?' vraagt Van Helden.

'Ik,' zegt ze, 'd'r moet toch iemand de hersens bij mekaar houden.'

'Ik wil er nooit meer aan denken,' snottert Wertz.

'Dat heb ik de hele morgen al tegen je gezegd,' sust de boerin.

'Hij had niet naar het bos moeten gaan,' snerpt mevrouw Wertz. 'Als ze niemand vinden die ze de schuld kunnen geven, wijzen ze maar iemand aan. Zo gaat dat bij de politie.'

'Komt u even mee naar de gang?' vraagt Van Helden aan de boerin.

De gang is wel lang maar zeker niet breed, merkt Van Helden wanneer de buik van de boerin tegen zijn geslacht wrijft. Even is hij in verwarring, moet hij aan vanmorgen denken, maar de boerin die haar eigen welvingen niet schijnt te voelen, stoort hem wreed.

'U wilt zeker over mevrouw Wertz praten,' zegt ze.

'Absoluut niet,' schrikt Van Helden. 'Met haar wil ik niets

te maken hebben. Het gaat mij om Wertz. Wat heeft hij u vanmorgen verteld vóórdat zijn vrouw arriveerde?'

'Alles,' zegt ze nuchter. 'Ik heb eerst een kop koffie gemaakt en toen hij die op had, heeft hij alles verteld. Hij moest wel erg huilen, maar ik heb toch begrepen wat er allemaal gebeurd is.'

'Ik zou het graag van u horen.'

Ze komt nog dichter bij hem. Van Helden wijkt geen millimeter.

'Hij is gek op die hond,' begint ze. 'Hij heeft dat beest inderdaad vanmorgen in het bos uitgelaten en met 'm gespeeld. Z'n schoenen zaten tenminste flink onder de modder toen hij hier aankwam. Op het punt waar de Heegse en de Drevelse paden elkaar kruisen, vlak voor de bocht naar 'de kleine oase', kwam hem een jogger achterop. Hij heeft het gezicht van die man niet gezien want Wertz bukte zich net om de stok op te rapen. Toen hij omhoog kwam, zag hij nog wel de rug van de jogger. Hij zei tegen mij dat hij de stok nog naar de andere kant heeft gegooid omdat hij bang was anders de jogger te raken. Toen bleef de hond een poos weg, Wertz werd kwaad en ging de hond halen. Die stoof 'm weer voorbij en rende blaffend naar 'de kleine oase'.

'Waarom deed de hond dat?'

'Wertz zei dat hij daar altijd op het bankje een sigaret rookt. Iedere zondag loopt hij dezelfde weg, dus de hond weet dat ook. Wertz ging weer achter de hond aan. Ik kan me best voorstellen,' fluistert ze heel dicht tegen hem aan, 'dat Wertz overgegeven heeft. De hond vrat van het hoofd van de jogger. Ik dacht vanmorgen al toen ik de kop van die hond zag: wat heeft die een rare rode plek boven zijn neus. Zou u dan ook niet overgeven?'

'Ahum,' kucht Van Helden die veel meer moet onderdrukken dan een opborrelend gevoel in zijn maag, 'mevrouw Gerritsen, heeft Wertz iets gezegd over een geluid? Heeft hij iets gehoord dat op een schot zou kunnen lijken?'

'Heeft hij met geen woord over gesproken,' antwoordt ze. 'Maar volgens mij heeft hij ook niks kunnen horen. Kom maar eens mee.'

Ze haalt haar buik van hem af en zelfs wanneer Van Helden door de regen met haar naar de achterste schuur loopt, voelt hij nog de warmte die ze in hem heeft achtergelaten. Zodra ze de deur van de schuur naderen, begint een hond oorverdovend te blaffen. Ze wijst op een herder die in een varkenshok opgesloten zit. 'Kunt u mij verstaan?' schreeuwt ze. 'Zonet heeft de politie 'm hier afgeleverd. Van die tang van Wertz mogen we 'm houden. Maar Gerritsen houdt niet van honden en ik moet 'm niet. Die hond is veel te verwend en zo heb ik d'r niks aan op de boerderij.'

Voor geen goud zou Van Helden de hond durven aaien. De boerin wel. Die steekt rustig haar hand over het houten deurtje en kalmeert het onrustige beest. Bij Van Helden gebeurt hetzelfde.

Het politiebureau lijkt een mierennest waar iemand zijn voet op heeft gezet. Uit alle hoeken en gaten rennen agenten, Tomesen houdt journalisten tegen die op onverklaarbare wijze toch weer achter hem opduiken, Van Helden trekt mevrouw Wertz van haar man af en Pa Gerritsen vloekt en tiert vanaf een bankje in de gang tegen iedereen die het maar wil horen dat hij nog lang niet klaar is met zijn zoons.

'En nou opgesodemieterd allemaal,' roept Van Helden driftig terwijl hij mevrouw Wertz met een forse heupzwaai opzij duwt. Voordat ze kan reageren, schuift hij Wertz een kamer in waarna hij breeduit voor de deur gaat staan. 'Ziezo,' zegt hij tegen haar, 'nu is het afgelopen. U kunt kiezen tussen het bankje dáár,' wijst hij, 'of eruit.'

Aan zijn gezicht ziet ze dat het menens is en morrend druipt ze af. 'Zonder mij zegt mijn man toch niets,' roept ze nog voordat ze naast Gerritsen gaat zitten.

Tegen de journalisten zegt Van Helden dat hij over anderhalf uur een persconferentie zal geven en eindelijk kan hij zich met de jongens Gerritsen bemoeien die inmiddels compleet uit de bol zijn gegaan. Nog met roodgeslagen oren en eentje zelfs met een restant van een bloedneus, treft hij hen aan. Voor de bloedneus blijkt één van de agenten vanmorgen gezorgd te hebben, voor de hoofdpijn waarover de oudste bengel klaagt, Pa Gerritsen omdat deze niet alleen een man van woorden is, maar ook van daden. De drie zoons, van zeven, acht en negen jaar oud hebben zich in beide overdreven ontwikkeld. Apart van elkaar fantaseren ze erop los.

Natuurlijk hebben ze de jogger niet versleept maar is hij wankelend naar hen toegelopen waarna ze hem in de berm hebben gelegd.

Nee, het is zo: er kwam een auto aan die over de jogger wilde rijden en uit bezorgdheid trokken ze toen maar het lijk aan de kant.

Misschien is het zo gebeurd: er reed een auto over het bospad en de jogger gooide zich ineens op de motorkap en daardoor was hij in de berm terecht gekomen.

'Wat voor auto?' vraagt Van Helden.

'Een rode.'

'Een grote gouden met vleugels.'

'Ik denk een politieauto,' zegt de derde.

'Het lijk?'

Helemaal geen lijk. De jogger was springlevend want voordat hij stierf noemde hij nog de naam van de dader.

'Wie?'

'Wertz,' zegt de oudste meteen.

'Zoiets,' raadt de middelste, 'maar het klonk wel anders.'

'U,' antwoordt de jongste.

'Hoe heet ik dan?' vraagt Van Helden verbaasd.

'U,' herhaalt de knul met een stalen gezicht.

De een heeft achter een boom een jachtgeweer gezien, de ander heeft een pistool begraven en de derde ziet Asta nog met een revolver er vandoor gaan.

Van Helden staat op het punt een beroep te doen op de harde hand van Pa, maar na eindeloos trekken en zeuren en net zolang volhouden totdat ze hun eigen spelletjes beu zijn, komen dan toch nog drie verklaringen voor de dag. Tot op het bot van de waarheid uitgekleed en beperkt tot de mededeling dat de zoons Gerritsen tijdens het gesnotter van Wertz naar 'de kleine oase' zijn vertrokken, daar een dode liggend op zijn rug aantroffen, met elkaar overeenkwamen dat een lijk onder de grond behoort te liggen, maar aan hun plan geen uitvoering konden geven omdat ze misselijk werden van: 'die gehaktbal waar allemaal sliertjes en drel uitkwam.'

Uit voorzorg laat Van Helden in de verklaring van de zoon met de hoofdpijn ook nog opnemen dat de klachten opgetreden zijn na de behandeling van Pa.

Als Van Helden en Tomesen, bekaf van het draven van en naar de jongens Gerritsen, denken nu eens rustig met Wertz te kunnen praten, slaan ze de plank behoorlijk mis.

Het gezicht van de boekhouder is één groot vraagteken geworden. Hij weet niets meer, niet dat hij een hond heeft noch dat hij vanmorgen gewandeld heeft. Hoe de jogger gelegen heeft, kan hij zich niet herinneren, evenmin of het dezelfde man was die hij daarvóór nog gezien had. De tijd tussen het passeren van de jogger en het vinden van het lijk kan hij niet schatten. Het braaksel op het lijk kan van hem afkomstig zijn, van de jogger, of van Asta. Van een wapen heeft hij nog nooit gehoord. Als Van Helden hem uitlegt dat de moord waarschijnlijk gepleegd is met een geweer en zo'n ding toch flink lawaai maakt, vraagt Wertz in al zijn onnozelheid of iemand in staat is de knal te produceren opdat hij het geluid kan herkennen.

'Zo klinkt het ongeveer,' zegt Van Helden. Hij trekt zijn schoen uit, duwt het hoofd van Wertz op de tafel en slaat hard met de schoen naast zijn oor.

'Nee,' zegt Wertz geschrokken, 'zo hard kan het niet geklonken hebben want dan had ik het wel gehoord.'

De ondertekening van het proces-verbaal wordt een nieuwe lijdensweg.

'Ik heb nog nooit iets zonder mijn vrouw getekend,' houdt Wertz koppig vol.

Tandenknarsend gaat Van Helden naar Canossa op de gang, waar mevrouw Wertz uitdagend haar boezem naar voren steekt, hem voorbij stuift en als een broedhen op Wertz neerfladdert. Tomesen trekt het vel papier uit de tikmachine en geeft het aan Wertz. Mevrouw Wertz neemt het hem weer af en zet Tomesen opnieuw aan het werk. Dat van dat overwerk op zaterdag waardoor haar man altijd de lange wandelingen met Asta voor de zondag reserveert, moet eruit. Krijgt ze alleen maar last van met de belasting. En of Van Helden haar nu uitlegt dat geen belastinginspecteur ooit inzage in de processen-verbaal krijgt, dat de mededeling volstrekt irrelevant is, maar dat het er nu eenmaal in staat en dat ze het toch al zo druk hebben: mevrouw Wertz blijft aan de mouw van haar man hangen. Over of anders geen handtekening.

'Dit zijn van die momenten dat ik blij ben vrijgezel te zijn,' merkt Van Helden op nadat het echtpaar vertrokken is. Maar dat gevoel verdwijnt snel wanneer hij naar de rapportage van de diverse onderzoeksteams luistert. Uit navraag blijkt dat niemand iets gezien of gehoord heeft. Behalve het gebruikelijke spul dat in een bos achtergelaten wordt: condooms, bierblikjes, sigarettenverpakkingen, zakken, snippers papier en nog meer verregende rotzooi, geen wapen. Wel vingerafdrukken van de linkerhand van de dode en een grote wijnvlek op zijn linkerborst, maar verder geen enkele identificatie. En probeer er maar eens achter te komen, nu het hele Leeuwendaelse bos één grote showroom voor het Dudoveense wagenpark is geworden, welke auto van de vermoorde is.

'Toch is hij met een auto gekomen,' houdt Van Helden de onderzoeksteams voor. 'Aangezien niemand in Dudoveen of omgeving vermist is, moeten we aannemen dat hij niet uit de buurt komt. Jullie beweren dat hij niet met het openbaar vervoer gekomen is. Volgens mij is hij ook niet met een fiets gekomen. Het was hondeweer vanmorgen. Wat blijft er dan nog over? Juist, een auto. Als we die vinden, hebben we de autopapieren en ook de naam van het slachtoffer. Aan de slag mannen, ik verwacht binnen de kortste keren de melding dat de wagen gevonden is.'

Daarna geeft Van Helden zijn eerste persconferentie. Hij relativeert de omstandigheden waaronder het lijk gevonden is tot indianenverhalen, laat de journalisten in onzekerheid over de vorderingen van het onderzoek maar hij spreekt de volle waarheid als hij bevestigt dat er inderdaad sprake is van een dode die er nogal beroerd uitziet.

En zijn maag bevestigt dat weer wanneer hij in het plaatselijke ziekenhuis de man bekijkt wiens hoofd in stukjes en beetjes naast de romp ligt.

Tomesen schijnt nergens last van te hebben want tijdens het tweede telefoongesprek met de officier van justitie, graaft deze een berg broodjes ham af. Vanmorgen had de oveejee nauwelijks tijd in verband met zijn 25-jarige bruiloft, nu blijkt het feestvarken flink in de lorum. Lallend verzekert hij Van Helden dat het onderzoek geheel naar zijn wens verloopt en dat hij niet zal vergeten dat de Dudoveense recherche correct en adequaat heeft gehandeld onder de leiding van de eminente Bos.

'Ik heb u vanmorgen al verteld dat de commissaris onvindbaar is,' protesteert Van Helden.

'Oh ja?' vraagt de oveejee verbaasd.

'U hebt de leiding toen aan mij overgedragen.'

'Oh jee, dan zult u ook uw commissaris op zijn alibi moeten controleren.'

'Hebt u enig idee wat er met het lijk moet gebeuren?'

'Dat kan nog even, wel héél even, wachten,' hikt de oveejee vrolijk. 'Morgen komt er weer een dag en vandaag ben ik 25 jaar getrouwd. Dat overkomt me ook maar één keer in mijn leven. Met mijn vrouw, als u begrijpt wat ik bedoel.'

'De jogger kan ook maar één keer in zijn leven doodgaan,' antwoordt Van Helden stijfjes.

'Maar die loopt niet meer weg,' brult de oveejee zo hard dat Van Helden hem nog hoort bulderen nadat hij de hoorn allang heeft opgehangen.

'Ongelooflijk,' zegt Van Helden.

'Jezus, dat is waar ook,' antwoordt Tomesen terwijl hij zich aan het laatste broodje vastklampt. 'Ik had je natuurlijk iets aan moeten bieden. Zo ben ik nu eenmaal,' verontschuldigt hij zich, 'als ik me in dit soort zaken vastbijt, weet ik niet van ophouden.'

'Nee, ik bedoel het onderzoek,' zegt Van Helden korzelig. 'Tomesen, we hebben niets dan een lijk, een hoop troep en morgen gedonder met Bos. Jij vreet je vol en ik zit met de zorgen.'

'En ik wil met jou wedden,' snauwt Tomesen, 'dat we alleen met Bos blijven zitten. Je zult zien dat hij onmiddellijk de zaak probeert over te dragen aan het regionale bijstandsteam als hij morgen op komt dagen. Dan kan Van Helden nog even het koude handje van de jogger drukken en mag ie weer pis dweilen. Man, ik snap niet wat jouw zorgen zijn.'

Van Helden gaat staan. 'Tomesen,' zegt hij zo waardig mogelijk, 'mag ik je eraan herinneren dat ik vandaag de leiding van het onderzoek heb en dus de verantwoordelijke man ben.'

'En mag ik jou, Van Helden, eraan herinneren,' zegt Tomesen zo kalm mogelijk, 'dat je gisteravond toen je een behoorlijke slok op had, om mijn nek hebt gehangen, me eeuwig trouw hebt gezworen en dat je vandaag net doet of we nog in de kennismakingsfase verkeren. Ik heet Teun en alleen Bos heeft het voorrecht mij Tomesen te noemen.'

Even hangt er een broeierige sfeer in de kamer, dan begint Van Helden schaapachtig te lachen. 'Neem me niet kwalijk,' zegt hij, 'natuurlijk heb je gelijk. Stomme idioot die ik ben. Maar weet je hoe dat komt?' Tomesen haalt zijn schouders op. 'Dit is mijn eerste zaak in Dudoveen en ik probeerde waarschijnlijk in praktijk te brengen wat ik op de politieschool heb geleerd. Een van mijn opleiders,' vervolgt hij, 'wel een aardige vent maar verder helemaal volgens het instructieboek, je kent die kerels wel, zei op een dag tegen ons: Mannen, ik kan jullie naast de goede adviezen die ik al heb gegeven, nog één ding leren. Als je met een onderzoek in een misdrijf belast bent, blijf constant de zaak reconstrueren. Begin bij het begin en trek de zaak chronologisch na. Maar denk erom: houd afstand. Niemand heeft een voornaam, zelfs in je eigen gedachten ben je niet Piet, Jan of Klaas maar Pietersen, Jansen of Klaasen. Met andere woorden, ook je eigen inbreng, gedragingen en mogelijkheden observeer je alsof ze van een vreemde zijn. Je hebt geen emoties, niet ten opzichte van het slachtoffer, noch van de dader, getuigen of zelfs je collega's. Alleen op zo'n manier kun je objectief oordelen en concluderen. Dus Van Helden, vroeg hij, hoe heet jij in je eigen gedachten? Ik zeg: Rozenwater meneer. En hij: Waarom Rozenwater, Van Helden? Ik: Omdat Jansen of Pietersen of Klaasen veel voorkomende namen in Nederland zijn, meneer. Om verwarring te voorkomen met eventuele verdachten, getuigen of collega's die zo heten, zal ik mijzelf Rozenwater noemen. Lul, schreeuwde de opleider terwijl hij rood aanliep, Van Helden, ik waarschuw je. Ik duld geen grappen in mijn les.

En weet je hoe ik voor de rest van de cursus heette?'

'Lulletje Rozenwater,' concludeert Tomesen.

'Kom op Teun,' zegt Rik opgewekt. 'Nou geen gelul meer maar gewoon aan de slag.'

Maar zijn vrolijkheid blijkt van kortstondige aard. Tijdens het gesprek met Teun steekt hij ook hem aan met zijn somberheid. Samen lopen ze de zeven gouden W's na: Wie, Wat, Waar, Waarmee, op Welke Wijze, Waneer, en Waarom. Op de meeste vragen zotteklap en lariekoek als antwoord. Zelfs Wertz deugt niet als verdachte. Wie naar het hoofd van de jogger heeft gekeken weet dat het wapen geen probleem is, wel waar het gebleven is.

'In een auto meegenomen,' oppert Rik. 'De moordenaar is volgens mij in een auto gekomen en gegaan. Dat lijkt me meer voor de hand liggen dan dat iemand fluitend met een geweer over zijn schouder, op een fiets of lopend is gekomen, de jogger neerknalt en rustig zijn wandeling of fietstochtje voortzet. Omdat Wertz via de zuidzijde 'de kleine oase' verlaten heeft, moet de auto uit noordelijke richting gekomen zijn, gedraaid hebben na het fatale schot, mogelijk over de hand van de jogger zijn gereden en weer in noordelijke richting vertrokken zijn. Bandensporen? Natuurlijk moeten die er geweest zijn maar als een tractor over een nat bospad rijdt en een hond en kinderen de plaats van het misdrijf als speelplaats gebruiken, kan je de rest wel schudden.'

'We wachten rustig af,' zegt Teun. 'Je zult zien, zodra de eerste reële aanwijzing binnenkomt is je post-mortale depressie voorbij.'

Pas 's avonds wanneer de mannen moe, koud, verregend en vooral hongerig zich weer op het bureau verzamelen en het wachten is op het laatste team, komt er enig schot in de zaak: de melding dat een metallic grijze Alfa Romeo, type A 33, aan de rand van het landgoed Cruyslant op zijn bestuurder wacht. Dat is 'm, voelt Rik en met Teun stormt hij het bureau uit en scheuren ze weg. 'Wedden,' zegt hij onderweg, 'dat de auto-sleuteltjes onder één van de banden liggen?'

Dat de auto betrekkelijk nieuw is, ziet hij aan het nummerbord. En het is maar goed dat Teun niet op zijn weddenschap is ingegaan want onder de linker achterband vindt Rik de sleutels en bijna plechtig opent hij het portier van de Alfa Romeo. Op de achterbank ligt een regenjas, naast de bestuurdersplaats staan crème-kleurige herenschoenen en in het dashboardkastje vindt hij onder een parkeerschijf, internationale reis- en kredietbrief, verzekeringspapieren etc, een bruine leren portefeuille waarin een paspoort, rijbewijs, betaalpas, college-kaart van de V.U. te Amsterdam en enkele internationale be-taalcheques en Nederlands geld. Een huissleutel ligt helemaal onderin.

Alle namen zijn één en dezelfde. Het verschil tussen de foto's op het paspoort en de collegekaart is, dat op de ene een hoofd zonder snor en op de andere een met snor is afgebeeld, maar onmiskenbaar toebehorend aan dezelfde man: Thomas Edom van Welie, geboren te Dudoveen en woonachtig te Am-sterdam.

Lengte en haarkleur komen met die van de jogger overeen. Leeftijd, bijna 25 jaar, is zeer goed mogelijk. De identiteit van de jogger is vastgesteld.

Teun wijst op de voortanden op de foto's: 'Zie je die knaag-ijzers?'

Rik herkent zeker de vreemde uitsteeksels, één heeft hij gezien in wat ooit een neus voorstelde, het ander in de rech-terwang. 'Arme drommel,' mompelt hij.

'Veel geluk heeft hij niet gehad want mooi was hij ook niet,' zegt Teun droog.

Terug op het bureau, dit keer bij beter licht, bekijkt hij nog eens de foto's. 'Ik weet,' zegt hij tegen Rik, 'dat er in Dudoveen geen familie woont of gewoond heeft die Van Welie heet en zijn gezicht kan ik evenmin thuisbrengen.'

Teun is berucht om zijn genealogische kennis, beseft Rik. Heel de jeugd van Dudoveen weet dat als Tomesen je in het voetgangersgebied van de fiets sleurt, het geen zin heeft een valse naam te bedenken omdat die juut altijd een link weet te leggen tussen een stem, haardos, oogopslag, lengte of manier van fietsen, doet er niet toe, en ouders die net zulke streken leverden of te schijterig waren iets uit te halen. En terwijl Teun voor de absolute zekerheid nogmaals stambomen leegschudt en daarbij het kleinste zijtakje niet over het hoofd ziet, draait Rik tegen beter weten in weer het nummer van het restaurant waar de oveejee inmiddels vertrokken is.

'Horizontaal,' verduidelijkt de ober.

'Dan maar op eigen initiatief,' zucht Rik.

Maar Teun protesteert want hij voelt aankomen wat zijn vriend van plan is. Hij heeft wel meer te doen dan de oveejee die 'm vannacht toch niet overeind kan krijgen. En wat Bos betreft, die zou hij het liefst de kop indrukken. Die etter, die het presteert de ene helft van het politiekorps in de ziektewet te schoppen en de rest zich erin te laten werken. De slavernij is allang afgeschaft en 's avonds kiest hij er principieel voor eigendom te worden van zijn gezinnetje en de borrel. 'Kom op man,' zeurt hij, 'laten we gisteravond nog eens dunnetjes overdoen. Ik heb er weer zin in. Als je me liefhebt, volg me naar de Bokma,' voegt hij er theatraal aan toe.

Maar Rik weigert en nadat Teun scheldend vertrokken is, heeft hij een lang telefoongesprek met zijn collega's in Amsterdam.

Maandag

Het is maar een klein eindje van de bar naar de overkant van het plein en toch gaat Giulietta's hart tekeer alsof ze zojuist de marathon heeft gelopen. Struikelend bereikt ze de voordeur en met een laatste krachtsinspanning werpt ze zich tegen het tweede belletje onder haar naambordje. Ze is de hysterie nabij.

'Olanda, polizia,' krijst ze door de intercom als de signora met haar buitenlandse tongval eindelijk slaperig vraagt wie haar op dit onmogelijke tijdstip durft lastig te vallen. 'Sono io, ik ben het, Giulietta, van bar Franco,' verduidelijkt ze. 'U moet onmiddellijk aan de telefoon komen. Subito. De politie uit Holland is aan de lijn.'

Handenwringend wacht ze totdat de deur opengaat. Madonna mia, politie uit Holland, om kwart over zeven 's morgens. Wat zal er gebeurd zijn? En waar blijft de signora nu? Eindelijk hoort ze haar de trap afkomen. 'Er wacht een man op u,' begroet ze de Hollandse die bleek maar vastberaden het plein op loopt. 'Een politieman.'

Ze krijgt geen antwoord en pas als de signora de Via Cassia oversteekt die het kleine Italiaanse dorpje doormidden snijdt, dringt het tot haar door dat ze achter de wapperende panden van die ochtendjas aan moet, wil ze iets te weten komen. Vlak bij de bar is ze weer op gelijke hoogte en nog juist kan ze naar voren springen en onderdanig het vliegengordijn opzij trekken. 'De telefoon is daar,' wijst ze geheel overbodig om toch maar iets aan de belangrijkheid van dit moment te kunnen bijdragen.

De signora sluit de telefooncabine en Giulietta probeert haar teleurstelling te verbergen voor al die lomperds uit het dorp die van haar naar de signora gapen. Ze neemt haar plaats weer in achter de bar en besluit voorlopig niets te vertellen over het dringende telefoongesprek uit Holland. Natuurlijk brandt het haar op de lippen uitleg te geven over de ongewone kleding waarin de Hollandse in de bar is verschenen en waarover die kerels hun gebruikelijke opmerkingen maken. Bedrijvig gaan haar handen heen en weer, van het espressoapparaat naar de kopjes, van de glazen naar de koelkast waar Franco zaterdagavond laat de flesjes succo di frutta keurig naar inhoud gesorteerd heeft. Ondertussen houdt ze de cabine nauwlettend in de gaten en de lires die voor iedere consumptie neergeteld worden.

Het duurt lang, dat telefoongesprek uit Holland. Giulietta's oksels prikken hevig wanneer ze een opmerking van Mario negeert over de minnaar van die Hollandse die waarschijnlijk in hoge nood verkeert en nu per telefoon z'n handeltje moet klaren. Mannen zijn nu eenmaal mannen. Altijd dezelfde gore praatjes in San Antonio, dat knoflookgat waar ze nu zeven lange jaren woont na haar huwelijk met Franco. Had ze hem maar kunnen overhalen haar vaders bar in Verona over te nemen, hoe gelukkig zou ze geweest zijn. Altijd chique lui in de zaak, veel buitenlanders, operagasten met wie ze Engels kon praten.

Nee, Franco houdt meer van zijn dorp. Misschien nog meer van wat onder de grond zit dan van zijn kameraden met wie hij nogal eens 's nachts, na sluitingstijd van de bar, een cantina induikt. Giulietta is bijzaak, wordt pas vroeg in de ochtend hoofdzaak als hij haar opdringerig aan hun huwelijkscontract herinnert. Vanmorgen goddank niet. Wat had ie de pest in toen hij met flinke schrammen op zijn gezicht het bed instapte. 'Van de takken,' gromde hij en toen duwde hij zijn achterwerk naar haar toe en snurkte door de muziek van de signora beneden. En Giulietta maar raden of het nu Franco's afwezigheid was geweest of die muziek die haar bijna de hele nacht uit de slaap had gehouden.

Toch voelt ze zich tot de signora aangetrokken. Haar elegantie is die van Verona. Met haar kan ze praten over de laatste mode die San Antonio altijd overslaat. Bovendien vraagt de signora alleen aan haar of een woord dat ze gehoord heeft echt Italiaans is of tot het dialect van het dorp behoort. Er is geen vrouw bij wie ze beter terecht kan dan bij haar. Eigenlijk zijn ze een beetje vriendinnen. Dat ze elkaar niet iedere dag spreken, ligt aan de werkzaamheden van Giulietta en de terughoudendheid van de signora die zoals alle noordelingen vaker de stilte van het huis verkiest dan het lawaai op het plein.

Aan de bewegingen van de signora ziet Giulietta dat het telefoongesprek ten einde loopt. Ze moet nu zo dicht mogelijk bij de cabine gaan staan want het zou heel vervelend zijn wanneer de signora verplicht wordt haar verhaal te vertellen tussen al die kerels die natuurlijk niet vertrokken zijn, maar geduldig wachten om uit de signora's eigen mond het ongewone van haar komst op dit uur van de dag tot in de kleinste details uitgelegd te krijgen.

Giulietta heeft al zo vaak tegen Franco geklaagd dat de deur van de telefooncabine klemt, nu is ze blij met haar lakse echtgenoot. Ze snelt naar de deur, snauwt tegen klanten zich nergens mee te bemoeien, gebaart tegen de signora te duwen en trekt tegelijk. Ze schrikt van het gezicht tegenover haar. 'Kom mee naar buiten,' fluistert ze.

De signora wankelt, alsof ze flauw gaat vallen. Diep voorovergebogen houdt ze met één hand de kraag van haar paarse ochtendjas dicht, met haar andere de slippen over haar benen. Ze weigert de arm die Giulietta haar aanbiedt. 'Laat me maar,' zegt ze bijna toonloos. 'Mijn zoon is gestorven. Ik moet direct naar Nederland.'

Giulietta voelt het bloed uit haar gezicht wegtrekken. Ondanks de zon huivert ze net zo als de signora.

'Dood,' stamelt Giulietta. 'Had u een zoon? Wanneer is hij gestorven? Waaraan?'

'Vermoord,' fluistert de signora.

Giulietta heeft behoefte om te schreeuwen, om San Antonio van zijn sokkel te krijsen, het hele dorp naar het plein te gillen: de zoon van de signora is vermoord. Ze haalt diep adem en opent haar mond.

'Niet doen, rustig blijven,' smeekt de vrouw naast haar. 'Vraag aan Glauco of hij me naar Rome wil brengen. Ik heb een half uurtje nodig om te kleden en te pakken.'

Giulietta grijpt een ijskoude hand. Waarom Glauco? Franco, die slaapkop die de laatste tijd de nacht voor de dag verruilt, moet zijn bed uitkomen en de signora naar het vliegveld brengen. Waarom niet?

'Ik laat me door Glauco wegbrengen of ik ga met mijn eigen auto,' zegt de signora beslist.

Giulietta kent de noordelingen. Nee is helemaal 'nee' en ja nooit half 'ja'. Daarom vliegt ze weer het plein over, nu richting werkplaats van Glauco. De deur van de timmermanswerkplaats staat open en nog voordat ze over de drempel is, krijst ze: 'Glauco, de zoon van de signora Olandese is vermoord. Je moet haar naar Rome brengen. Vermoord,' schreeuwt ze tegen de verbaasde timmerman. 'Franco slaapt en ze moet naar het vliegveld. Madonna, mama mia, haar zoon is vermoord.' Glauco wrijft over zijn gulp en staart niet-begrijpend naar Giulietta die hevig dampend voor hem staat. 'Dat komt ervan,' tiert ze, 'als je in San Antonio slechts kunt kiezen tussen druivepitten en zaagsel in je kop. Schiet toch op man. Haal de auto en breng de signora weg. Ik moet terug naar de bar. Oh, kon ik maar rijden dan waren de signora en ik allang weg geweest,' schreeuwt ze driftig.

Eindelijk heeft Glauco het half door. 'Vermoord,' echoot hij. 'Hier in San Antonio?'

'Nee, in Olanda, ezel. Vooruit ga je handen wassen en pak de auto.'

Als ze terugkomt in de bar is iedereen er nog behalve de vrachtwagenchauffeur die dringend een bestelling verderop moest afleveren. Zijn plaats is echter ingenomen door andere mannen die normaal nooit op dit tijdstip binnenkomen omdat ze buiten gratis de vrouwen kunnen bekijken en Giulietta binnen geld kost.

Ze loopt achter de tapkast en voelt zich voor de eerste keer het middelpunt van het dorp. Zelfs niet toen ze als spiksplinternieuwe echtgenote van Franco het plein betrad, waren zoveel ogen op haar gericht. San Antonio ruikt liever een nieuwtje dan knoflook. Ze stelt het moment van de onthulling uit. Zo voedt ze, behalve de nieuwsgierigheid op de bruinverbrande koppen tegenover haar, ook de kassa. En de enige reden om zo vroeg langer dan één consumptie in de bar te blijven hangen, is een tweede bestellen.

Daar maakt ze listig gebruik van. Ze ontwijkt vragen, zendt

vele mamamia's naar het donkerbruine plafond en zucht dat de wereld vol ellende is.

'Wat is er dan toch gebeurd,' zanikt Paolo weer.

Giulietta voelt dat het moment daar is. Nog langer wachten wordt riskant want enkele klanten dreigen aan het werk te gaan. Ze maakt een bezwerend gebaar en alsof het om een toverformule gaat, spreekt ze langzaam articulerend en in hoog-Veronees: 'De zoon van de signora is dood.' Er valt een eerbiedige stilte. 'Vermoord,' voegt ze eraan toe.

Niemand wist dat Giulietta zo boeiend kon vertellen. Ademloos volgen ze haar verhaal. Hoe ze zich die ochtend stilletjes aankleedde om Franco niet wakker te maken die erg laat naar bed was gegaan, hoe ze zachtjes de trap afsloop langs de deur van de signora die tot aan de ochtend muziek had geluisterd, hele treurige muziek, of ze voelde aankomen wat er in Holland gebeurd was, het telefoongesprek dat ze in het Engels met de Hollandse carabinieri gevoerd had...

'Engels?' vraagt Cesare.

'Si, wie uit Verona komt, spreekt Engels,' verduidelijkt ze. Ooit gehoord van de opera en al die schatrijke Amerikanen die een seizoenlang blijven? '... And last but not least,' (Giulietta spreekt uit: anda lastte boet not lieste) de reactie van de signora en haar pogingen Glauco te overreden de signora naar Rome te brengen.

Frikkerig staat ze op het plankier achter de bar. Iedereen mag een vraag stellen, niemand tegelijk. Helaas moet ze vaker teleurstellen dan ophelderen. Het is ook allemaal zo vlug gegaan.

'Huilde ze?' vraagt Luigi.

Plechtig antwoordt Giulietta: 'Ze beefde slechts, maar,' voegt ze eraan toe, 'beven is een soort innerlijk huilen.'

Er ontstaat een hevige discussie. Talloze doden worden levend om weer te sterven en vervolgens luid wenend en jammerend onder de verdorde zoden gestopt. De moeder van Paolo bijvoorbeeld heeft zo geschreeuwd toen haar dochter overleed dat mensen van drie dorpen verder kwamen vragen wat er aan de hand was. En de broer van Cesare dan?

'Eerst,' zegt Cesare, 'wilde hij niet geloven dat zijn vrouw dood was. Hij zat maar op een stoel aan de keukentafel 'nee' te schudden. Maar toen ze begraven werd, hebben we hem met z'n vieren tegen moeten houden. Hij wilde met haar het graf in. Echt waar. En gillen dat ie deed...'

'Als je echt verdriet voelt,' vult Mario aan, 'laat je het merken. Toen mijn vader overleed...'

'Stomkoppen,' roept Giulietta die narrig is geworden omdat de lijken van San Antonio weer belangrijker zijn dan haar dode in Olanda over wie ze zo weinig kan vertellen, 'stomkoppen, jullie begrijpen niets van de cultuur van de Hollanders. Die huilen niet op straat of tegen elkaar maar die hebben wel gevoelens. Die huilen hier.' Giulietta slaat op haar hart: 'Daar zit hun verdriet.'

Cesare begint te treiteren. 'Hoe weet jij dat? Ben jij wel eens noordelijker geweest dan Verona? Tutto il mondo is hetzelfde. Wie gelukkig is lacht, wie verdrietig is huilt. Basta, zo is het.'

Giulietta hijgt van kwaadheid. 'Hoe ik dat weet, hoe ik dat weet?' stottert ze, 'ik weet wel dat het verdriet van die broer van jou ook maar namaak was. Nog geen week na de begrafenis van zijn vrouw zat hij al bij die slet, die Peppina, die hij al maanden in het geniep bezocht. Jullie weten dat toch ook,' roept ze vertwijfeld als ze merkt hoe San Antonio de gelederen sluit.

Giulietta bestaat niet meer. Even later moet ze dulden dat in de bar van Franco, dus ook haar bar, smalle ruggen, vierkante, rechte, kromme en vooral de brede rug van Cesare haar het uitzicht op het plein ontnemen. Helemaal achteraan springt ze telkens omhoog, niet in staat iets op te vangen van de signora die, in het rose en niet in de rouw, hoort ze, door Glauco in zijn oude Lancia geholpen wordt. Ze voelt zich behoorlijk buiten spel gezet: door San Antonio en door de signora met haar verzwegen zoon want als je vriendinnen bent, vertel je elkaar toch alles...

Nukkig kijkt ze de mannen na die in groepjes naar het plein vertrekken om daar de Hollandse moord in scène te zetten. Het kan haar geen barst meer verdommen. Die Hollandse niet, die stomme hufters niet en nog minder de uitbrander van Franco straks. Als Cesare zijn hoofd door het vliegengordijn steekt en vraagt hoe laat Franco de bar overneemt, besluit ze zich strikt te houden aan de opdracht van haar echtgenoot: denk erom, achter de bar weet je veel maar het antwoord nooit. Cesare kan stikken, die vrouwengek met zijn broer die nog erger is. Hij moet er zelf maar achter zien te komen wanneer hij Franco zijn vunzige praatjes weer kan verkopen. Van haar komt hij niets te weten. Haar vertellen ze ook niets. Of leugens. Zoals Franco. Schrammen op zijn gezicht en haar dan vertellen dat die door takken veroorzaakt zijn. Het is toch eigenlijk schandalig dat een eigen vrouw niet weet waar haar man 's nachts uithangt. Op zoek naar de verborgen schat? In Etruskische grafkamers,... zo gek is ze nu ook weer niet...

Driftig stapelt ze de kopjes en glazen in de afwasbak op. Ze zou het niet berouwen als Franco weer opgepakt werd. Dan was de bar van haar alleen en heel San Antonio van haar afhankelijk. Geen peuken meer op de grond maar in zilverkleurige asbakken zoals in haar vaders bar in Verona. Niet die plakkonten op een droogje op het terras maar keurige toeristen die nog sneller bestellen dan drinken.

Oh, was ze maar in Verona in plaats van levend begraven in San Antonio.

De ernst die hij in zijn stem geprogrammeerd heeft, verdwijnt met het verstrijken van de tijd en wanneer, om kwart over zeven, ineens het woord 'pronto' in zijn oor klinkt, kan Rik slechts een nors 'hallo' terugroepen. Zijn stem en die van een Italiaanse vrouw wisselen elkaar af totdat hij tot de conclusie komt dat hij geen Italiaans spreekt en zij geen Nederlands. Vroeg in de ochtend schijnen hersenen, vooral de zijne, niet al te best te functioneren. Hij schakelt over op Engels.

'You are mrs. Van Welie?'

'Ah si, no, no.'

'Do you speak English?'

'Si, si, poco, a lietel biette,' klinkt de vrouw.

'Do you know mrs. Van Welie?'

'Pronto.'

Hij articuleert langzaam ieder woord: 'I-want-to-speak-to-mrs.-Van-Welie. Signora-Van-Welie,' herinnert hij zich opeens. 'Police-from-Holland-here.'

'Ah, si, yes, yes,' schettert ze in zijn oor en daarna hoort hij voetstappen die zich verwijderen. Minutenlang wacht hij, aarzelend tussen ophangen en opnieuw proberen of aan het toestel blijven. Zenuwachtig tikt hij met een pen op de bedrand. Het lijkt alsof uren verstrijken maar eindelijk hoort hij een vrouwenstem die in onberispelijk Nederlands zegt: 'Met Sara van Welie.'

'Goedemorgen mevrouw. Neemt u mij de storing niet kwalijk maar u spreekt met de recherche uit Dudoveen, Van Helden is mijn naam. Kunt u mij goed verstaan?'

'Alsof u van een paar huizen verderop spreekt,' antwoordt ze.

'Mevrouw, kent u een zekere Thomas van Welie?'

'Ja, dat is mijn zoon.'

'Dan moet ik u iets verdrietigs mededelen.'

'Is er wat gebeurd met hem?'

'Ja, hij is dood.'

Een poosje hoort hij niets en dan: 'Waaraan?'

Hij aarzelt. Hoe moet hij het haar zeggen, zo ervaren is hij niet in het aankondigen van moorden. 'Hij is op een onprettige manier gestorven,' ontwijkt hij.

'Wat bedoelt u?'

'Vermoord. We hebben hem gistermorgen levenloos in het Leeuwendaelse bos in Dudoveen aangetroffen.' Hij hoort haar zwaar ademen.

'Weet u zeker dat het mijn zoon is?'

'Uw zoon is in Dudoveen geboren?'

'Ja.'

'Kunt u hem beschrijven?'

'Groot, zwaar, blond. Hij heeft een wijnvlek op zijn linkerborst, het moet op een hart lijken.'

'Ik denk dat ik u moet vragen naar Nederland te komen, mevrouw.'

Het is net of ze aarzelt en zijn vermoeden wordt bevestigd als ze vraagt of haar aanwezigheid noodzakelijk is. Daarna slaat het gesprek dood, althans van haar kant. Op al zijn vragen naar Thomas van Welie antwoordt ze weinig, nagenoeg niets, eigenlijk helemaal niets.

'Ik ken hem nauwelijks,' zegt ze. 'Ik heb hem sinds zijn geboorte amper meer gezien. Ik weet niet waar hij gebleven is noch wie hij geworden is. Bovendien ben ik een beetje in de war.'

Hij begrijpt zoveel dat verder vragen geen zin meer heeft. Alleen de PTT wordt er beter van. 'U komt dus naar Nederland?' beëindigt hij het gesprek.

'Ik neem direct een vliegtuig uit Rome en reis meteen door naar Dudoveen.'

Ze klinkt als een schoolmeisje dat toevallig de laatste examenvraag herkent, opgelucht omdat het antwoord goed is.

Rik voelt zich allerminst opgelucht wanneer hij de hoorn op de haak smijt. Laat uit Amsterdam terug, slecht geslapen, vroeg op, een douche en een kop zwarte koffie en direct de emmer drab die Bos over zijn hoofd uitgooit. Bijna vierentwintig uur na het ontdekken van de moord en nog steeds niet verder dan een geïdentificeerd lijk. Bos zal zijn lol niet op kunnen. Grommend trekt Rik zijn oude spijkerbroek aan en hij ruikt aan het overhemd dat hij gisteren gedragen heeft. Vuil interesseert hem allang niet meer, nog wel of het stinkt. Wie alleen woont, heeft zo zijn eigen maatstaven.

Alles hangt hem ongelooflijk de strot uit, vooral dat hij nog steeds rechercheur in Dudoveen is: dat slaperige gat waar zelfs de zon gapend opkomt. Waar niets mag behalve braaf zijn en dat is de enige gemeentelijke verordening. Waar men eigenlijk nooit hoeft te stemmen omdat links toch beperkt blijft tot het socialistische gelijk in de conservatieve ogen van Bos, een lul op twee benen, een kop als een eikel, de voorhuid in plooien over zijn vetkraag. De keren dat die per dag met zichzelf klaar komt, zijn niet meer te tellen. Nog afgezien van de gelukzalige momenten die hij met de happy-few deelt. Met de oveejee onder één vlag, met de burgemeester onder één deken, met de middenstand onder één hoedje, met de upperten achter één glas. Verder met niemand want Bos bevuilt zich niet graag. De hoofd-inspecteur met ziekteverlof, agenten meer op het spreekuur van de arts dan op het bureau. Psychische klachten, latente aandoeningen, vaag ongenoegen dat in de tenen begint en langzaam via de ruggewervel opborrelt tot de hersenen beginnen te koken.

Bos, denkt Rik terwijl hij het scheerapparaat driftig over zijn wangen haalt, al een anachronisme voordat de wereld begon, een schender van de rechtsstaat, een medicijnman in het christendom, een snoekbaars in de Sahara, een gouddelver op zolder. Niets klopt, alles telt volgens zijn regels. Bos vindt zichzelf nog belangrijker dan Gods machtige vinger. Bos is zo'n klootzak dat zelfs de zure regen van hem afblijft. Oh God, oh God, wat is hij de oliebollelol waarmee Bos hem iedere dag insmeert spuugzat.

Eindelijk houdt hij op met scheren. Hij is zo glad als een aal en zo ontevreden als een bloedluis in een bontjas.

Iedere maandagmorgen om negen uur speelt commissaris Bos de lotto nog eens dunnetjes over. Eerst alle ballen verzamelen en daarna schudt en hutst hij ze net zo lang totdat ze kotsmisselijk aan de werkweek beginnen. Vandaag beproeft hij zijn geluk een uur eerder.

Rik ziet aan zijn gezicht dat hij er zin in heeft. Bos heeft het weekeinde achter de kiezen, de ronde buik nog strakker in het maatpak, allebei de benen weer stevig onder zijn bureau en daarboven de handen in wurggreep.

Een voor een kraakt hij de mannen: dit is niet goed, dat deugt niet, dit had hij anders gedaan en dat had zo gemoeten. De getuigenverklaringen legt hij glimlachend terzijde, zoiets hadden ze hem niet moeten lappen. Vooral Rik moet het ontgelden.

'Van Helden,' begint Bos, 'mag ik u erop wijzen dat ik geen enkele waardering kan opbrengen voor de manier waarop u het onderzoek naar de moord op Thomas van Welie gestart hebt. Er zijn mij enkele termen ter ore gekomen die ik niet in het vocabulaire van mijn manschappen wens. Voor het verhaal dat u aan de pers verteld hebt, geef ik u een diepe onvoldoende. U dient zich te realiseren dat de politie bepaalt wat journalisten schrijven. Dat betekent afleiden en sturen en nooit conclusies overlaten aan persmuskieten die hun angels volzuigen met sensatie en nonsens. Bovendien ben ik van mening dat u zich niet overeenkomstig uw naam gedragen hebt want, Van Helden, uw rol is beperkt gebleven tot die van een debuterende dribbelaar op het middenveld. U hebt de bal op geen enkel moment onder controle gehad. Erger nog, uit al uw handen- en voetenwerk blijkt dat u niet eens wist naar welke kant u moest scoren. En van een aanvoerder schijnt u nog nooit gehoord te hebben. Zou ik eens mogen weten, Van Helden, waarom u mij gisteren uit het veld hebt gewerkt?'

'Ik heb u er niet uitgewerkt,' antwoordt Rik rustig terwijl hij een sigaret opsteekt, 'u bent niet op komen dagen voor de wedstrijd.'

'Zo, zo,' zegt Bos, 'niet komen opdagen, zoals u het uitdrukt. Kunt u mij verklaren, Van Helden, waarom uw aanvoerder niet wist dat de wedstrijd begonnen was?'

'U was niet te bereiken.'

'Niet te bereiken?'

'Nee.'

'En hebt u de moordenaar wel bereikt?'

'Nee.'

'Weet u hoe dat komt, Van Helden?'

'Nee.'

'Omdat u niet eens in staat bent uw commissaris op te sporen. Ik geef u de gele kaart, Van Helden.'

'Als u er een kunt afstaan,' zegt Rik.

Bos negeert het gegniffel. 'De burgemeester?' vraagt hij ijzig.

'Geeft u mij de tweede gele kaart maar,' antwoordt Rik bijna vrolijk.

'De officier van justitie?'

'Ho,' antwoordt Rik, 'over die meneer wil ik graag in discussie gaan.'

'Ik waarschuw u, Van Helden.'

'Die vent wist gisteren het verschil niet tussen een lijk en zijn vrouw.'

'De rode kaart, Van Helden. Ik verbied u zo over een meerdere te spreken,' buldert Bos.

Tot nu toe heeft hij slechts een inleiding gehouden, weet het korps. Bos oreert, bezweert, verfoeit, verdoemt en staat net op het punt het hele politiekorps in de boeien te slaan wanneer iemand hem komt waarschuwen dat de officier van justitie hem dringend én privé wil spreken. Niemand zegt een woord want iedereen weet dat Bos vandaag geen epidemie is maar een door God gezonden zelfkastijding.

En de man is onherkenbaar. Kwispelstaartend komt hij terug en zonder gêne trekt hij zijn ene keutel na de andere in. Grondig wast hij de handen van de oveejee, zichzelf reinigt hij helemaal. 'De dag in gepaste afzondering doorbrengen, komt iedere rechtvaardige toe,' deelt hij minzaam mee. Blinkend en rose als een pasgeboren varken zit hij achter zijn bureau, hij vouwt zijn handen tegen elkaar en nodigt Van Helden uit verslag te doen van de gebeurtenissen van gisteren.

'Van het verhaal in Dudoveen schijnt u inmiddels op de hoogte te zijn,' begint Rik zuur. 'In die tekst hebt u zelf al correcties aangebracht. Rest mij nog te vertellen dat ik gister-avond naar Amsterdam ben geweest. Met twee Amsterdamse rechercheurs heb ik de bovenwoning van Van Welie uitge-kamd. Aanvankelijk vonden we weinig. Behalve dat de stu-deerkamer van Van Welie uitpuilt met Franse literatuur en naslagwerk en in zijn bureau enkele oude tentamenbriefjes liggen, blijkt uit niets dat Van Welie student was. Ook kregen we niet de indruk dat hij vaak thuis was. Toch moet hij vóór de moord in huis zijn geweest want in de pedaalemmer in de keuken troffen we onbedorven restanten van een Chinese maaltijd aan. Toen we op zijn slaapkamer kwamen, wisten we het zeker. De wekker stond op 5.00 uur afgesteld en op de grond lagen vuile kleren. Van Welie moet een verwoed jogger zijn geweest. In zijn klerenkast hingen voornamelijk dure jog-gingpakken. Op die slaapkamer ontdekten we een tweede hob-by van Van Welie. Fallussen.'

'Pardon?' onderbreekt Bos hem.

'Penissen. Boven het bed hangt een grote zwart-wit foto van een of ander Grieks of Romeins beeld. Het stelt een naakte man voor. Zijn rechterarm ontbreekt, maar wat hij verder heeft, maakt alles goed.'

'Hoe bedoelt u?'

'Zo iets.'

Ongelovig kijkt Bos naar de afstand tussen Riks handen.

'Echt waar. Ik heb nog nooit zoiets gezien. Het moet ook indruk op Van Welie gemaakt hebben want tegenover zijn bed hangen verschillende vergrotingen van die knots. Dat heeft hij, of een ander, heel knap gedaan. Al die penissen wijzen namelijk naar degene die in bed ligt. Ik zie de lol er niet van in maar Van Welie kennelijk wel. Bovendien vonden we onder zijn hoofdkussen nog een pornoblad met mannenfoto's.'

'Hij was dus homo,' concludeert Bos terwijl hij zijn nagels monstert.

'Ik denk het wel.'

Met de pinknagel van zijn ene hand wipt hij een vuiltje onder de andere pinknagel weg. 'En verder?'

'Als u aanwijzingen bedoelt,' zegt Rik die Bos nauwlettend in de gaten houdt, 'moet ik u teleurstellen. Van Welie liet maar één spoor na en dat leidde naar zijn moeder. Eén van de Amsterdamse rechercheurs vond in het borstzakje op het overhemd van Van Welie een briefje waarop stond dat zijn moeder te bereiken was in Italië. Dit briefje is het.' Hij friemelt in zijn portefeuille en overhandigt Bos een vodje.

'Ma, 09/3967154401 Bar Franco,' leest deze hardop voor. 'Ik zal me meteen in verbinding stellen met mevrouw Van Welie,' zegt hij gewichtig.

'Dat hoeft u niet te doen.'

'Waarom niet?'

'Omdat ik vanmorgen mevrouw Van Welie gebeld heb. Ze zegt niets te weten omdat ze haar zoon sinds zijn geboorte niet meer heeft gezien.'

'U bent soms erg voortvarend, Van Helden.'

Dat die voortvarendheid niet in dank wordt afgenomen, merkt het Dudoveense politiekorps wanneer Bos langzaam opstaat, zich naar het raam keert en met precieze bewegingen een sigaar opsteekt nadat hij met zijn pinknagel een gleufje onder in de sigaar gemaakt heeft. Terwijl hij genietend wat paffende geluidjes maakt, zegt hij zo neutraal mogelijk: 'Mijne heren, onder leiding van uw commissaris doen we het onderzoek over.'

In de loop van de middag, wanneer alle uitkomsten identiek zijn aan die van gisteren en ook commissaris Bos terug is van een lunch met de high society die flink is uitgelopen, laat hij Rik op zijn kamer roepen. En passant deelt hij hem mee dat hij met zekerheid kan stellen dat de dode geparenteerd moet zijn aan de oliemagnaat Van Welie en dat het spoor van Amsterdam naar Nijmegen leidt. Bos is weer helemaal terug van weggeweest. Zelfs waarschuwt hij Rik dat er in Dudoveen in teamverband gewerkt wordt en niet afzonderlijk met geruite petjes en pijpen.

'Kan ik verder gaan met het onderzoek?' vraagt Rik onbewogen.

'Nee,' antwoordt Bos, 'ik wacht eerst mevrouw Van Welie af.'

Die laat in ieder geval nog een paar uur op zich wachten en ondertussen gebeurt er niets meer. De officier van justitie heeft wel gerechtelijke sectie bevolen maar het is niet zeker wanneer die plaatsvindt. Ook niet of het regionale bijstandsteam gaat opereren. Nijmegen wil best meewerken, Amsterdam eveneens, maar aangezien niemand concrete opdrachten geeft of heeft, zwabbert het onderzoek tussen vage en dode sporen. Bij alle eigen drukte en onderbezetting heeft geen enkel korps behoefte aan een extra raadseltje.

Tegen de avond wordt ook Bos ongeduldig. 'Hoe laat,' informeert hij telkens, 'zou mevrouw Van Welie komen?'

'Zo snel mogelijk. Ik heb Schiphol al opgebeld maar omdat ik niet weet met welke vlucht of maatschappij ze komt, konden ze me daar ook niet verder helpen,' antwoordt Rik.

'Dan blijf ik op haar wachten,' besluit Bos. 'U kunt wel gaan, Van Helden, het was gisteravond laat en het is morgen weer vroeg dag.'

Maar Rik blijft zitten waar hij zit en ook Tomesen verroert zich niet.

'Dan moet u het zelf maar weten,' zegt Bos. En even later: 'Waar blijft die mevrouw Van Welie toch? Ze is onze sleutelfiguur. Als een moeder haar eigen kind niet kan identificeren, houdt alles op. Dan gaat de vermoorde retour. Ik bedoel, dat wij dan ook niet weten wat we met de dode moeten.' Hij steekt een fijne sigaar op en door de rookwolkjes mijmert hij wat over familieverhoudingen in het algemeen en dan toegespitst op de Van Welie's. 'Volgens mijn inlichtingen een merkwaardig gezelschap,' concludeert hij. 'Ik ben benieuwd of het verhaal van mevrouw Van Welie de uitspraken van mijn informanten bevestigt.'

Rik houdt zijn mond en kijkt betekenisvol naar Teun.

'Ja,' zegt die, 'als iedereen wist wat u weet, waren we misschien vandaag al een stuk verder gekomen.'

Bos kijkt Tomesen waarschuwend aan. 'Mijn beste man,' zegt hij, 'wie vroegtijdig zijn carrière als rechercheur wil beeindigen moet vooral afgaan op kleine geruchten, subjectieve waarnemingen en persoonlijke interesse.'

Soms herinnert Bos zich dat hij ook een politieopleiding gevolgd heeft.

Aan het vervormde hoog-Nederlands op de gang horen ze dat Tomesen een knappe vrouw begeleidt. Bos trekt haastig zijn das nog rechter en Rik kamt, ondanks 'Ma', met zijn vingers door zijn haren. Geen overbodige maatregel flitst het door hem heen als Teun overdreven vriendelijk Sara van Welie binnenleidt.

De zoon is dood, maar de moeder leeft. Net over de drempel en ze vult de hele kamer. Rik ziet een vermoeid dansmeisje van Degas, in zachtrose en bruin, op haar gezicht de kinderlijke trekken van Liv Ullman, dezelfde kleur haar maar veel meer krullen.

Teun, die achter haar is blijven staan draait met zijn ogen naar het plafond, Bos dooft zijn sigaar terwijl hij zijn buik intrekt en Rik is zich pijnlijk bewust van zijn rafelige overhemd en de versleten knieën in zijn spijkerbroek. Buiten regent het, binnen schijnt de zon. Er ontstaat een vreemde situatie waarin alleen Sara van Welie zichzelf blijft. Bos biedt haar een stoel aan waarop ze inmiddels al zit, Teun overhandigt een kop koffie met voetbad en Rik offreert haar een sigaret uit een gesloten pakje Caballero. Toch redt Bos de situatie als hij omslachtig naar haar reis informeert, als hij hoog opgeeft van de Italiaanse zon terwijl hij naar haar lange benen kijkt en zich verontschuldigt voor zijn bleke uiterlijk, en verder zonder overgang voorstelt eerst naar het ziekenhuis te gaan om de dode te identificeren. Tomesen en Van Helden zullen haar begeleiden.

In de auto, tijdens de rit naar het Claraziekenhuis, zegt niemand een woord. Teun overschrijdt met nonchalant gemak de maximumsnelheid binnen de bebouwde kom, Sara van Welie kijkt ongeïnteresseerd naar de voorbij schietende huizen en achterin vraagt Rik zich af of haar krullen natuurlijk of gepermanent zijn.

Bij de receptie voert Teun het woord. Sara van Welie drentelt nerveus heen en weer en Rik ziet zichzelf haar ondersteunen als direct het lijk getoond wordt. Dat blijkt zeker nodig wanneer ze zwaaiend voor de brancard staat en haar handen voor haar gezicht slaat.

'Ik durf niet,' fluistert ze.

'U moet nu wel even kijken,' waarschuwt hij haar.

Heel even kijkt ze naar de borst van de dode waarop de wijnvlek inderdaad de vorm van een hart heeft. Dan ontdekt ze de verbrijzelde hand en ze draait zich om en leunt zwaar tegen Rik aan. 'Wat is er met zijn hand gebeurd?' fluistert ze terwijl ze haar ogen met haar hand bedekt.

'We vermoeden,' zegt hij zachtjes, 'dat er uit een auto op hem geschoten is en dat een van de wielen over zijn hand is gereden. Kunt u de dode identificeren?'

'Hoe ziet zijn gezicht eruit?'

'Vreselijk.'

'Dat hoef ik niet te zien?'

'Nee,' troost hij.

Ze haalt haar hand voor haar gezicht weg en kijkt hem aan: 'Hij is mijn zoon,' zegt ze, 'en mag ik nu alsjeblieft naar buiten?'

Ondanks de hoge hakken die haar een stuk groter maken dan ze in werkelijkheid is, loopt ze klein tussen de beide politiemannen. Ze kijkt stil voor zich uit. Rik kan er niets aan doen maar in de auto moet hij haar even aanraken. Bemoedigend klopt hij haar op haar schouder. Sara van Welie draait zich om, kijkt intens verdrietig en zegt: 'Het is niet wat u denkt meneer Van Helden. Ik hield niet van Thomas van Welie.'

Hij blijft lang in haar grijs-groene ogen staren totdat hij verlegen zijn hoofd afwendt. Als hij zich weer in staat voelt naar haar te kijken, ziet hij hoe ze moe tegen het portier aanleunt. Net een klein vogeltje, denkt hij, dat te vroeg uit het nest is gevallen en is overgeleverd aan de boze wereld.

Als Bos zich voorover buigt om persoonlijk melk en suiker in haar koffie te doen, is het goed zichtbaar dat hij hun afwezigheid gebruikt heeft om de spaarzame haren over zijn schedel te draperen. Zo wordt het pas echt heel duidelijk dat hij bovenop zo glimmend als een biljartbal is.

Gedrieën kijken ze toe hoe Sara van Welie met kleine slokjes proeft. Op haar gezicht komt een beetje kleur terug, maar dat ze behoorlijk aangeslagen is merken ze aan het kopje dat op het schoteltje blijft rinkelen.

'We zullen in uw belang zo kort en zakelijk mogelijk zijn,' begint Bos. Hij vertelt haar waar en hoe Thomas van Welie zijn dood gevonden heeft. De allergriezeligste details weet hij nog net te ontwijken maar het aandeel van de knapen Gerritsen meet hij breed uit. 'Het onderzoek is vooral vandaag voortvarend aangepakt,' zegt hij terwijl hij Rik negeert, 'maar de resultaten zijn desondanks helaas mager te noemen.'

Het lijkt alsof ze nauwelijks luistert. Nu roert ze met het lepeltje over de bodem van het kopje, ze legt het lepeltje weer op het schoteltje en herhaalt de handeling. Pas wanneer Bos zijn verhaal beëindigd heeft, zet ze de kop en de schotel op het bureau, kijkt Rik aan en veronderstelt dat het nu haar beurt is meer inlichtingen te geven dan vanmorgen.

'Het wilde zo vroeg maar niet tot me doordringen wat er precies gebeurd was,' zegt ze.

'Natuurlijk,' geeft Bos haar gelijk, 'is een telefoon een zeer ongebruikelijk middel om zulk een afgrijselijke mededeling te doen.'

Sara van Welie vertélt niet, het is of ze een lesje opzegt. Zonder onderbreking en met monotone stem praat ze in de richting van Rik die haar bemoedigend toeknikt.

'Ik ben Sara van Welie,' begint ze, 'enig kind van Frans van Welie en Hermine Sanders. Ik ben geboren in Nijmegen. Mijn moeder heb ik niet gekend omdat ze vlak na mijn geboorte verdwenen is. Of en waar ze leeft, weet ik niet. Ik heb haar in ieder geval niet meer gezien. Mijn vader heeft me opgevoed. Ik raakte zeer jong in verwachting. Toen ik vijftien was, is Thomas geboren. Omdat mijn vader niet wilde dat de zwangerschap in Nijmegen bekend werd, heeft hij me in de zomervakantie naar Dudoveen gebracht waar ik bij goede vrienden van hem, de familie Slagter Verrijns op Cruyslant, de bevalling zou afwachten. Thomas is in het Claraziekenhuis geboren. Meteen na de bevalling ben ik teruggegaan naar Nijmegen om mijn schoolopleiding af te maken. Thomas is bij de familie Aalders in Beek bij Nijmegen ondergebracht. Een zuster van mevrouw Aalders werkte als huishoudster bij mijn vader. Na mijn HBS-eindexamen ben ik de verpleging ingegaan. Eerst in het Sint Radboudziekenhuis, later in het Canisius en toen heb ik op het Regionaal Neurologisch Centrum gewerkt. Toen ik het huis uit was en Anna, onze huishoudster, overleden, is Thomas teruggegaan naar mijn vader en die heeft hem verder opgevoed. Mijn zoon en ik hebben geen contact gehad. In de periode dat hij bij de familie Aalders woonde en later bij mijn vader heb ik hem niet gezien. Zij leefden hun leven, ik het mijne. Mijn vader en Thomas konden zeer goed met elkaar opschieten. Drie jaar geleden is mijn vader overleden. Naar aanleiding van een erfeniskwestie ontmoetten Thomas en ik elkaar voor het eerst op een notariskantoor in Nijmegen. Dit contact is voor ons allebei niet prettig verlopen. Waar hij gebleven is, weet ik niet. We hebben elkaar sindsdien niet meer gezien.'

Het is akelig stil in de kamer. Sara van Welie blijft naar haar handen in haar schoot kijken, Teun naar zijn handen boven de tikmachine en Rik kijkt uilig naar de handen van Bos die hem driftig gebaren dat hij zich vooral niet met het gesprek mag bemoeien.

'Ahum,' kucht Bos gewichtig, 'mevrouw Van Welie, handelde uw vader in olie en woonde hij op de Heilig Land-stichting?'

'Ja.'

'Hij was een rijk man?'

'Ja.'

Bos kijkt triomfantelijk en dat helpt Rik over zijn onzekerheid heen. De stinkerd, denkt hij, altijd wat achter de hand houden en met welk doel? Alleen Teun merkt dat zijn stem anders klinkt dan normaal als hij plotseling het gesprek overneemt. 'Uw zoon is door uw vader opgevoed?' begint hij. Bos snuift hoorbaar.

'Dat heeft mevrouw al verteld,' antwoordt Bos.

'Waarom?' zet Rik door.

Ze aarzelt even en zegt dan haastig: 'Na mijn zwangerschap was de relatie tussen mijn vader en mij dusdanig verstoord dat we beiden geen behoefte meer hadden elkaar te zien.'

'Maar u woonde toch bij uw vader?'

'Nee, ik woonde in het huis van mijn vader.'

'En uw vader?'

'Die had meerdere huizen, ook in het buitenland. Ik neem aan dat hij daar gewoond heeft toen Anna en ik nog op Jacobahuis woonden.'

'Jacobahuis?'

'Zo heette het huis op de Heilig Land-stichting.'

'Waarom studeerde uw zoon Frans aan de V.U. in Amsterdam? Nijmegen heeft toch ook een universiteit?'

'Ik weet niet dat hij Frans studeerde, laat staan wat hij in Amsterdam zocht.'

'Kunt u een nadere omschrijving geven van uw relatie met uw zoon?'

'We hadden geen relatie. Ik heb me nooit zijn moeder gevoeld en hij zich kennelijk nooit mijn zoon. Indien we het anders gewild hadden, zouden we zeker contact met elkaar gehad hebben.'

'Kunt u ons namen geven van mensen, vrienden, kennissen, familieleden met wie uw zoon omging?'

'Mijn vader hield niet van familie. Als ik al familie heb, ken ik die niet. Ik neem aan dat voor Thomas hetzelfde gold. Zijn vrienden of kennissen zijn mij niet bekend.'

'Had uw zoon een meisje?'

'Niet dat ik weet.'

'Was uw zoon homofiel?'

Even knippert ze met haar ogen, dan kijkt ze weer strak naar Rik: 'Van het seksleven van mijn zoon is mij niets bekend.'

'Weet u waarom uw zoon gistermorgen naar Dudoveen is gekomen?'

'Nee.'

'Cruyslant?'

Sara van Welie haalt haar schouders op: 'Ik weet het echt niet.'

'Bent u sinds de geboorte van uw zoon nog in Dudoveen geweest?'

'Nee.'

'Waarom niet?'

'Mijn herinneringen aan dit stadje behoren niet tot de prettigste.'

'Heeft u enig vermoeden wie uw zoon vermoord heeft?'

'Absoluut niet.'

'Een motief?'

'Nee.'

'Geld?'

'Hij had geen geld.'

'Mevrouw Van Welie,' onderbreekt Rik zichzelf ineens, 'hoe heeft u daarnet de dode als uw zoon kunnen identificeren als u nu beweert dat u eigenlijk uw zoon niet kent.'

Ze schrikt op: 'Hoe bedoelt u?'

'Gewoon. U identificeert een dode als uw zoon die u niet blijkt te kennen.'

Met open mond staart ze Rik aan. 'U hebt zelf gezegd,' aarzelt ze, 'dat zijn gezicht onherkenbaar was. In dat geval is een lichamelijk kenmerk het enige dat overblijft.'

'Hoe wist u dan van die wijnvlek op zijn borst?' houdt Rik aan.

'Ik heb hem toevallig zelf gebaard,' antwoordt ze droog. 'En,' voegt ze eraan toe, 'soms hoorde ik via Anna over hem. Niet dat het me bijzonder interesseerde maar sommige dingen blijven je bij.'

Rik kucht een keer: 'Wie is de vader van Thomas?'

Sara van Welie kijkt naar buiten, althans, ze volgt de regendruppels die over het donkere raam naar beneden glijden. Onwillekeurig grijpt ze naar de scarabee die om haar hals hangt. Bos kijkt naar Rik, zo van: is dat nu nodig op dit moment? 'Nee,' zegt ze even later aarzelend, 'ik zeg het niet. Het heeft geen zin naam te geven aan een bewijs dat nooit meer geleverd kan worden. Het spijt me. Maar iedere relatie met de dood van Thomas kunt u vergeten want zijn vader is dood.'

Ook Tomesen kijkt nu verwijtend naar Rik en wijst op zijn gezicht en dan naar Sara van Welie: de vrouw is moe, laat haar gaan, ze heeft genoeg gehad voor vandaag. Inderdaad ziet Sara van Welie er afgetobd uit. Toch wil Rik nog veel meer van en over haar te weten komen. 'Sinds wanneer woont u in Italië?' gaat hij verder.

'Ik woon niet in Italië. Ik was er op vakantie en zou daar nu nog zijn,' haar stem stokt even, 'als mijn zoon hier niet vermoord was. Het bevalt me in Italië beter dan in Nederland.'

'Wanneer bent u op vakantie gegaan?'

'Eind juli.'

'Niet meer in Nederland teruggeweest?'

'Nee.'

De laatste vraag brandt op Riks lippen. Vanaf het moment dat Sara van Welie zijn leven binnenstapte, heeft hij zich afgevraagd hoe hij zal reageren als haar antwoord niet in overeenstemming is met zijn wens. Bijna bars klinkt hij: 'Bent u getrouwd, getrouwd geweest of heeft u een relatie?'

'Driemaal nee,' antwoordt ze en ze staat meteen op. Verlegen kijkt ze voor zich uit. 'Mag ik nu gaan? Ik ben verschrikkelijk moe en zou graag gaan slapen,' vraagt ze klagend.

Bos komt haastig overeind. 'Ik neem aan dat u vanavond niet doorreist naar Nijmegen,' zegt hij. 'In dat geval kan ik u Werszicht aanbevelen, een eenvoudig doch gerieflijk hotel.'

Sara van Welie haalt haar schouders op. Eigenlijk zou ze het liefst naar haar eigen woning gaan maar wanneer Bos blijft aandringen, stemt ze toe. Eén nachtje Dudoveen kan ze nog wel doorstaan, maar morgen... 'Kan ik gaan en staan waar ik wil?' vraagt ze voordat ze de kamer verlaat. 'Ik bedoel, kan ik eventueel weer teruggaan naar Italië?'

Bos aarzelt. Het stoffelijk overschot, hij weet niet precies wanneer het vrijgegeven wordt...

Rik hakt de knoop door. Zonder haar aan te kijken, merkt hij op dat hij graag op de hoogte gehouden wil worden van haar bewegingen in verband met de voortgang van het onderzoek.

'Gewoon even een telefoontje naar mij,' antwoordt Bos. 'Mevrouw Van Welie, ik sta altijd voor u klaar.'

Sara van Welie zegt ja noch nee, maar accepteert wel de arm die Bos haar hoffelijk aanbiedt.

Buiten twijfelt Rik of hij meteen in zijn auto stapt en naar huis rijdt of nog even langs hotel Werszicht loopt waar misschien een verlicht bovenraam de aanwezigheid van Sara van Welie verraadt.

Hij is het, tot over zijn oren verliefd. Hij voelde het toen ze aan de arm van Bos de kamer verliet. Nee, het gebeurde al in de auto toen hij in haar grijs-groene ogen keek. Nu kan hij zich wel voor zijn kop hengsten. Hij had Bos met haar moeten laten praten want die zou er een gesprek van hebben gemaakt. Beminnelijk, begrijpend en galant zou hij te werk zijn gegaan. Van Helden moest er zo nodig een verhoor van maken, een spervuur van vragen. En ze werd steeds kleiner en de rechercheur in hem steeds groter. Driedubbelovergehaalde zak die hij is. Hoe kan hij het goedmaken? Naar het hotel gaan en haar zijn excuses aanbieden? Hoe moet hij het haar zeggen zonder zich onmiddellijk bloot te geven? Misschien wordt ze nu op haar gemak gesteld door Bos. Praat hij met haar zoals hij gewend is de vrouwen uit zijn milieu te behandelen. Hij moet er niet aan denken: Bos en Sara, kreupelhout en een sequoia.

En hij had toch gezworen na de scheiding van Mieke nooit meer naar een vrouw om te kijken. Zonder goededag te zeggen of hem een blik waardig te keuren, stapte ze uit zijn leven. Liever een hechte relatie met een oudere vriendin dan zijn veredelde huishoudster met bedverkeer. Zo ongeveer moet ze het beredeneerd hebben voordat ze haar besluit nam.

'Ik begrijp je niet,' zei hij telkens tegen haar.

'Ik wel,' zei ze. 'Je bekijkt me alleen maar als jouw vrouw. Maar ik ben anders. Ik heb een eigen eigenheid die Mieke Broens heet en niet Mieke van Helden. Ik heb nu iemand gevonden op wie ik echt verliefd ben geworden.'

Niets kon haar tegenhouden, zijn argumenten niet noch de verwijten van haar omgeving. Ze wist wat ze deed, dwars tegen voorschriften, conventies en afspraken in. Ze wilde slechts gelukkig zijn en koos doelbewust. Na de scheiding trok hij zich diep gekwetst bezeten terug in zijn werk. Amsterdam kon hij niet meer aan. Alles was Mieke en bij het minste of geringste trok hij een grote bek, sloeg hij erop los. Van Amsterdam naar Dudoveen. Het kon hem allemaal geen barst meer verdommen als hij zichzelf maar vergeten kon.

En hij is pas 34. Een verklungeld leven. Een luizige baan in Dudoveen. Van de regen in de drup. Wachten op de zaak van je leven waardoor je carrière maakt. Of ijverig je best blijven doen en op de pensioengerechtigde leeftijd tot de ontdekking komen dat al je energie één rang hoger waard is geweest. Ondertussen met je voeten op de verwarming 's avonds het getal van het kijkvee verhogen. Pilsje in de ene hand en in de andere een blik makreel dat toch weer ongeopend in de keukenkast verdwijnt omdat het aas uit de snackbar om de hoek tenminste nog een praatje oplevert. Tussen stinkende lakens wachten op die andere dag die in niets verschilt van de vorige en, als voorschot op de hoop, je vooral voornemen er het beste van te maken. Naar de hel met alles. Hij is wel rechercheur, maar ook man. Vanavond is hij voor de bijl gegaan. Hij herkende het gevoel meteen. De behoefte is er, de vraag is gesteld. Nee heeft hij, ja kan hij krijgen.

Rik slaat de kraag van zijn jack omhoog en vindt zichzelf terug voor zijn auto. Het is opgehouden met regenen maar koud is het nog wel. Hij stapt in en rijdt terug naar zijn onderdak in de winderige kale nieuwbouwwijk. Vannacht begraaft hij zich niet tussen de eenzamen en bedroefden, de klimmers en dalers die in alle leeftijden, rassen en achtergronden de wijk nog enige kleur proberen te geven in ruil voor elkanders verhalen en een lage huurprijs. Vannacht moet de metamorfose zich voltrekken, het lichaam verzorgd en uitgerust, de oude rommel aan de kant.

De koplampen van zijn oude Simca boren twee lichtstralen in de duisternis. Teun zei het al: 'Zodra je eerste reële aanwijzing binnenkomt, is je post-mortale depressie voorbij.' Rik voelt zich uitstekend.

Het is Sara's gewoonte geworden niets aan toeval of slordigheid over te laten. Op haar kamer in hotel Werszicht, met uitzicht op de zijkant van de Clarakerk, is de nacht in voorbereiding. Het bed is opengeslagen, het lampje naast de asbak met de sigaretten en de gouden aansteker ontstoken, de gedragen kleding opgeborgen en de schone voor morgen klaargelegd. In de kleine badkamer staan haar toiletartikelen uitgestald en gerangschikt. Het potje met dexamfetamine voor noodgeval onder handbereik en het weekblad 'Oggi' dat ze voor haar vertrek op het vliegveld in Rome gekocht heeft precies in het midden van het ronde tafeltje naast haar. Zelf zit ze fris gedoucht in een ongemakkelijke fauteuil.

Ze is niet ontevreden over zichzelf. Het politieverhoor viel mee, de confrontatie met Thomas niet al te zeer tegen. Even schrok ze van zijn verbrijzelde hand, daarop had ze niet gerekend. Maar achteraf was haar reactie natuurlijk geweest. Geen enkele moeder, echte of niet, wil dat het produkt dat ze ooit zo gaaf afleverde, verminkt en toegetakeld aan haar getoond wordt. Het roept afschuw op, weerzin, alleen in haar geval niet die emoties die bij een dergelijk schouwspel horen. Ze heeft niet gelogen. Vroeg of laat zal men toch erachter komen dat de band tussen Thomas en haar zich beperkte tot die tussen vreemden. En dat geeft ook niet; tussen al de leugens van de laatste tijd mag af en toe best wat waarheid prijken.

Alhoewel ze van nature weinig behoefte heeft aan slaap, verwondert het haar dat ze nog niet helemaal afgeknapt is. In de auto van Glauco had ze het weer zwaar te verduren maar eenmaal in het vliegtuig, sliep ze tot een stewardess haar op Schiphol wakker maakte. Ook de taxichauffeur die haar naar Dudoveen bracht, vertelde wel eens 's nachts slapende passagiers te vervoeren, maar overdag?

Anna moest eens weten onder welke omstandigheden ze naar dit gat teruggekeerd was, waarom ze nu in een fauteuil in hotel Werszicht zat. 'Niet omkijken,' zei Anna altijd. 'Je kunt er gek van worden of ongelukkig.'

Maar Anna was Anna en zij niet meer de Sara van vroeger. Te lang heeft ze geweigerd om te kijken, te weinig haar eigen conclusies getrokken, te veel is ze een willoos werktuig geweest dat op commando of wens van een ander zich liet hanteren. Die periode uit haar leven is afgelopen, voorbij, als ze Dudoveen en morgen Nijmegen voorgoed de rug kan toekeren. Ze zal dit keer haar herinneringen niet uit de weg gaan. Dat mag ook niet omdat ze zich heeft voorgenomen nog eenmaal om te kijken, de rekening op te maken en hopelijk te kiezen voor een eigen vrij leven.

Ze kijkt op haar horloge: tijd om naar bed te gaan. Ze staat op en glijdt tussen de koel gesteven lakens. Ze sluit haar ogen maar weet tegelijkertijd dat ze nog lang niet zal kunnen slapen. Eerst draait ze zich op haar linkerzij, dan op haar rechterzij: Dudoveen ligt nog steeds niet lekker.

Eindelijk heeft ze haar houding gevonden, op haar rug zoals vroeger. Ze kruist haar armen over haar borst, opent haar ogen en kijkt naar het lichtende rondje dat het schemerlampje naast haar bed op het plafond aftekent.

Zo wachtte ze op Anna die haar altijd beloofde nog te zullen komen om welterusten te wensen maar die te vaak opgehouden werd door stapels afwas en nieuwe verzoeken van vader nog gauw dit of dat klaar te zetten of te regelen voor bezoek dat zich nooit aankondigde maar van 's morgens vroeg tot 's avonds laat het huis bezette. Anna hield woord. Bezorgd boog ze zich 's nachts over Sara, brommend dat een kind van haar leeftijd allang had behoren te slapen.

'Ik kan niet slapen,' zei Sara.

'Waarom niet?'

'Omdat ik ondergestopt wil worden.'

Heerlijk was het Anna's lichaam te voelen wanneer ze naast haar op het bed ging zitten en met haar grote handen links en rechts de dekens tegen Sara's magere lijfje drukte.

'Zul je nu gaan slapen?'

'Als ik kan.'

'Waarom zou je niet kunnen slapen? Oh nee,' zei Anna meteen als ze Sara's gezicht zag, 'we beginnen niet weer over je moeder. Dat hoofdstuk is uit en voorbij.'

Voor Sara bevatte het hoofdstuk slechts bladzijden met onvolledige teksten, hier een aanwijzing, daar een afgebroken zin, verderop een stel woorden waaruit ze geen wijs kon worden. 'Ik wil voor één keer alles over mijn moeder weten,' zei ze op een avond, 'want als ik alles weet hoef ik nooit meer iets te vragen.'

'Vooruit dan maar,' zuchtte Anna om aan het gezeur een eind te maken, 'maar denk erom geen woord tegen je vader. Je zou toch niet graag Anna willen missen, hè.'

Sara knikte heftig en streelde haar hand en daarna vertelde Anna over die vreemde vrouw bij wie ze in dienst was gekomen: 'Toen jij Sara geboren werd. Ik herinner me nog als de dag van gister hoe ze mij ontving. Ze lag op de sofa die nu naast de open haard in de studeerkamer van je vader staat. Ze rookte als een schoorsteen en ze dronk thee uit smalle hoge glazen. Tenminste dat dacht ik want bij ons thuis dronken we geen sherry 's middags, we dronken gewoon thee uit kopjes en van sherry hadden we nog nooit gehoord. Het was een bende in huis, je moeder kon geen personeel houden, alleen maar het glas. Ik dacht nog: hier zou ik best in dienst willen zijn want als ik hier aan de slag ga, zie je tenminste dat er gewerkt is. Zeg nou zelf Sara, valt er voor een dienstmeisje aan een schoon huis eer te behalen?'

'Was ze mooi?' vroeg Sara.

'Dat was ze,' aarzelde Anna, 'en dat is ook het enige goede dat ik over haar kan vertellen. Voor de rest deugde ze niet, maar, ze kon op mij rekenen. Je lag in een kraakhelder wiegje toen je geboren werd en je moeder in een fris bed op een schone kamer. Ik heb jou vanaf het begin verzorgd. Oh, je was zo'n lieve baby, je had hele kleine handjes en voetjes en vanaf het begin al mooie blonde krullen. Kijk eens, zei ik dan tegen je moeder, is ze niet net een prinsesje uit een sprookje? Maar je moeder bleef toch meer van de drank houden en je vader moest de kost verdienen. Niemand vond het erg, jij ook niet, toen ze op een dag verdwenen was.'

'Waar ging ze naar toe?'

'Dat weten we niet.'

'Waarom ging ze weg?'

'Omdat,' zei Anna, 'ze nooit wist wat ze wilde. Als ze uit was, moest ze thuis zijn en als ze binnen was, wilde ze naar buiten.'

'Misschien is ze verdwaald,' opperde Sara.

'Niks ervan. Je vader en moeder zijn gewoon gescheiden en daarna hebben we haar niet meer teruggezien. Ik weet nog goed dat je vader tegen me zei: Anna nu ben jij de vrouw des huizes en Sara je dochter. Zorg goed voor haar.'

'Ben jij nu mijn moeder?'

'Ja.'

'Is mijn vader jouw man?'

'Oh God,' schrok Anna, 'je zegt toch zulke gekke dingen niet op school. Denk erom: ik ben niet met je vader getrouwd, ik zorg alleen maar voor jou.'

Die nacht lag Sara lang wakker. Veel van wat Anna haar verteld had begreep ze niet, nog minder waarom Anna nu haar moeder was geworden. De volgende dag aan het ontbijt zat ze er bedrukt bij.

'Is er wat?' informeerde Anna.

'Je bent mijn moeder niet,' antwoordde Sara koppig.

Anna werd woedend. 'Dan moet jij me maar eens zeggen wat het verschil is,' schreeuwde ze. 'Ik verzorg je, ik geef je te eten, je hebt schone kleren aan wanneer je naar school gaat, ik bezoek de zuster als je weer eens een keer een slecht rapport hebt, ik sloof me de hele dag voor je uit, wat is het verschil met een echte moeder?'

'Dat ik niet uit jou gekomen ben.'

'Of dat het allerbelangrijkste is,' hoonde Anna. Ze knipte met haar vingers: 'Een kind is zo vlug gemaakt en dan denk jij dat ook zo een moeder gemaakt is. Nee hoor, je wordt pas moeder als je een kind verzorgt, het liefde geeft en dat heb ik gedaan. Niet die vrouw die na jouw geboorte verdwenen is.'

Zo was het Anna die Sara leerde haar eigen moeder te vergeten. Toen ze groter werd en zeker te oud voor het nachtelijk wachten op het instoppen, een laatste knuffel, bracht Anna haar tot onder aan de trap en waarschuwde: 'Denk erom, gewoon gaan slapen. Geen muizenissen in je hoofd. Wanneer ik dat weer merk, pak ik mijn koffer en ga ik net zoals je moeder er vandoor.'

Vanaf die tijd, het moet aan het eind van de lagere schoolperiode geweest zijn, lag Sara urenlang te luisteren naar het lawaai dat vader met zijn gasten beneden veroorzaakte. Ze hoorde Anna met dienbladen rinkelend glaswerk door de hal sloffen, deuren open en dicht gaan, flarden schaterend gelach en vooral het eentonig dreunen van een bepaalde muziek waaraan ze toen nog geen naam kon geven. Wanneer ze zich erg eenzaam voelde, dacht ze eerst aan de woorden van Anna: 'Je kunt nooit missen wat je niet hebt gehad,' en daarna slipte ze het bed uit en speelde ze haar eigen spelletje met al die vreemde volwassenen die haar voor het naar bed gaan vluchtig over d'r bol aaiden wanneer ze vader een nachtzoen gaf. In een hoekje van de trap wachtte ze totdat de kamerdeur openging en daarna raadde ze of het een man of een vrouw was die het toilet bezocht. De mannen trokken door terwijl ze de w.c.-deur openden, de vrouwen wachtten eventjes totdat het water klokkend weggespoeld was, daarna wasten ze hun handen in het fonteintje buiten het toilet. Sara won bijna altijd, verwonderd over het feit dat mannen 'het' aanraakten en niet hun handen wasten en vrouwen 'niets' aanraakten en dat wel deden. Maar ook aan deze beschouwingen maakte Anna resoluut een einde toen Sara op een avond giechelend haar hoofd door de trapbalustrade stak en riep dat Anna een man was omdat ze pas doortrok toen ze al uit de w.c. kwam en meteen door wilde lopen naar de keuken.

Wat Anna wilde werd Sara op den duur. Een kind met manieren, haar kamer meer opgeruimd dan haar karakter, op school de beste leerlinge en thuis de bedeesde dochter van een vader die steeds meer 'jaknikker' werd bij mannen met theedoeken en tulbanden op hun hoofd. Soms mocht ze een hand geven en even beleefd luisteren naar een gesprek waarin het woord 'oil' een onuitputtelijke bron van waardering voor elkaar bleek. Bij zulke visites was Anna niet te genieten. Vreemde koks en meisjes in het zwart met wit-kanten schortjes joegen haar uit d'r eigen keuken en aan Sara deugde op die avonden niets. Ze bleef een ondankbare meid omdat ze veel te smakelijk de restanten van een uitgebreid diner naar binnen werkte. Anna weigerde iets aan te raken, schold op die kerels die zich als vrouwen verkleedden en daarom dus geen god mochten aanbidden en vooral op Sara's vader die eigenlijk geen beroep had want hoe verdiende hij de kost, mokte ze, overdag aan de telefoon zitten en 's avonds zoveel eten dat ze hem 's nachts moest helpen zijn maag te ledigen. Eens gezellig eten met zijn dochter en zijn huishoudster was er niet meer bij. De kassa rinkelde, de poppetjes dansten en hij dacht maar aan de touwtjes te kunnen blijven trekken.

Maar niet met Anna wanneer het over Sara ging. Hij bepaalde dat ze na de lagere school naar het Stedelijk Gymnasium in Nijmegen ging waar ook jongens zaten, Anna koos de 6-jarige meisjes-HBS in dezelfde stad. En zo gebeurde het.

In het nieuwe schooljaar verstopte Sara van Welie haar lange magere armen op haar knokige knieën onder een te lage schoolbank en keek ze over een gloeiende neus naar al die meisjes die veel moderner gekleed waren dan zij. De eerste maanden doorstond ze ook onder haar kleren alle stadia van lichamelijk ongemak. In haar oksels groeide wat dons dat hevig stonk en plakkerig aanvoelde, haar tepels staken ineens door de te nauwe truitjes die Anna nog steeds voor haar uitzocht en op een morgen ontdekte ze een afscheiding die wel de kleur had van bloed maar heel anders rook. Het werd tijd om Anna te raadplegen. Die lachte en zei dat ze jongedame was geworden en vanaf dat moment haatte Sara haar nieuwe status. Niet om de deodorants die ze samen met Anna kocht, niet om de beha die ze stiekem met tissues opvulde om er net zo spits uit te zien als de lerares Aardrijkskunde op wie ze reddeloos verliefd was geworden, niet om de doek tussen haar benen en nog minder om de bijna-hippe garderobe die ze na veel zeuren en ruzie aan Anna's portemonnaie ontfutselde, maar wel om haar bewegingsvrijheid die Anna via dagelijkse controle van haar schoolagenda reduceerde tot precies die luttele minuten waardoor ze met bezweet gezicht en kloppend hart nog net voor de tweede bel in de schoolbank kon schuiven. En wanneer ze te laat thuis kwam was de boot aan, Anna's furieuze beschuldigingen raakten kant noch wal want Sara maakte geen heimelijke afspraakjes met jongens, triester zelfs, ze liep hen ook niet achterna. Toen de verhoudingen van Sara's lichaam, tegen de regels van haar leeftijd in, tot onderlinge afspraak waren gekomen, ontdekte vader zijn dochter en verloor Anna haar kind.

Het begon met kleine plagerijtjes: vader trok aan de lange blonde krullen en Sara voorspelde dat het luizenpaadje op zijn hoofd binnen niet al te lange tijd een brede vierbaansweg zou worden, hij omvatte met zijn brede handen haar taille en zij trommelde op zijn dikke buik en vroeg wanneer het kind moest komen, hij stak zijn grote schoenen onder haar blote voeten en dicht tegen elkaar schuifelden ze naar de keuken waar Anna achterdochtig de twee uit elkaar haalde. Ongemerkt gingen zijn grapjes in kleine attenties over. Van zijn buitenlandse reizen bracht hij exotische sieraden mee, een leren schoudertas, een gouden polshorloge en als hij het even kon regelen stond zijn glimmende Mercedes na schooltijd precies voor de hoofdingang van de HBS geparkeerd. Sara genoot van zijn aandacht maar zijn zoenen weigerde ze. Niet omdat haar klasgenoten jaloers naar de auto keken en verwonderd naar die oude lelijke man die voor Sara het portier opende, maar omdat zijn slecht onderhouden gebit een lucht verspreidde die haar aan een griezelige hoek in de kelder van hun huis deed denken, daar waar Anna 's winters de aardappels bewaarde.

Wie ze wel wilde kussen was de opvolger van de Aardrijks-kunde lerares, een Ambonese jongen van de gemengde Stads-HBS vlak tegenover haar school: het grieten-aquarium. In de middagpauze liepen ze stiekem over de Oranjesingel. Hij vertelde stoere verhalen over de militaire dienst waarvoor hij ging tekenen omdat zijn ouders geen mogelijkheid zagen hem na zijn eindexamen op een andere manier carrière te laten maken en ook liet hij foto's zien van lichtbruine broertjes en zusjes. Sara luisterde en keek. Ze verzweeg het grote huis op de Heilig Land-stichting, het diamantje aan haar vinger werd een ordinair steentje in een koperen ringetje en met haar dure schoenen schopte ze nonchalant tegen stoepranden en uitstekende trottoirtegels. Af en toe raakten ze elkaar per ongeluk aan en voor Sara waren dat contacten die heel haar lichaam in brand staken. Maar verliefd werd de Ambonese jongen op een ander toen vader hem op een middag bijna omver reed met zijn Mercedes.

Door dit voorval ging Sara haar vader met andere ogen bekijken. Als het enigszins kon, glipte ze tussen drommen kwetterende en duwende meisjes de schooldeur uit. Ze maakte zich zo klein mogelijk en pikte ergens de bus naar huis. Wanneer ze onderweg het zwarte glimmende dak van de Mercedes langs zich zag flitsen, kon ze een gevoel van triomf niet onderdrukken. Het was haar weer gelukt eventjes zijn zware hand op haar dij niet te hoeven voelen noch te antwoorden op zijn korzelige vragen met wie ze in de middagpauze gewandeld of gesproken had. Thuis zocht ze het gezelschap van Anna tot het moment dat ze aan tafel moest en naast hem, met groeiende agressie, luisterde naar opmerkingen van gasten hoe groot ze geworden was, hoe mooi, bijna al een jonge vrouw. En wie niet beter wist, zeiden ze tot overmaat van ramp, zou denken dat aan de zijde van de heer Van Welie een piepjonge bruid zat. Sara kon wel janken van ellende. Vaders hand gleed over haar rug tot aan haar nek die hij stevig omklemde, zo dwong hij haar naar hem op te zien.

Deze situatie duurde voort tot het nieuwe jaar dat grandioos ingezet werd. Voor het eerst droeg ze een lange jurk en halfhoge hakjes. Haar oren tintelden van de complimentjes en onafgebroken danste ze met cavaliers die zich krakend en bevend van haar leeftijd wensten, mallotige danspasjes uitvoer-

50

den en hijgend beweerden zich nog net zo jong te voelen als zij.

Vader stond achter in de kamer te loeren en dronk veel meer dan gewoonlijk. Soms moest hij het glas van zijn mond nemen om een vraag of een opmerking van een van zijn gasten te beantwoorden. Anna liep zenuwachtig heen en weer. Van de hal waar prachtig opgemaakte schotels op lange tafels wachtten naar Sara die zich volgens haar als een slet gedroeg. 'Je vader staat zich ook te ergeren,' siste ze. 'Als het twaalf uur geweest is, stuur ik je naar bed. Daar hoor je thuis en niet in de armen van die oude kerels. Ze hadden je opa kunnen zijn.'

Hoe harder Anna siste, hoe driester Sara werd. Om twaalf uur liet ze zich door iedereen behalve door haar vader op de mond kussen. Plagend ringde ze haar arm door de zijne en toen hij zijn lippen naar haar uitstak, ketsten zijn tanden tegen het glas champagne dat ze haastig naar haar mond bracht. De gasten lachten: zo'n klein uitdaagstertje, al een echt vrouwtje, eerst laten komen en dan afweren, wat een raffinement.

Ze werd licht in haar hoofd, het champagneglas werd eerder bijgevuld dan Anna kon voorkomen. Ze weigerde iets te eten, ze wilde alleen van die heerlijke prikkellimonade drinken. Anna kon de pot op en 'you too,' zei ze tegen een dikke Amerikaan die opvallend veel werk van haar maakte. Ze kon alleen veel beter dansen. De gasten vormden een kring. Met het glas in haar hand danste Sara. Ze trok wulps haar rok omhoog en draaide op haar queenies, het bekken uitdagend naar voren. Het glas in haar hand was haar partner. Op het ritme van de muziek zocht ze toenadering, ze weerde met haar vrije hand het opdringerige glas en gaf uiteindelijk toe door met gesloten ogen de inhoud op te drinken.

Iedereen applaudisseerde, behalve vader en Anna. Het succes maakte haar nog vrijmoediger. Ze lokte het gezelschap mee naar de hal waar ze voor de gedekte tafels razendsnelle variaties bedacht op wat ze de 'champagnetwist' noemde. Even raakte ze uit balans en met een sierlijke zwaai belandde ze midden in een hors d'oeuvre. Men gilde het uit van plezier maar vader haalde haar hardhandig uit de verse zalm en droeg haar naar boven. Anna kleedde haar uit en toen Sara bibberde dat ze zo misselijk werd, trok vader vliegensvlug het laadje uit het nachtkastje naast haar bed en duwde haar hoofd voorover. Ze dacht dat ze stikte. Anna ging nog harder te keer. Het was een schande. Onder haar eigen ogen moeten toestaan dat het kind dronken werd gevoerd. Dit was geen omgeving voor een jong meisje: zatladders en oude kerels, Sara moest naar kostschool.

Toen vader haar schoon wilde maken, duwde Anna hem opzij. Hoe durfde hij zijn dochter aan te raken, zag hij niet dat ze geen kind meer was? Sara lag te kreunen. Het geruzie tussen vader en Anna maakte haar nog zieker. 'Ik wil alleen zijn,' huilde ze. 'Gaan jullie nou weg, dan kan ik gaan slapen.'

Anna dekte haar onder en commandeerde vader naar beneden te gaan voordat ze daar de boel afbraken. Zelf ging ze ook naar bed, wilde niets meer te maken hebben met die goddeloze bende.

Sara kon eerst niet slapen. Het dreunen van de muziek bonsde in haar hoofd en wanneer ze haar ogen opende, draaide de kamer om haar bed. Ze werd opnieuw misselijk en voelde iets warms en zurigs uit haar mond komen. Eindelijk viel ze in slaap maar ze droomde heel naar en pijnlijk. Er lag een blok op haar lichaam waaronder ze bijna stikte en de pijn in haar maag zakte tot in haar buik. Ze rook verrotte aardappels maar ze kon niet gillen omdat haar tong uit haar mond gezogen werd. Ze had het verschrikkelijk benauwd.

Ze werd wakker omdat Anna tegen haar gezicht tikte. 'Je hebt vannacht weer overgegeven,' zei ze bezorgd. 'Ik had ook bij je moeten blijven, je had wel kunnen stikken. Ik dacht vannacht dat je er alles uitgegooid had.'

'Ziek,' kreunde Sara.

'Geen wonder,' foeterde Anna. 'Een betonstorter zou nog een gat in zijn eigen vloer gevallen zijn. Ik durf de glazen niet te tellen. Kom maar,' troostte ze, 'Anna zal je eerst wassen en dan een kopje thee voor je maken.' Ze slofte naar de badkamer en kwam even later terug met een bak water, zeep en handdoeken. Voorzichtig waste ze gezicht en hals en uit de pijpekrullen verwijderde ze plakkerige klodders. Toen ze de dekens opensloeg, gilde ze. 'Wat is er met jou aan de hand. Wat heb je uitgevoerd, je zit helemaal onder het bloed. Heb je pijn?'

Sara greep naar haar buik.

'Wanneer moest je ongesteld worden? Volgens mij nog lang niet.'

Sara haalde haar schouders op. 'Gil niet zo,' kreunde ze, 'ik heb toch al zo'n hoofdpijn.'

'Je bloedt nog,' zei Anna terwijl ze Sara's onderbroek uittrok. 'Dat komt van al die dranken in je lichaam. Je hersens worden afgebroken en komen als bloed uit je onderlichaam. Dat is de straf van God. Je hele lichaam is in de war en ik durf geen dokter te bellen. Wat moet die man niet denken? Hij ruikt meteen dat je gedronken hebt. Volgens mij heb je ook nog koorts. Je rilt over je hele lichaam.' Bezorgd legde ze haar hand op Sara's voorhoofd: 'Of zal ik toch een dokter bellen?'

Sara schudde haar hoofd. Terwijl ze gewassen werd, luisterde ze naar Anna's verhalen over plotselinge maandstonden na lichamelijke uitputting of plotselinge veranderingen. Soms menstrueerde een vrouw ook als ze in verwachting was. Wist Sara dat? Zelf had ze vier maanden geen banddoeken hoeven te dragen toen haar broer in de oorlog bij een bombardement was omgekomen. Haar kleine meisje was de eerste aan wie ze het vertelde. Thuis moest je met dat soort sprookjes niet aankomen. Ze dachten meteen dat je in verwachting was. Werd het laatste beetje vrijheid waarover je toch al niet beschikte je ook nog afgenomen. Maar hoe zou ze in verwachting kunnen zijn? Nooit met een jongen gelopen, niet eens naar gekeken. Aan haar lijf geen polonaise. Het begin van het bezit was het eind van het vermaak. Mannen waren allemaal hetzelfde. Je kon je de hele dag uitsloven en 's avonds gaven zij nog eens de grote beurt.

'Maar hier werk je toch ook,' zei Sara zwak.

'Hier verdien ik tenminste mijn eigen geld en word ik 's nachts met rust gelaten,' bitste Anna terug.

Toen Anna de lakens verwisselde en Sara naast het bed stond voelde ze zich weer misselijk worden.

'Vandaag in bed blijven,' commandeerde Anna. 'Ik haal 'n aspirientje en daarna ga je weer slapen. Misschien dat je je morgen beter voelt.' Ze stopte Sara nog eens extra in en praatte door terwijl haar mond dicht bij Sara's neus was. Die keerde haar hoofd af. Iets in de adem van Anna bracht de droom van die nacht in haar herinnering terug en haar buik begon weer te gloeien.

53

Er werd op de deur geklopt en Anna verliet haastig de kamer. 'Niet naar binnen,' hoorde Sara haar zeggen. 'Ze is doodziek en komt vandaag haar bed niet uit. Een schande is het een jonge dochter zo op te voeden.'

Wat vader terug zei was onverstaanbaar. In ieder geval was Anna het met hem eens want ze dempte haar stem. Daarna hoorde Sara heen en weer lopen en even later de auto in de garage starten.

'Ziezo,' zei Anna, toen ze met een dienblad vol versterkende en genezende middelen terugkwam, 'die zijn we voorlopig even kwijt. Wist jij dat hij naar Amerika moest?' Sara schudde nee. 'Met die Amerikaanse vetzak vertrokken,' oreerde Anna, 'kunnen ze samen over olie twisten. Hier in huis zal er de komende maanden niet meer gedanst worden.'

Ook bij Sara bleef het feest uit. De eerste maand dat ze niet menstrueerde werd door Anna verklaard als een totale ontregeling van haar lichaam: ze was immers nog niet helemaal hersteld van de gebeurtenis op oudjaarsavond. Het bleke snoetje en de diepe kringen onder de ogen zeiden genoeg. Maar toen de tweede maand voorbij ging en Sara veel te vaak zenuwachtig naar de w.c. rende om haar onderbroek te controleren, maakte Anna zich ongerust. 'Het zal toch niet,' zei ze, of, 'hoe is het mogelijk. Heb ik je zo goed opgepast.'

Op een middag, Sara was huilend uit school gekomen omdat haar borsten zo'n pijn deden, hakte Anna de knoop door. 'Je gaat meteen naar de dokter,' besliste ze. 'Ik wil weten waar ik aan toe ben.'

De uitslag sloot definitief de jeugd van Sara. Ze was zwanger. Anna was niet meer te houden. Ze schold de dokter uit voor kwakzalver, oplichter en knoeier. Hij moest zijn huiswerk overmaken, niet voelen en kijken maar constateren dat haar kind niet zwanger was. Na een week werd het onderzoek herhaald.

'Ik kan er niets anders van maken dan zwanger,' verontschuldigde hij zich.

'Sara is nog geen vijftien, ze is zelf nog een kind,' riep Anna. 'Het is onmogelijk.'

'Als u aan abortus denkt,' zei de arts terwijl hij Anna in de gaten hield, 'bent u bij mij aan het verkeerde adres. Ik ben Rooms-Katholiek en arts. Een vrucht afdrijven gaat tegen mijn geloof en geweten in.'

Thuis richtte haar agressie zich eerst tegen Sara, later tegen de verwekker. 'Wie is de vader?' vroeg ze telkens. 'Met de Heilige Geest hoef je niet aan te komen dus ik vraag je voor de laatste keer: met wie heb jij het gedaan?'

Het waren geen vrolijke bijeenkomsten meer. Sara ontkende, hield vol niets uitgehaald te hebben, Anna bezwoer bij alles wat haar lief was het kind te voorkomen en de dader de nek om te draaien. 'Als het kind Engels praat, ga ik naar Amerika en steek ik hem dood,' schreeuwde ze. Anna twijfelde er niet aan dat de Amerikaan zijn dikke buik tussen Sara's benen gewrongen had. 'Het was een rotzooi die avond,' herhaalde ze, 'Sodom en Gomorra waren boerengehuchten vergeleken bij wat hier in huis gebeurde. Kinderen dronken maken en dan verkrachten. Een gast van je vader, die zelf geen hand uitstak om de eer van zijn dochter te redden. En waar is de held nu? In Amerika bij zijn schoonzoon, die mr. Keanes. Maar het kind zal niet geboren worden.'

Sara moest sla-olie drinken, hete baden nemen, touwtje springen, de trap op en af rennen. Niets hielp, de vrucht zat muurvast. Ondertussen ging ze wel naar school: bleek, slap en bang dat iemand haar geheim zou raden. En de cijfers volgden haar gezondheid: goed, matig, slecht.

In de paasvakantie telegrafeerde Anna haar nederlaag naar het kantoor van de nieuwe olievestiging van mr. Van Welie in Amerika: Sara ziek. Overkomst dringend gewenst.

Voor de school leed ze aan de ziekte van Pfeiffer, voor vader bleek Sara nog besmettelijker. Hij keurde haar geen woord waardig. Toen Anna hem haar vermoedens vertelde, haalde hij zijn schouders op en zei hij dat zulke dingen konden gebeuren. Mr. Keanes of een ander, wat maakte het uit, zijn dochter kreeg een kind. Alleen werd hij furieus als Anna weer over abortus begon. 'Kan het niet in Nederland dan maar in Amerika,' zei ze. Het land van belofte had schuld gemaakt volgens haar en moest die schuld tegenover haar kind ook inlossen.

Toen de zomervakantie aanbrak en de zwangerschap duidelijk zichtbaar werd, vertrok Sara naar vrienden in Dudoveen.

55

Op Cruyslant zou het kind geboren worden. Anna bezocht haar regelmatig, sprak haar moed in en beloofde, wat vader ook mocht beslissen, het kind niet in huis op te nemen. 'Over mijn lijk,' herhaalde ze. 'Jij gaat gewoon terug naar school en het kind wordt door een andere Anna opgevoed. We hoeven geen medelijden met het kind te hebben, jij bent er ook gekomen.'

De maand voor de bevalling was in alle opzichten een zware. Het kind trapte en sloeg in Sara's buik en zij mepte terug. Soms stonden striemen op de strak gespannen huid. Dan hield het kind zich even koest maar zodra zijn draagster weer in gezelschap was, hernam het zijn aanval en schopte heviger dan Sara zichzelf kon verweren.

Vader logeerde nu ook op Cruyslant. Hij verdeelde zijn aandacht tussen de telefoon, olie en nog meer geld maken. Met Slagter Verrijns maakte hij af en toe gewichtige wandelingen. Sara beloerde hen heimelijk wanneer ze druk gesticulerend en sigaren rokend langs de natuur liepen. Twee heren van middelbare leeftijd, de een rijker dan de ander maar allebei zeer belangrijk voor zichzelf. Mevrouw Slagter Verrijns was een stille vrouw. Altijd druk in de weer een stoel voor haar echtgenoot aan te schuiven, zijn jas aan te nemen, zijn lievelingsgerecht te bereiden, zijn weldaden voor de mensheid aan te horen en eerbiedig te zwijgen. Het enige verschil tussen haar en Anna was het onafhankelijke commentaar waarvan Anna zich ook op Cruyslant bleef bedienen.

Eind september kondigde ze aan te blijven. Geen olieprijs kon haar wegkopen, geen beursbericht haar van koers veranderen. Sara had haar hulp nodig. De krach tussen haar en vader veroorzaakte bij Sara een crisis. Vader eiste ineens een plaats in de verloskamer, Anna werkte hem er weer uit. Geen vader bij de bevalling van zijn dochter. En zolang nog niet uitgemaakt was wie van de twee ging winnen, weigerde Sara te bevallen.

Een plaatselijke arts maakte een eind aan het geruzie. Het kind moest in het ziekenhuis geboren worden en op 11 oktober om kwart over vier vocht Thomas van Welie zich de wereld in. Gillend bevrijdde hij zich. Er was een orkaan over zijn gezicht gegaan. Diep grommend ontvouwde hij zijn grote flaporen, zijn neus lag plat gedrukt tussen twee lillende wangen, zijn oogleden konden nauwelijks de scheve bolle ogen bedekken en zijn haren dropen van de enorme schedel.

Vader snotterde als een kleine jongen toen een verpleegster hem de dikke gofferd in zijn armen legde. Anna stond in een hoek van de kamer, haar gezicht een masker. Alleen haar ogen flitsten van Thomas naar de kop van vader. Ze zei niets.

De verpleegster ratelde opgetogen tegen Sara die met afgewend hoofd naar niets lag te kijken. 'Acht en een halve pond en zo gaaf. Alles erop en eraan. Nu al precies opa.' Ze probeerde luchtig te blijven, het kwam echt wel meer voor dat een jonge moeder de baby niet de borst wilde geven. Het was een zware bevalling geweest. De blijdschap kwam vanzelf wel, een kwestie van tijd en geduld.

'Ja, ja,' zei Anna en ze sloeg de deur van de kamer met een klap achter zich dicht.

Thomas werd bij een getrouwde zuster van Anna in Beek bij Nijmegen ondergebracht. Sara ging terug naar de tweede klas van het grieten-aquarium. Vader verdeelde zijn tijd weer tussen Amerika en Saoedi-Arabië waar hij, met liters Bourbon en thee, van de wereld één grote olieplas maakte. De kleine sjacheraar, die met veel krabben en bijten ooit het veel te dure huis op de Heilig Land-stichting als inzet voor zijn ambitie koos, had dit statussymbool verruild voor snelle kantoren en gladde appartementen waarin interieurarchitecten ergonomische decors ontwierpen voor de zakengigant die altijd op het punt stond hun kille creaties te verlaten. De tijd die hij opnam om van zijn expansieve getallen bij te komen, bracht hij door bij Thomas.

Anna en Sara bouwden verder aan hun isolement. Geen jong volk noch de Beatles, Ricky Nelson of Barbara Streisand bezochten het huis. Als Anna zweeg over de ongemakken van de overgang heerste er stilte in huis. En behalve Sara's buik waardoor ze tijdens de zwemlessen verplicht was een eendelig badpak te dragen, herinnerde niets meer aan Thomas. Als hij bestond was dat door het halfjaarlijkse bezoek van de accountant die de financiële belangen van de twee vrouwen en het onderhoud van het huis en het park regelde. Voortdurend klaagde hij dat ze te royaal waren en te goedgelovig. Noodzakelijke reparaties en onderhoud waarvoor hij 'duur geld', zei hij nadrukkelijk, had neergeteld, bleken niet of nauwelijks uitgevoerd. Wanneer hij in het park liep waande hij zich een verzetsstrijder in de maquis en waarom voedsel- en kledingrekeningen zo hoog waren, bleef hem een raadsel: de vrouwen waren broodmager en droegen altijd hetzelfde. Wilden ze soms de erfenis van de kleinzoon er doorheen jagen? 'We nemen alleen wat ons toekomt,' zei Anna en dan keek ze als een scheermes naar de strot van de accountant.

Met gemak slaagde Sara voor het eindexamen HBS-B. Anna troonde grauw tussen zomers geklede ouders en leerlingen. Het permanent hing in flossige sliertjes in haar verrimpelde nek en een zwarte jurk hing wijd over haar ingevallen lichaam. Ze leek op een oude non die weigerde relikwie te worden.

'Je voelt je niet lekker hè,' zei Sara toen ze na afloop van de diploma-uitreiking samen thee dronken aan de keukentafel.

'Pijn hier,' antwoordde Anna en ze streek over haar maag. 'Het is oneerlijk verdeeld in de wereld. Jij eet altijd kauwgom wat heel slecht is voor de spijsvertering en ik die met mondjesmaat af en toe eet, crepeer van de pijn. Maar goed, niks aan te doen, ik zal ermee moeten leren leven.'

Dat lot was niet voor Anna weggelegd. Nog in de vakantie werd ze opgenomen in het Sint Radboudziekenhuis: maagkanker. Sara die zich aangemeld had voor de medicijnenstudie, veranderde van plan en werd leerling-verpleegster in hetzelfde ziekenhuis. Zo was ze dichter bij Anna die haar einde voelde naderen.

'Ik moet je wat bekennen,' fluisterde ze op een avond. 'Heb jij je nooit afgevraagd waar al dat geld gebleven is dat je vader jarenlang voor ons en het huis gegeven heeft?'

'Dat spaarde je voor je oude dag,' antwoordde Sara.

'Nee,' schudde Anna, 'het was voor jou.' Ze wees op haar handtasje naast het hoofdkussen. 'Ik heb er goed op gelet. Geen moment uit het oog verloren. Het staat in een boekje. Op jouw naam. Interest op interest. Een heel bedrag. Mijn loon zit erbij. Ik had bijna niets nodig. Er was altijd volop eten en drinken. Hij was nooit gierig met geld.' Met haar benige vingers tastte ze naar het tasje: 'Open maken,' drong ze aan.

'Nee,' schrok Sara toen ze het bedrag zag, 'Anna, verdomme, nee.'

'Jawel,' giechelde ze, 'allemaal voor jou. Ik laat hem ook wat na: een huis zo lek als een mandje. De verwarmingsketel is nooit vervangen, de dakgoten niet gerepareerd, er is wel ooit gegrond maar Jacobahuis is nooit geschilderd. Boven op zolder staan teilen om het hemelwater op te vangen. Het dak Sara,' grinnikte ze, 'op het dak zijn alleen de pannen rechtgelegd. Ik heb het hele bedrag meteen naar jouw boekje gebracht.'

'Had ie het niet door?' vroeg Sara.

'Ik denk het wel. Maar zijn zwijgen stond tegenover mijn zwijgen, als je begrijpt wat ik bedoel.'

Het was de eerste en de enige keer dat Anna het vaderschap van de Amerikaan loochende. Sara huilde stilletjes, Anna veegde de tranen van haar handen.

'Is het te laat Anna,' snikte ze, 'om erover te praten?'

'Als iets gebeurd is kind, is het altijd te laat. Mannenplezier is vrouwengejank. De enige manier om aan de gevolgen te ontsnappen is de oorzaak vergeten. Jij hebt nooit een kind gehad. Ik wel, ik had jou. Zou je mij willen kussen?' vroeg ze zwak. 'Ik weet dat je een hekel hebt aan mondlucht maar misschien is het de laatste keer.'

Sara haalde de kauwgom uit haar mond en kuste haar brandende linkerwang, haar rechterwang en daarna haar droge mond. Uit Anna steeg een lucht van bederf.

Een paar weken na de begrafenis liet Sara zich door een taxi naar Jacobahuis brengen. Uit de verte zag ze het al. Het huis stond in de steigers, over het dak lagen grote dekzeilen, bussels riet blokkeerden naast geparkeerde bestelwagens de ingang van het huis. In het park kapten werklui struiken en verwilderde sierbomen. De schuur, waar Anna in het najaar de goudrenetten bewaarde, lag tegen de grond en aan de wijde gebaren van een aannemer zag Sara dat op die plaats een zwembad was gepland.

Binnen was totaal met het verleden gebroken. De kamers leeggehaald, de keuken een groot gat, restanten graniet sprokkelden een spoor naar een berg afval achter het huis waarop

Anna's geblutste en gekneusde pannen achteloos vertrapt lagen. Sara holde naar boven. Haar kamer bestond niet meer. De schamele inhoud uit de kasten geroofd, de weinige herinneringen aan haar jonge-meisjestijd weg, verdwenen. Er was niets meer. Op Anna's kamer hing alleen nog een gescheurd blauw gordijntje voor het raam, gehaakt in Dudoveen om het wachten op Thomas zo snel mogelijk te vergeten. Hoe de opdracht tot eliminatie ook geluid mocht hebben, de taak was met maniakale zorgvuldigheid uitgevoerd. In deze kamers, in dit huis, bedekten stof en gruis het verleden.

Plotseling hoorde Sara beneden stemmen; galmende lage en één die er bovenuit schetterde. Op haar tenen sloop ze naar de plaats waar ze vroeger haar wedstrijdjes met de plassende dames en heren speelde en loerde door de balustrade naar beneden.

In de hal praatte vader met de aannemer en de architect, een koboldachtig manneke jengelde aan zijn hand. De mannen luisterden aandachtig naar vaders uiteenzetting over macro-, meso- en micro-economische facetten van de bouw, hoe de dead-line te bepalen en aan welke voorwaarden voldaan moest worden. Hij ontsloeg nitwits om in hetzelfde tempo heavyweights aan te stellen en benoemde en passant heel politiek Nederland tot egocentrische goeroes van de koude grond, uitermate geschikt slechts achter hun eigen geslacht aan te sukkelen. Father was back from the States, zijn voeten weer vast op Nederlandse bodem. Nog steeds dezelfde dwingeland, wel iets ouder en de neus wat roder van de alcohol, maar het hoofd nog steeds op het uiterste puntje van de hals alsof hij ieder moment zijn ondergeschikten de grond in wilde rammen. Thomas blèrde dat hij moest plassen waarop vader hem in de richting van de trap duwde en hem gebaarde daar zijn behoefte te doen. Hij keek toe terwijl Thomas plaste en daarna stopte hij het blanke vleesknobbeltje in Thomas' broek terug en veegde zijn handen aan zijn geruite pantalon af. 'Daar krijg ik geen moeilijkheden mee,' lachte hij tegen de mannen, 'daar zit nog geen vrouwenlucht aan.' Opgelucht drentelde Thomas eerst wat rond. Daarna kraste hij verveeld met een brokje puin in de marmeren vloer.

Sara kon hem van alle kanten bekijken. Van boven zag ze

een platform waarop haastig stro gekwakt was om de hardheid te bedekken, van achter een oormaki en van voren een deegbal na rijzing. Omdat uit de bleke opening normale uitingen rolden, wist ze dat de inhoud van zijn schedel naar vereiste geordend was. Toen vader het jongetje op zijn arm nam en hun hoofden op gelijke hoogte waren, merkte ze dat het duo in lelijkheid niets voor elkaar onderdeed.

Even later vertrok het gezelschap, een paar laatste bevelen klonken, autoportieren sloegen dicht en toen het motorlawaai allang verstomd was, durfde ze pas uit haar schuilhoek te voorschijn te komen. De avond viel, ze moest lopend terug naar Nijmegen. 'Zo ik ooit bestaan heb,' zei Sara tegen zichzelf toen ze de donkere lommerrijke laan uitliep, 'zal ik ook dat vanaf nu vergeten.'

Dinsdag

Klokslag acht uur laat Rik zich door een ober van hotel Werszicht mevrouw Van Welie aanwijzen die achter in het zaaltje
zit te ontbijten. Terwijl hij zijn keel schraapt en een vrolijk
nonchalant 'goede morgen' produceert, slaat hij zich door een
kordon van parfum maar op haar ogen loopt hij stuk. Hij blijft
op gepaste afstand, tussen lege tafeltjes ongemakkelijk van z'n
hakken op z'n tenen wiebelend. Sara van Welie zegt rustig: 'U
schijnt er een gewoonte van te maken mij 's morgens lastig te
vallen, meneer Van Helden.'
　'Ik kwam om u te vertellen... misschien heb ik u gisteravond
laten denken...'
　'Denken doe ik zelf, meneer Van Helden.'
　'... Ik bedoel...'
　'Wat bedoelt u?'
　'Dat ik u gezelschap kom houden,' antwoordt hij ineens als
hij zich belachelijk begint te voelen. Verdomme nog an toe, ze
behandelt hem als een brugklassertje. Daarvoor is hij vanmorgen vroeg niet op z'n kop de klerenkast ingedoken om tussen
rafels en gaten nog een overhemd met donkere oksels te vinden
en goddank een trui die in ieder geval op die plek niet verkleurd
is. Daarvoor heeft hij geen vouwen, weliswaar scheve, maar een
kniesoor die daarop let, in zijn broek geperst, zijn schoenen
gepoetst, openingszinnen geprepareerd. 'Ober,' roept hij,
'mag ik nog een ontbijt van u?'
　'Op mijn rekening,' zegt Sara van Welie.
　Hij herinnert zich dat een ontbijt een uiterst aangenaam
begin van de dag kan zijn. Sara van Welie maakt er een kwelling
van. In zijn maag klotst de koffie, die hij al gedronken heeft
voordat hij hier naar toe ging, tegen het iets te hard gekookte
eitje. Broodkorsten graven een greppel in zijn slokdarm en

blijven ergens onderin steken en als de thee, hij haat thee op de vroege ochtend, 'm bijna aan de lippen staat, deelt ze quasi achteloos mee dat ze meteen na het ontbijt naar Nijmegen vertrekt. Ondertussen blijft ze hem van kop tot middenrif opnemen.

Hij houdt zijn hand voor zijn mond: 'Ik moet ook die kant uit,' mompelt hij.

'Dat zullen wel meer mensen moeten.'

'Ik zou u een lift kunnen aanbieden.'

'Van meerijders heb ik mijn buik vol, meneer Van Helden.'

'Ja maar, ik rijd niet met u mee, u rijdt met mij mee,' legt hij uit. 'Ik heb een auto bij me... het is maar een kleine moeite...'

'Ik bestel gewoon een taxi.'

Herinneringen schieten door hem heen. Ervaringen, net zo hecht als verf op een schilderij. Vroeger had hij lef, drukte hij door, aarzelde hij niet tussen het een of het ander, maar baande hij zich een weg tussen beide, sloeg hij zijstraten, dwaalwegen en doodlopende stegen over, wist hij precies waar hij naar toe wilde omdat de roos de richting van de kompasnaald aangaf.

'Ik breng u naar Nijmegen,' zegt hij kort. 'Ik moet nog enkele zaken afhandelen maar ik denk dat ik u zo tegen een uur of half elf op kom halen. Ik neem aan dat u Dudoveen nog eventjes kunt verdragen.'

'Als het moet, zeker,' antwoordt Sara van Welie. 'Voor Dudoveen heb ik in de loop der jaren een heel speciaal geduld ontwikkeld.'

Ze kijkt zo onthutst dat ze zelfs niet teruggroet als hij van tafel opstaat.

Om tien over half negen holt Rik het bureau binnen waar Teun hem in zijn kamer opwacht: lui achterover in zijn stoel, benen op zijn schrijftafel.

'Sst,' zegt hij wanneer hij Riks opgewonden gezicht ziet, 'ze slapen nog.'

'Wie?'

'Mijn katers.'

'Waar is Bos?'

'Die verkeert vanochtend in vriendschappelijk gezelschap van de oveejee om samen met hem nog meer verrassingen en strategieën te ontwikkelen.'

'Wat wordt er van ons verwacht?'

'Wij,' zegt Teun, 'gaan gezamenlijk mijn huisdieren uitlaten. We wandelen rustig door Dudoveen, kletsen wat en als de beesten zich gedragen, zouden we kunnen overwegen, ergens, in een klein kroegje achteraf, een...'

'Ik ga gewoon aan de slag,' zegt Rik. 'Uit het gesprek met mevrouw Van Welie hebben we toch enkele aanwijzingen gekregen?'

Teun blijft gemeen lang naar het halsdoekje in Riks overhemd kijken. 'Welke?' vraagt hij langzaam.

'Cruyslant bijvoorbeeld,' antwoordt Rik snel. 'Nijmegen,' gebaart hij. 'Ik geef toe dat we een naald in een hooiberg zoeken maar volgens mij staat die hooiberg wel in Nijmegen.'

'Waar mevrouw Van Welie woont.'

'Kan ik er wat aan doen dat Sara in Nijmegen woont.'

'Dacht ik het niet,' zegt Teun sarrend. 'Iemand die eruit ziet als een drol met een strik eromheen, moet zijn kop door de plee gespoeld hebben. Man, kijk uit dat je geen stommiteiten uithaalt,' roept hij tegen Rik die beledigd naar de wastafel in de hoek van de kamer loopt. Wanneer hij zichzelf in de spiegel ziet, beseft hij waarom Sara van Welie naar hem keek zoals een worm een pekelharing opneemt.

'Spiegeltje, spiegeltje aan de wand, wie is de best geklede man in 't land...'

'Godverdomme Teun, hou een keer op.'

'Deze Adonis wil water,' kreunt Teun en duwt Rik voor de wastafel weg. En even later: 'Jezus, wat hebben die dieren een dorst.' Hij houdt zijn hand onder de kraan en slobbert het water naar binnen. Als hij bijna dreigt te stikken omdat ook zijn neus nu vol met water zit, draait Rik de kraan dicht en vertelt dat hij eerst naar mevrouw Slagter Verrijns gaat en daarna waarschijnlijk naar Nijmegen. In de loop van de dag zal hij contact opnemen, weet Teun tenminste waar hij uithangt.

'Als ik jou was, zou ik naar een arts gaan,' hijgt hij terwijl hij zijn mond afveegt. 'Je lijdt aan Saramanie en dat is een vreselijke ziekte.'

Even later zit Rik bij mevrouw Slagter Verrijns op haar kamer in Havenzicht. Een klein druk vrouwtje, kwiek in de weer zijn stoel zo te plaatsen dat hij uitzicht op het jachthaventje van de Wers heeft. En maar kletsen nadat hij zich heeft voorgesteld en het doel van zijn komst op dit vroege uur heeft uitgelegd.

Thomas van Welie lijkt haar niets te zeggen want eerst vertelt ze dat iedereen die niets met Dudoveen te maken heeft, denkt dat de naam Havenzicht slaat op wat ieder mens te wachten staat. Maar zo is het niet, het tehuis staat gewoon aan de haven.

Rik laat haar praten, knikt schuldbewust wanneer ze hem verbiedt een sigaret op te steken in haar kraakheldere kamer en luistert geduldig naar het relaas over man-zaliger die zich werkelijk dood gerookt heeft. Tien sigaren per dag, plus een pakje sigaretten, van die lange zonder filter, Hunter of zoiets, en eigenlijk was hij pijproker. Kon je zien aan zijn onderlip, was in de linkermondhoek helemaal bruin. En op een dag viel hij neer, zomaar, morsdood.

'Hoe oud was hij?' vraagt Rik beleefd.

'Veel te jong,' antwoordt ze peinzend. 'Hij is vlak na de geboorte van Thomas van Welie gestorven.'

Rik grijpt de kans die hem geboden wordt. 'Hoe kwam Sara van Welie op Cruyslant?'

'Mijn man en meneer Van Welie waren goede vrienden. De dood van mijn man heeft overigens niets met dat jonge meisje te maken gehad. Ze bemoeide zich niet met ons en wij niet met haar. Mijn man had een hekel aan haar. Hij zei dat ze het achter d'r elleboog had omdat ze nooit heeft willen vertellen wie de vader van haar zoon was. Na de dood van mijn man heb ik nooit meer iets van de familie Van Welie gehoord.' Ze kijkt Rik venijnig aan en zegt: 'Mijn man heeft zich echt dood gerookt. Als hij 's avonds naar bed ging, stak hij eerst nog een sigaret op, hij trok er een paar keer aan en doofde 'm in een asbak met van die ronde recht opstaande gaatjes. Ik weet het nog goed, het was een groene asbak. En het eerste dat hij 's morgens deed, was die halve sigaret pakken en 'm aansteken. Dan kon ie beter, als u me permitteert. Dat zei hij tenminste.'

'Zo,' zegt Rik resoluut, 'nu over een ander onderwerp. Ik weet niet of u de krant gelezen hebt, maar ik moet u iets ergs vertellen. Thomas van Welie is dood.'

Ze schudt haar hoofd. 'Ik heb nooit veel kranten gelezen. Op Cruyslant was er altijd wel wat te doen en papa had er een hekel aan als iemand vóór hem aan de krant was geweest. Dan kon ie...'

'Thomas van Welie is dood. Vermoord in het Leeuwendaelse bos. Eergisteren, zondag.'

'Oh hemel, dan is hij ook niet oud geworden. Hij moet van de leeftijd van mijn man geweest zijn. Rookte hij soms?'

'Ik heb het over de kleinzoon, de zoon van Sara van Welie.'

'Oh.'

'Hij is vermoord,' herhaalt Rik.

'Dood?'

'Ja.'

'Wie heeft dat gedaan?'

'Dat weten we niet.'

'Bent u van de krant?'

Rik kijkt op zijn horloge. Iedere minuut die hij hier nog doorbrengt, is verloren tijd. Bovendien heeft hij zin in een sigaret gekregen, zo'n korte dikke die bij de eerste trek verrukkelijk naar zwavel smaakt. Hij staat op en zoekt in zijn zak naar het pakje Caballero. Ze trekt zijn hand weer uit zijn broekzak.

'Laat dat nou,' verwijt ze. 'Ik heb u toch niet voor niets verteld dat...'

Teun ook niet over mijn kleren, denkt hij, wanneer hij de sigarettepeuk uittrapt voordat hij een chique modezaak binnenstapt. Hij komt alleen maar om snel een overhemd te kopen, zegt hij tegen de verkoper. Die smeert 'm niet alleen een veel te duur overhemd van Gentiluomo aan, maar ook een broek die hij halsstarrig 'pantalon' blijft noemen. Wanneer Rik zichzelf tevreden in de spiegel bekijkt, herkent de gladjanus meteen het eufore stadium van de klant.

'Eigenlijk zouden er ook nieuwe schoenen bij moeten,' slijmt hij nadat hij zich gebukt heeft om de veters van de gymschoenen los te maken.

Daarom gaat Rik in de lounge van hotel Werszicht onderuit en glijdt hij over de zojuist geschrobde tegels tot vlak voor de voeten van Sara van Welie die eerst geschrokken dan lichtelijk geamuseerd toekijkt.

'Jammer van uw nieuwe broek,' zegt ze en ze steekt geen hand uit om hem overeind te helpen.

Hij probeert stoer overeind te komen. 'Ach zo nieuw is die broek ook weer niet,' mompelt hij.

'Loopt u dan altijd met prijskaartjes aan uw broek?'

Er kan veel mis gaan in het leven realiseert Rik zich, vooral als het onderwerp van je verrukking zich weer verdiept in een tijdschrift en je onopvallend je natte onderbroek tussen je billen uit probeert te trekken en het prijskaartje van je broek. Dat zijn van die voorvallen die je in je dagdromen overslaat en, mochten ze toch voorkomen, je doen verlangen naar het moment waarop je weer in de werkelijkheid terugvalt en opgelucht constateert dat zoiets jou nooit gebeuren zal. Voorlopig leest Sara van Welie rustig door en staat hij als een lakei die zijn ontslag niet kan verwerken, nog steeds naast haar stoel.

Na twee bladzijden slaat ze eindelijk het tijdschrift dicht en besluit ze te vertrekken. 'Het past niet,' zegt ze, 'om u zo lang te laten wachten.'

In zijn Simca 1300 wil Sara van Welie ook niet passen: ze kan haar benen niet kwijt, (hij trekt haastig de plastic zak met oude kleren weg) het zijraampje tocht, (kan hij niets aan doen omdat de draaiknop afgebroken is) de motor maakt teveel lawaai, (klopt want dat heeft hij zelf ook allang gehoord maar er nog niets aan gedaan omdat...) de brik rammelt en kraakt, (dat is het gereedschap dat hij los in de achterbak gegooid heeft) maar ze prijst de vuile voorruit, (goddank heeft hij die niet schoongemaakt) omdat ze nu Dudoveen niet meer hoeft te zien. En de stoel waarin ze zit blijkt een praatstoel. Als ze langs de Wers rijden, (die vieze stinkende sloot) en Dudoveen (een plaats waar je met plezier naar je dood verlangt... oh sorry) achter zich laten, reist ze door naar landen die hij met moeite op de wereldbol zou kunnen terugvinden. Alle landen van Europa heeft ze bezocht, Israël, Egypte, China, Japan, Indonesië, de Verenigde Staten, de Sovjet-Unie, Zuid-Afrika, jawel, ook daar is ze geweest om met eigen ogen te kunnen constateren dat wat de kranten schrijven waar is. Een verwerpelijk systeem hanteren ze daar, iedere beweging die zich met de afschaffing van de apartheid bezig houdt, steunt ze. Toen ze Zuid-Afrika verliet had ze hetzelfde gevoel als nu uit Dudoveen: blij dat ze er nooit meer hoefde terug te keren.

Rik luistert verwonderd. Nu de achtergronden van Dudoveen hem bekend zijn, kan hij, alhoewel hij zijn twijfels heeft over de vergelijking, begrijpen hoe groot haar haat tegen dit stadje is. Maar wat ze zojuist opgenoemd heeft aan landen die ze bezocht heeft moet een fortuin gekost hebben. Een verpleegster mag misschien een aardig salaris verdienen en wellicht is het mogelijk dat ze ook nog een aardig sommetje geërfd heeft... maar... alhoewel... vader in de olie en eigenaar van Cruyslant... na de dood van haar vader ontmoette ze haar zoon op een notariskantoor. 'Bent u rijk?' vraagt hij timide.

'Steenrijk,' antwoordt ze.

De auto maakt een lichte zwenking, het etiketje van 'Gentiluomo' prikt in zijn nek, hij vervloekt de zolen van zijn nieuwe schoenen, zo glad dat hij amper de pedalen kan bedienen: Sara van Welie is onbereikbaar voor een nietig inspecteurtje dat nog wel uit Dudoveen komt.

'Maar geld is niet meer dan bedrukt papier dat je inruilt voor dingen die je meestal niet nodig hebt,' zegt ze.

'Af en toe toch wel plezierig.'

'Dat weet ik, maar ik had graag mijn fortuin ingeruild voor genegenheid. Dat is een luxe die ik nauwelijks gekend heb.'

Het motortje trekt de auto weer precies in het midden van de rijstrook. Hij krijgt grip op de pedalen en het etiketje kan hij straks uit het overhemd knippen. Een duur merk telt gelukkig niet voor Sara van Welie die nu ineens niets meer te vertellen heeft en voorovergebogen haar nagels controleert.

Rik vult nu de stilte op en vertelt over zijn uitstapjes. Een keer naar Frankrijk, Duitsland, ook België. In Italië is hij nooit geweest maar dat land staat wel op zijn verlanglijstje. 'Ik heb een hele tijd nauwelijks om me heen gekeken,' zegt hij, 'maar nu ben ik er aan toe wat meer van de wereld te gaan zien.'

Sara van Welie blijft zwijgen.

'Wat dacht u ervan,' gooit hij het over een andere boeg, 'als we vanavond samen uit eten gaan. Op mijn kosten,' voegt hij er snel aan toe. 'Het is geen verplichting,' doet hij luchtig wanneer hij merkt dat ze aarzelt.

'Ik kan een inspecteur van politie tóch niet ontlopen, hè?'

Het klinkt zielig en hij buigt zich naar haar over en zegt: 'Ik zou het bijzonder onprettig vinden als u mij alleen in die hoedanigheid blijft zien.'

Het ruikt ineens naar kauwgom in de auto, zelfs meent hij haar te horen kauwen. Hij drukt de gaspedaal in. Sara van Welie moet niet denken dat ze naast een wout zit. Achter hem knipperen de lichten van een Mercedes. Hij blijft links rijden, voert de snelheid van de Simca nog iets op. Vlak voor Nijmegen laat hij de luid toeterende Mercedes passeren. Hij moet er even van grinniken maar als hij opzij kijkt, ziet hij dat zijn poging tot burgerlijke ongehoorzaamheid geen enkele indruk op haar gemaakt heeft. Integendeel, ze heeft het niet eens gemerkt want haar hoofd hangt nog steeds naar beneden.

Op de Oranjesingel slaat hij af. Pas in de straat waar haar huis staat, begint hij te zoeken naar haar huisnummer. Ze woont eenvoudig, merkt hij met genoegen. Zwijgend stapt hij uit. Hij opent haar portier en laadt een koffer en een beautycase uit. Sara van Welie pakt de huissleutels uit haar handtasje.

'Hoe wist u waar ik woonde?' vraagt ze.

'Een kwestie van een telefoongids en een plattegrond van Nijmegen. Na diensttijd opgezocht,' antwoordt hij nadrukkelijk.

Ze blijft naast haar bagage op het trottoir staan. 'Ik heet Sara,' zegt ze.

'Ik heet Rik,' zegt hij.

'Je lijkt helemaal niet op een politieagent.'

'Waar dan wel op?'

'Op Ceasar Zuiderwijk.'

'Wie is dat?' vraagt hij nieuwsgierig.

Ze antwoordt verbaasd: 'Ken je die niet?'

Hij schudt zijn hoofd.

'Nooit van Golden Earring gehoord?'

'Jawel.'

'Zuiderwijk is de drummer van Golden Earring.'

'Een mooie man?' vraagt hij om haar nog even aan de praat te houden.

'Een stuk,' zegt ze. 'Ik snap niet dat je nog vrijgezel bent. Misschien kun je geen keus maken omdat je teveel aanbidsters hebt.'

'Hoe weet je dat ik...?'

'Je draagt geen trouwring en vanavond wil je met me eten.'
Ze verdwijnt achter een grote conifeer die bijna de hele voortuin in beslag neemt.

Op het politiebureau vergeet hij Sara en wordt hij weer rechercheur. Ook de Nijmeegse collega's weten meer niet dan wel. Frans van Welie was een begrip, dat zeker. Evenals het Jacobahuis op de Heilig Land-stichting, een landgoed omgeven door een hoog puntig ijzeren hekwerk met prikkeldraad. Wie niet in olie of miljoenen handelde, mocht het booreiland niet betreden. Met clubjes of verenigingen hield Van Welie zich niet op. Zijn imperium gold de wereld, niet de Nijmeegse middenstand of wat zich daarboven waande. Speculaties over hem waren even talrijk als de zijne op de beurs. Hij zou dit, hij zou dat, nog meer elders dan nergens, van tijden geleden tot gisteren. Er werd veel beweerd en nog meer gehoord. De een noemde hem bandiet, voor de ander onderhield hij het koninklijk gezin maar over één ding was men het roerend eens: als een Dagobert had hij wel een fortuin vergaard maar hij bleek desondanks net zo sterfelijk als ieder ander mens. In dat opzicht bleef God genadig. Weliswaar een beetje ongewoon, maar aan de andere kant toch overeenkomstig zijn levensstijl, zakte Frans van Welie op het kantoor van zijn notaris in elkaar en zond hij zijn ziel zonder cheques of andere tegoedbonnen naar de eeuwigheid. En heel Nijmegen gniffelen omdat deze reis al bij zijn geboorte geboekt was en hij dus tijd genoeg had gehad het benodigde krediet hiervoor op te vijzelen.

En de kleinzoon?

Na een uur hebben ze hem te pakken: op een plaatselijk gymnasium. Een lange sladood die, na de onderbouw, ook de breedte van zijn lichaam aanpaste aan de omvang van zijn schedel. Van Welie kreeg een vaste plaats in de klas, achterin, daar waar hij zijn klasgenoten het uitzicht niet ontnam en de docenten en hij elkaar ongemoeid konden laten. Hij was uitermate intelligent en navenant lui. Altijd met de hakken over de sloot, eindexamen met een her voor economie en meteen daarna de enige 10 die ooit voor dat vak op het gymnasium gehaald was. In talen blonk hij niet uit, te vadsig om te praten, geen lust tot lezen, een afkeer van schrijven. Contacten met klasgenoten waren er nauwelijks. Van Welie arriveerde op het nippertje en getuigde pas van een uitermate grote werklust wanneer hij zijn tas, nog voordat de bel het laatste lesuur uitluidde, kon inpakken. In het eindexamenjaar overstemde zelfs de startmoter van zijn gloednieuwe Porsche de laatste opwekkende woorden van de lesgevende leraar, wat hem nog minder populair maakte bij docenten en leerlingen.

Over grootvader niets dan slechts. Een tirannieke potentaat die vond dat de schooltijden aangepast moesten worden aan de afwezigheid van zijn kleinzoon en de mate waarin er gedoceerd werd aan het tempo dat zijn oogappel wenste te hanteren. De 10 voor het herexamen economie beschouwde hij als een brevet van onvermogen voor de school die toch maar twee examens nodig had om erachter te komen hoe briljant zijn opvolger was.

Wie Thomas van Welie eigenlijk was en waar hij na het eindexamen gebleven was, wist niemand en wilde ook niemand weten. Voor de school was Van Welie allang passé.

'Nou, nou,' zegt Rik wanneer hij vroeg in de middag in gezelschap van een Nijmeegse rechercheur op zoek gaat naar het pleeggezin in Beek, 'ik ben benieuwd of mevrouw Aalders in staat is het portret van Thomas van Welie wat bij te kleuren. Niemand schijnt een traan om hem te willen laten.'

Maar mevrouw Aalders wel. Eerst huilt ze uitbundig, dan moet ze thee drinken om van de schrik te bekomen en vervolgens weer snikken omdat ze het zo erg vindt. Ze is de eerste die de dood van Thomas oprecht betreurt. 'Wat dachten de heren? Thomas was zo klein.' Ze spreidt haar duim en haar wijsvinger en kijkt treurig naar de afmeting. 'En toen al kwam hij hier. Een babietje nog maar. Door zijn moeder in de steek gelaten. En Anna, mijn zuster, heeft een kwalijke rol gespeeld. Over de doden niets dan goeds maar de waarheid moet verteld worden. Of niet soms?'

'Zullen we bij het begin beginnen, mevrouw?' vraagt de Nijmeegse rechercheur.

'Zegt u maar Dinie,' antwoordt ze. 'Zo noemt iedereen me.' Hij knikt haar vriendelijk toe en daarom praat ze vanaf nu alleen tegen hem. Rik houdt zich op de achtergrond en terwijl

Dinie Aalders vertelt, ziet hij hoe Thomas, tien dagen oud, door zijn grootvader in de woning wordt gebracht. De grote Van Welie, toen al gewend te bevelen, verplicht Dinie tot zwijgen en zorgen. Voor geld is immers alles te koop. Eens per maand komt de reus inspecteren. Hij ziet nauwlettend toe dat het kind waar voor zijn geld krijgt, onderhoudt Dinie over het verschil tussen haar eigen kinderen en zijn kleinkind en verbiedt haar zich door Thomas 'moeke' te laten noemen. In feite hebben Dinie Aalders en Van Welie dezelfde afkomst gemeen, maar in tegenstelling tot hem is zij te arm gebleven om haar onderdanigheid te kunnen loochenen. Het instinct van de nieuwe rijken de zwakkeren uit te buiten, erkent ze als een gegeven dat bij haar stand hoort.

'Maar in mijn hart,' zegt Dinie Aalders, 'bleef ik net zoveel van Thomas houden als van mijn eigen kinderen. Oh, wat heb ik hem vaak moeten troosten als hij weer op zijn hoofd gevallen was. Dan kan je als moeder toch geen verschil maken als dat levende tuimelaartje jankend z'n bult in je schort verstopt. En ineens was zijn plaats leeg aan tafel. Dat vond ik heel erg.'

'Waarom werd Thomas bij u weggehaald?'

'Omdat Anna plotseling stierf en meneer Van Welie zelf op Jacobahuis ging wonen. In het begin mocht ik nog vaak komen maar toen zei meneer Van Welie dat het beter was voor Thomas zijn vroegste jeugd te vergeten. Moeke Dinie, schreeuwde hij als hij me zag. Daarna nodigde meneer me alleen nog maar op Thomas' verjaardag uit. Dat heb ik volgehouden totdat de oude meneer Van Welie stierf.'

'En Thomas?'

'Niet meer gezien,' snikt ze. 'Uit het oog uit het hart, zeggen ze, maar niet uit mijn hart.'

'Kunt u wat meer over uw bezoeken aan Jacobahuis vertellen?'

'Meneer liet me altijd door zijn chauffeur halen en brengen. Hij wilde niet dat ik met de bus kwam.'

'Waar woont die chauffeur?'

'Hij heette Mus en hij woonde in de Wulpstraat. Ik moest er altijd om lachen en daarom heb ik het zo goed onthouden.'

'U werd dus door meneer Mus gehaald en gebracht?'

'Ja, en dan wachtte meneer Van Welie me op in de hal. Zo

Dinie, zei hij dan, kom je weer eens een keer naar Thomas kijken? Dan riep ie Thomas en dan gingen we altijd samen thee of koffie drinken, net wat ik hebben wou. Daarna dronken meneer en ik nog een glaasje. Meestal was het erg gezellig maar toen Thomas in de laatste klas zat van die school waar hij naar toe ging, was er een keer ruzie. Meneer wilde dat Thomas in de olie ging maar Thomas wilde student worden. Ik weet niet wat voor student maar meneer was wel kwaad. Thomas had altijd al een willetje. Als ie 't in z'n kop had, had ie 't niet in z'n kont, zeggen wij hier. Zo eentje was Thomas.'

'Praatte u veel met Thomas?'

'Eerst erg veel, nou ja, het was eigenlijk geen praten maar meer spelen. Later ging dat een beetje over, je ontwent elkaar toch wel. En ja praten, wat is praten als je elkaar niet meer iedere dag ziet. Je hebt het wat over dit en over dat, maar de vertrouwelijkheid is er niet meer zo. Hij ging er ook zo gek uitzien, hij werd zo groot. Hij was nooit knap maar hij werd zo lelijk. Dat zie je dan ineens,' verontschuldigt ze zich. 'Van je eigen kinderen valt dat niet zo op maar die zie je ook iedere dag.'

'Met wie ging Thomas om?'

'Met mijn eigen kinderen en de buurkinderen.'

'Nee,' legt de Nijmeegse rechercheur uit, 'ik bedoel toen hij bij u weg was.'

'Dat zou ik u niet kunnen zeggen,' antwoordt Dinie Aalders peinzend. 'Ik heb er nooit iemand gezien behalve meneer en hemzelf en natuurlijk het personeel. En Thomas vertelde mij allang niets meer.'

'U zei dat uw zus niet zo fijn gehandeld had. Wat bedoelt u daarmee?'

'Meneer zei dat Anna het kind niet in huis wilde, dat ze de boel opstookte, maar dat hij er niets tegen kon doen want hij wilde zijn dochter niet het huis uitzetten. En dat Anna met mij ook niks meer te maken wilde hebben. Ik zat in het vijandelijke kamp. Ik snapte er niks van want ze had er zelf voor gezorgd dat Thomas bij ons in huis kwam.'

'Dat snap ik niet.'

'Ik ook niet,' antwoordt Dinie strijdlustig, 'daarom heb ik een keer opgebeld. Ik zeg: Anna, nou moet ik toch eens met je praten. Ik zeg: jij hebt er zelf voor gezorgd dat Thomas bij ons kwam en nou moet ik van meneer horen dat we geen zusters meer zijn. Ik zeg: ik zou wel eens willen weten, waarom? Dat klop Dinie, zegt Anna. We waren zusters maar nou ben ik de moeder van de moeder en jij de moeder van het kind en dat is al zo'n ingewikkelde familieverhouding dat ik er verder geen familie meer op na kan houden. En toen gooide ze de hoorn op de haak.'

'Had uw zuster een verhouding met meneer Van Welie?'

Dinie Aalders wordt er bijna vrolijk van. Het idee alleen al: Anna met meneer Van Welie. Als Anna Onze Lieve Heer was geweest, was er na Adam en Eva niemand geboren. Anna had drie eigenschappen: seksloos, humorloos, en genadeloos. Het kon ook niet anders of het moest slecht aflopen met een zuster die met haar familie brak. Kanker aan de maag en later ook aan de water- en de luchtwegen. 'Anna met meneer Van Welie,' herhaalt ze. 'Meneer van Welie haatte Anna. Weet u wat hij zei toen ze dood was?' De rechercheur haalt zijn schouders op. 'Dinie, zei die, je zuster had misschien een goed hart maar het had allang bij de slager moeten hangen. Zo zei hij het letterlijk. Wel niet zo mooi, maar Anna kon mannen tegen de haren in strijken. Mijn eigen man zei altijd: Je zuster is de enigste vrouw die nooit een onderbroek heeft hoeven te dragen. En weet u waarom?'

'Nee,' zegt de Nijmeegse rechercheur bijna verlegen.

'Omdat ze geen uitgang vanonder had,' lacht Dinie triomfantelijk. De tranen over Thomas zijn gedroogd met leedvermaak over Anna. 'Ja, ja,' knikt ze driftig, 'zulke dingen kan je meemaken met je bloedeigen familie. Willen de heren niet een glaasje drinken?'

Ze bedanken, de tijd dringt, er is nog zoveel te doen. Dinie Aalders draait verlegen aan de zoom van haar jurk. Het is niet haar gewoonte mensen te laten vertrekken zonder iets aangeboden te hebben. En die meneer daar in de hoek heeft zelfs helemaal niets gezegd.

'Maar ik heb nog wel een vraag voor u,' troost Rik haar. 'Weet u wie de vader van Thomas is?'

Ze krijgt weer tranen in haar ogen. 'Arme Thomas,' zegt ze, 'de naam van zijn vader heeft hij nooit geweten en zijn moeder niet gekend.'

'Maar hij wist toch dat Sara van Welie zijn moeder was?'

'Wat had ie eraan,' snuift ze, 'van Anna mocht hij niet op Jacobahuis komen en daarna wilde meneer van Welie niet dat er over zijn dochter gepraat werd.'

'Van wie weet u dat?'

'Van de chauffeur van meneer. Als hij me naar huis bracht wilde hij me nog wel eens wat vertellen.'

'Waarover?'

'Dat meneer het personeel verboden had de naam van zijn dochter te noemen en dat hij zo goed voor Thomas was. Net een eigen vader. Maar dat meneer wel dronk en Thomas ook al begon en dat aan Thomas geen vrouwenvlees zat want hij keek nooit naar een meisje.'

'Hebt u mevrouw Van Welie gekend?'

'De oude of de jonge mevrouw?'

Verrast kijkt Rik naar haar: 'Kende u de oude mevrouw Van Welie?'

'Natuurlijk,' zegt Dinie Aalders. 'Anna was toch mijn zuster en toen ze nog niet met mij gebroken had, zocht ik haar vaak op. Op Jacobahuis. Mevrouw dronk altijd. Oh Dinie, zei ze dan helemaal zat tegen mij, ik wil met je mee want ik wil hier weg. Dan huilde ze dat ze zo ongelukkig was en dan was ze niet knap meer. Maar Anna zei tegen mij dat mevrouw Van Welie best mocht vertrekken wanneer het kind geboren was want meneer had ook wel in de gaten dat het huwelijk niet zo goed was. Maar hij wou eerst het kind hebben en dan pas mocht ze vertrekken. Dat kind,' mijmert ze, 'is veel te kort gekomen bij Anna.'

'Vertel eens,' dringt Rik aan.

'Vroeger kwamen zij en Anna nog wel eens hier en dan zat dat kind dáár,' ze wijst naar de stoel waar Rik zit, 'dan moest Anna zo nodig smiespelen over de vrouw van meneer die toen al weg was en dan zei ik tegen Anna: Anna praat daar niet over waar het kind bij is want ze zou iets op kunnen vangen en ze is veel te klein. Dat kleintje begreep het ook niet maar voelde wel dat er iets aan de hand was. Ze kwam dan altijd tegen Anna staan en die zei dan: Hang niet zo, ik ben geen muur. Ik zei: Anna je moet dat kind liefde geven, het komt toch al zoveel tekort. Het was net een klein aapje vroeger, zo beleefd en gedresseerd.'

'Hebt u haar later nog gezien?' vraagt Rik.

'De oude mevrouw Van Welie?'

'Ik bedoel de jonge.'

'Mevrouw Van Welie nooit meer maar Sara van Welie wel. Tot aan de geboorte van Thomas. Ik had toch zo'n medelijden met haar. Ik ben zelf moeder,' legt ze uit, 'dan weet je wat van kinderen af. Anna niet. Die ging nogal eens tekeer tegen Sara, vooral toen ze in Nijmegen naar school ging. Als ze wat leuke muziek op de radio zocht, draaide Anna de knop om. En die keer dat het kind lippenstift op had, sloeg mijn zuster het eraf. Waar ik zelf bij was. Ik zei: Anna, dat is toch heel gewoon voor een jong meisje en weet u wat ze zei?'

'Nee.'

'Ze zei: denk je dat ik dat kind dezelfde kant op laat gaan als haar moeder? Nee, dat kind mocht niet veel omdat ze als twee druppels water op haar moeder leek. En meneer Van Welie mocht ook niks. Anna had de wind eronder.'

'Hoezo mocht meneer Van Welie niks?'

'Zullen we gaan?' vraagt de Nijmeegse rechercheur.

'Nog even,' zegt Rik.

'Hij mocht niet hertrouwen,' zegt Dinie Aalders. 'Hij had een keer een vriendin, een hele mooie. En dat kind trok naar die vrouw. Anna moest er weer tussen komen. Ik denk dat ze bang was dat die nieuwe vriendin de moeder van Sara zou worden. Anna heeft een keer een verhaal afgeluisterd en toen alles overgebriefd aan meneer Van Welie. Dat die vriendin alleen maar geld wilde trouwen en niet die ouwe lelijke kop. Mijn zuster heeft het me zelf verteld en ik zei: Anna, Anna, wat kan jou dat nou schelen. Bemoei je eigen d'r niet mee...'

De Nijmeegse rechercheur heeft er genoeg van. 'Ik ga,' zegt hij.

Dinie Aalders begint weer te huilen. 'Och God,' klaagt ze, 'Thomas vermoord. Wanneer wordt hij begraven? Ik wil naar de begrafenis.'

'Ik zal het mevrouw Van Welie doorgeven,' belooft Rik. 'En,' voegt hij eraan toe, 'ik vind het heel erg voor u dat het zo met uw pleegkind is afgelopen.'

Hij meent het en wanneer hij wegrijdt, ziet hij Dinie Aalders door haar ogen wrijven. Dat doet hem op de een of andere manier goed. Iedere dode, ook Thomas van Welie, heeft recht op rouw. Zelf kan hij dat gevoel niet opbrengen. Uit solidariteit met Sara, realiseert hij zich terwijl hij de auto de Rijksstraatweg op stuurt. Zinnen schieten door zijn hoofd: Genegenheid is een luxe die ik nauwelijks gekend heb. Mijn moeder heb ik niet gekend omdat ze na mijn geboorte verdwenen is. Mijn zoon en ik hebben nauwelijks contact gehad. Anna had drie eigenschappen. Die kleine zei niet veel, papa zei dat ze het achter d'r elleboog had. Wie is de vader van Thomas? Nee, ik zeg het niet, het heeft geen zin naam te geven aan een bewijs dat nooit meer geleverd kan worden... dat meneer Van Welie zo goed was voor Thomas... net een vader... meneer Van Welie haatte Anna...

'Kijk uit,' hoort hij naast zich roepen. 'Je reed verdomme bijna die fietser van de sokken.'

De bestuurder van een tegemoetkomende auto wijst op zijn voorhoofd op het moment dat hij passeert. Rik mindert vaart, even zijn gedachten bij de weg houden. Dat lukt hem nauwelijks. Hij sorteert te laat voor, vergeet richting aan te geven en negeert een rood verkeerslicht.

Aan zijn rechterzijde wordt fel geprotesteerd: 'Als je niet voorzichtiger rijdt, stap ik uit. Zeker alleen maar gewend aan kruiwagens en mestkarren. En verder heb ik nog wat.'

'Maak van je hart geen moordkuil, beste man.'

'Ik dacht dat je op zoek was naar de moordenaar van Thomas van Welie, maar bij mevrouw Aalders was je meer in de moeder geïnteresseerd dan in de zoon.' En na een korte stilte: 'Lijkt me.'

'Laat die 't' er maar af en val dood,' antwoordt Rik en hij trekt woest aan het stuur.

Voor het Trajanusplein wil de Nijmeegse rechercheur eruit. 'Ik heb het schuim tussen mijn billen staan en ik tril van de zenuwen,' roept hij.

'Nog even volhouden,' moedigt Rik hem aan. 'Eerst zul je me nog het kantoor van de notaris van Van Welie wijzen en dan mag je je onderbroek in het klachtenboek te drogen hangen. Schijtlijster,' roept hij terwijl hij de motor van de Simca laat loeien.

De notaris wil hem eerst niet ontvangen. Afspraken gaan voor. 'Ik zal hem spreken,' zegt Rik oneerbiedig tegen een secretaresse, 'al moet ik hem tot in zijn kluis achtervolgen. Zeg hem dat ik van de politie ben.' Via de Hermandad lukt het hem een voet tussen de deur naar het Walhalla te krijgen en met het gezicht van de baas leidt de overjarige secretaresse hem naar een zure notaris, een kleine man met wangen als gebarsten tomaten en een neus die meteen verraadt dat de drager doorgaans aan een andere vrucht proeft. Bij het horen van de moord op Thomas van Welie prevelen zijn verwende lippen een cliché-formule. Een leven minder maakt ogenschijnlijk geen indruk meer op hem die het toekomstig verscheiden van zijn cliënten juridisch begeleidt. Maar als Rik ter zake komt, veert hij op, slaat de deur dicht en weigert als bewaarder en uitvoerder van de laatste wil de geheimen van zijn paradijs prijs te geven.

'Stel u voor,' roept hij verontwaardigd, 'dat ik aan de eerste de beste die zich kan legitimeren het hele hebben en houen van mijn cliënten vertel. Alleen de rechtbank kan mij dwingen mijn beroepsgeheim te schenden.'

'En als mevrouw Van Welie toestemming geeft?' houdt Rik aan.

'Dan zal ik slechts dat vertellen wat ik in het belang van uw onderzoek noodzakelijk acht.'

Ze kijken elkaar vijandig aan. 'Nou,' zegt Rik, 'waar wachten we op?'

Niet gewend orders te ontvangen, verlaat de notaris nijdig de kamer. Op de gang ontstaat commotie, dan valt er een lange stilte en plotseling schrikt Rik van de snerpende stem van de notaris die in zijn oor blaast dat behalve het telefoongesprek met mevrouw Van Welie ook het volgende onderhoud op de band zal worden opgenomen in aanwezigheid van een van zijn kandidaten van zijn kantoor.

'Mij best,' zegt Rik en stelt zich daarna voor aan een kalende vijftiger in grijze pantalon met blauwe blazer die zijn ogen vanaf dat moment niet meer van Riks overhemd afneemt.

'Ahum,' kucht de notaris, 'ik ga nu spreken,' en hij drukt een toets van het opnameapparaat in. Eerst bladert hij in een map en dan begint hij: 'Voor mij ligt het dossier van de heer

Franciscus Van Welie waaruit ik enkele gegevens zal vermelden ten behoeve van het onderzoek naar de moord op Thomas van Welie, kleinzoon van Franciscus, op verzoek van de inspecteur, of is het hoofdinspecteur?' vraagt hij aan Rik die ontkennend zijn hoofd schudt, 'op verzoek dus van de inspecteur van politie, de heer Van Helden, van de afdeling recherche te Dudoveen. Voor mij verschijnt de heer Franciscus Adrianus van Welie en geeft de wens te kennen een testament ten behoeve van zijn kleinzoon Thomas van Welie te laten passeren. Alhoewel ik de heer Van Welie er op wijs dat zijn dochter, mevrouw Sara Van Welie, juridisch recht heeft op een deel van zijn nalatenschap, weigert hij haar als een der erfgenamen en staat hij er op het testament overeenkomstig zijn uitdrukkelijke wil op te stellen. Ik waarschuw hem bij de uitvoering van het testament mevrouw Van Welie op de hoogte te brengen van het haar wettelijk toekomende deel van de erfenis. De heer Van Welie maakt een vermoeide indruk hetgeen ik toeschrijf aan de gecompliceerdheid van de opsomming van zijn bezittingen. Enkele minuten later wordt hij onwel en sterft hij in deze kamer aan de gevolgen van een hartinfarct. Op 13 april ontvang ik de heer Thomas van Welie en zijn moeder, mevrouw Sara van Welie. Zij komt toch in het bezit van de erfenis omdat het testament ongeldig blijkt. Einde verslag.'

'Dat had u gedacht,' zegt Rik terwijl hij de notaris verhindert het apparaat uit te schakelen. 'Ik wil nog wel het een en ander weten. Waarom bijvoorbeeld was dat testament ongeldig?'

De notaris kijkt vragend naar zijn kandidaat die toestemmend knikt. 'Ahum,' kucht hij. 'De heer Van Welie wond zich hevig op toen ik hem nogmaals wees op de tekst van het testament met betrekking tot zijn dochter. Voordat hij de akte kon ondertekenen, stierf hij.'

'En dat betekent?'

'Dat het testament niet rechtsgeldig was.'

'En toen.'

'Toen heb ik mevrouw Van Welie en haar zoon uitgenodigd om een en ander te bespreken.'

'Hoe reageerde mevrouw Van Welie?'

'Waarop?'

'Nou,' leg Rik uit, 'op de erfenis natuurlijk. Eerst niets krijgen en tenslotte alles, maakt een klein verschil, dunkt me.'

'Onverschillig.'

'En Thomas van Welie?'

'Teleurgesteld.'

'Omdat hij van rijke kleinzoon ineens arme wees werd?'

'Zo ongeveer ja. Alhoewel...'

Rik luistert gespannen. 'Gaat u verder,' dringt hij aan als de notaris weer dringend geestelijke bijstand bij zijn kandidaat zoekt.

'Over de exacte datum beschik ik op dit moment niet,' aarzelt hij, 'maar het zal ongeveer half juli geweest zijn, ruim een jaar daarna, het kan ook juni geweest zijn, ik weet het echt niet meer uit mijn hoofd,' verontschuldigt hij zich, 'dat mevrouw Van Welie Jacobahuis aan haar zoon schonk.'

'Een aardig douceurtje,' merkt Rik op.

'Een vorstelijk geschenk,' antwoordt de notaris. 'Als de waarde van de huizen nog op het peil van midden zeventig was geweest, zou Jacobahuis ver over het miljoen hebben opgebracht. Maar Thomas van Welie heeft Jacobahuis meteen verkocht.'

'Voor hoeveel?'

'Beduidend minder, neem ik aan. Nee, nee meneer Van Helden,' zegt de notaris streng wanneer Rik er op aandringt door te gaan met zijn onthullingen, 'ik heb u nu genoeg verteld. Tenminste voldoende in het kader van uw onderzoek.'

Maar Rik wijkt niet. Er is zo weinig houvast in deze moordzaak, de notaris moet hem zijn impertinentie vergeven.

'Hebt u enig idee waarom Thomas van Welie vermoord is?' vraagt hij.

'Laat ik het zo stellen,' zegt de notaris terwijl hij opstaat, 'als mevrouw Van Welie een dergelijk lot overkomen zou zijn, ligt het voor de hand aan een financieel motief te denken. Maar Thomas van Welie? Nee, ik zou het niet kunnen zeggen.'

'Kent u kringen waarin hij verkeerde?'

'Absoluut niet.'

'Vond u hem sympathiek?'

'Meneer Van Helden, ik beoordeel aardse goederen van mensen, niet hun karakter.'

'Meneer de notaris,' begint Rik nu diplomatiek, 'toch begrijp ik iets niet. U sprak zoëven over een wettelijk deel waarop mevrouw Van Welie als dochter recht zou hebben. Waarom hebben de moeder en de zoon de erfenis niet gedeeld?'

'Dat wilden de vader en de kleinzoon niet. De een wilde alles geven, de ander alles krijgen. De Van Welie's kennen... pardon, kenden... geen gulden middenweg.'

'Die was er wel?'

'Natuurlijk.'

'Hoe?'

'Meneer Van Helden, u denkt toch niet dat ik u hier gratis college geef over erfenissen, schenkingen, legaten, etcetera, etcetera.'

'Maar later,' houdt Rik aan, accepteerde de zoon toch Jacobahuis van de moeder. Daar zit toch een inconsequentie in?'

'U hebt gelijk.'

'Legt u mij eens uit.'

'Dat zou u aan de zoon moeten vragen.'

'Die is dood.'

'Dat is dan jammer voor u,' zegt de notaris en hij staat weer op.

'Nog een vraag,' dringt Rik aan. 'U weet dat mevrouw Van Welie op zeer jeugdige leeftijd haar zoon kreeg?'

'Dat is mij bekend.'

'Kent u de naam van de vader?'

'Nee.'

'Acht u het mogelijk dat Frans van Welie de vader was?'

'Zo'n onbehoorlijke vraag zoudt u zelfs niet mogen denken,' antwoordt de notaris furieus. 'Goedenmiddag.'

Overrijp zijn de tomatenwangen inmiddels geworden en met driftige passen beent hij de kamer uit. De kandidaat schakelt het bandopnameapparaat uit. 'U vindt de weg wel naar buiten,' zegt hij terwijl hij een laatste blik op het overhemd werpt.

Tijdens het gesprek met de notaris heeft hij gemerkt dat niet het etiketje in het overhemd maar zijn eigen lange haren in zijn nek kriebelen. En omdat hij Sara toch belangrijker blijft vinden dan die ex-Porscherijder in Dudoveen, rijdt hij stapvoets door de binnenstad op zoek naar een kapper.

In een kapperszaak maakt hij ruzie, een vrijgekomen stoel is meteen van hem. 'Niets mee te maken,' zegt hij tegen de verbouwereerde kapper die hem op gealarmeerde klanten wijst en hij duwt hem zijn politiepenning onder de neus. 'Wassen en knippen maar zo dat niemand merkt dat ik hier een bezoek heb afgelegd.'

Zwijgend gaat de kapper aan het werk. Het ontgaat Rik dat de sfeer in de salon om te snijden is. Aandachtig volgt hij de verrichtingen van de schaar en even knipoogt hij naar zichzelf. Verdomme als ie eens wat meer aandacht aan zijn uiterlijk besteedt, ziet hij er niet eens zo gek uit. Tijdens het afrekenen vraagt hij naar een goed restaurant in de stad. De kapper noemt een naam.

'Wat is de specialiteit van dat restaurant?' vraagt Rik.

Het antwoord klinkt afgemeten: 'Duiveborstjes.'

'Lekker?'

'Voor u hoop ik dat ze naar schoenzolen smaken.'

Op het Nijmeegse politiebureau blijkt Riks reputatie net zo aangetast als de lak van zijn Simca. Niet één rechercheur vertrouwt zijn leven aan de pretrijder toe. Daarom rammelt hij tussen het spitsverkeer van vijf uur richting Wulpstraat waar een paar maal vragen nodig is om de verbitterde chauffeur te vinden.

'Bijna twintig jaar hem veilig zonder een schrammetje of deukje gereden,' steekt hij van wal, 'maar dacht u dat ik er iets aan heb overgehouden? Een uitkering. Niemand van het personeel heeft meer dan zijn loon aan meneer Van Welie verdiend. En dan zeggen ze wel: daar hebben we de sociale dienst voor, maar meneer Van Welie wist net zo goed als ik dat eten uit de staatsruif hetzelfde is als bij een kerkmuis aan tafel gaan. Ik heb niet in zijn portefeuille kunnen kijken, maar in z'n portemonnaie had ie zeker al een paar miljoen. Stront voor dank. En nou is de jonge heer dood, vermoord nog wel. Dat heb je d'rvan als je al dat geld warm houdt met je achterwerk, dan wordt je kop een koud buffet voor de pieren. Als ik u vertel wat daar in de week aan eten werd uitgegeven...'

'Nu ter zake,' onderbreekt Rik hem. 'Ik wil toch iets meer

weten over de familieverhoudingen. Hoe was die tussen groot-vader en Thomas?'

Volgens de chauffeur prima tot aan het eindexamen van Thomas. Voor zover het met de school geregeld kon worden, ging de jongen altijd mee. Maar toen hij niet in de olie wilde, was het wel eens mis tussen die twee. Toch kreeg Thomas toen hij eenentwintig werd een huis in Frankrijk. Had meneer Van Welie nooit moeten doen want vanaf dat moment zat meneer de student meer in Frankrijk dan in Nederland.

'Een huis in Frankrijk?' roept Rik opgewonden.

'Ik zou er zo naar toe kunnen rijden,' antwoordt de chauf-feur. 'Kijk, je neemt de autobaan bij...'

'Nee,' zegt Rik haastig, 'waar ligt dat huis?'

'Bij Taizé,' antwoordt de chauffeur een beetje gepikeerd. 'Bij Taizé ga je helemaal de binnenlanden in tot Cormantin. Aan de rand van het dorp ligt een groot herenhuis met een binnenplaats en een portierswoning en een boomgaard en ik weet niet hoeveel bijgebouwen. En dan ga je een soort bordes op en dan kom je in het huis. In het midden een grote hal en links en rechts allemaal kamers met open haarden. Ik zei nog tegen meneer toen hij het kocht: je hebt hier alleen al iemand nodig om het vuur aan te houden. God, wat hebben we toen een schik gehad. Er was daar zo'n gekke notaris met een gat in zijn hoofd en een vel er overheen en bij hem moesten we 's avonds iets komen drinken. Ik mocht er ook bij zijn. En als meneer Van Welie 'oil' zei dan zei die notaris: wie, wie, wiel. Die avond ben ik ook flink zat geworden want die gozer trok een paar goeie flessen open toen de handtekening van meneer en Thomas waren gezet. Kijk en daarom valt het zo tegen wanneer je op je zesenvijftigste naar het tuintje van je over-buurman moet kijken of de sla nog niet uit de grond komt. Ik heb een goeie en een afwisselende baan gehad maar meneer Van Welie heeft me slecht verzorgd.'

'Kent u familieleden of vrienden van Thomas van Welie?'

'Over z'n moeder mochten we niet praten, die hebben we trouwens nooit gekend. Maar ik heb wel gehoord dat die als kind op Jacobahuis gewoond heeft. Met een oude huishoud-ster, de zus van Dinie Aalders. Moet je die over d'r zuster horen. Nee, dan nog liever steun trekken dan zo aan m'n eind komen, van chagrijn weggerot. Toen meneer definitief op Jacobahuis ging wonen, was die oude al dood en de dochter vertrokken. En verdere familie was er niet bij mijn weten.'

'En vrienden?'

'Alleen als je 'dat' had,' knipt de chauffeur het geldteken met zijn vingers, 'kwam je het huis in. En wie 'dat' had, praatte niet tegen mij.'

'Hebt u telefoon?' vraagt Rik gejaagd.

De chauffeur wijst naar de gang. 'U moet wel betalen want dat is de laatste luxe die ik aan meneer heb overgehouden, zolang het nog duurt.'

In een paar stappen is Rik bij de telefoon. 'Luister goed,' zegt hij tegen Teun, 'ik geloof dat we Van Welie te pakken hebben. In Frankrijk ligt vlakbij Taizé een klein dorpje...'

Opgewonden doet hij verslag van wat de chauffeur, de notaris en Dinie Aalders verteld hebben. 'Is er verder nog nieuws van het thuisfront?' vraagt hij aan het eind van zijn verhaal.

'Alleen dat Bos weinig ingenomen is met de voortvarendheid waarmee jij particulier initiatief ontplooit. Hij popelt van verlangen om je dat persoonlijk te vertellen.'

'En de uitslag van de patholoog-anatoom?' gaat Rik onbewogen verder.

'Als je geen prijs stelt op al die Latijnse namen die een mens in zijn kop schijnt te hebben dan komt het hier op neer dat de kruitfabriek van Muiden ontploft is in het hoofd van Van Welie. Eén grote verzameling bloederige botsplinters waar alleen een magneet zich toe aangetrokken voelt. Geen twijfel over een afgezaagde loop van een geweer.'

'Sporen op het lichaam?'

'Niets. Zo blank en rein als een aankomend koorknaapje.'

'Kledingonderzoek?'

'Modder, troep, wat slordig denkwerk van de eigenaar, kwijl van de hond en restanten van het ontbijt van Wertz. Nog meer details?'

'Nee, dank je,' antwoordt Rik die nu pas de kapper vergeeft dat hij te royaal met de lotionspuit is omgegaan.

'Als ik jou was,' zegt Teun, 'zou ik toch nu meteen naar Dudoveen komen om Bos de resultaten van je onderzoek te vertellen.'

'Ik heb geen tijd.'

'Waarom niet?'

'Omdat ik met Sara van Welie ga eten.'

'Je kunt je tijd beter gebruiken,' adviseert Teun. 'Bijvoorbeeld wat je moet gaan antwoorden op het requisitoir van Bos.'

'Stik toch.'

'Voorlopig nog niet,' antwoordt Teun eerst kalm. En daarna driftig: 'Rozenwater, je weet dat ik je mag, maar ik hoop voor jou dat je niet bezig bent een complete idioot van jezelf te maken.'

Opgelucht omdat de avond eindelijk voorbij is, gaat Sara haar huis binnen waar keurige leegte haar tegemoet schreeuwt dat alles en niets veranderd is.

Nog niet zo lang geleden klonk hier muziek, zijn stem en haar vrolijk lachen dat allengs scheller en holler werd totdat het verstomde in verbazing en ontgoocheling. Dáár heeft ze gezeten, altijd in de hoek van de kamer op de grond naast de pick-up. Een tiener met rimpels op zoek naar een tijd die allang voorbij was en niet ingehaald kon worden. Graaiend en giebelend tussen platen die ze allemaal in de afvalemmer gekwakt heeft nadat hij zijn blote mannenkont in zijn vale spijkerbroek had gehesen.

Teruggefloten allebei, hij naar Cormantin, zij naar haar lethargische werkelijkheid waartegen ze iets moest ondernemen toen Chris Barber en al die flierefluiters met aardappelschillen en koffiedrab op hun koppen met de vuilniswagen verdwenen. Geen hoop, geen verwachting noch vooruitzicht, slechts een korte onderbreking gevolgd door een behoorlijke beschadiging met revanche. Leven als een afgedankte operadiva in het Casa di Verdi, met zichzelf opgesloten in conflict met herinneringen over dat ene absolute hoogtepunt in een roes beleefd. Niet eens de morsigheid van de oude dag of de gelatenheid van een ziek lichaam, wel de schaduw van een verwoest leven. Liever niet vooruit kijken want dan ziet ze Rik van Helden. Premiejager op orde en recht en aangeschoten wild. Midden in de roos toen hij haar zag. Alle ogen zijn gericht op kwatta. Alle? In ieder geval de zijne. Heel trouw en heel eerlijk op wat duur is en vooral onbeperkt houdbaar. Het snoepje van de week dat achteraf een dure bonbon in luxe verpakking blijkt. Verrassend lekker en zonder suiker. Mon chérie, ook goed voor de tanden.

'Ben je rijk?'

'Ja, ik ben steenrijk.'

De kogel is door de kerk. God zegene de greep. Aanpakken die handel, inpakken die rotzooi. Meteen investeren. Het overhemd en de broek op de lange termijn. Duiveborstjes gedrenkt in lotion om het mondje nu alvast hapklaar te maken. Eerst je lipjes, straks de andere twee. Ich habe nie so geliebt bis auf dich. En dan die ogen. Spiegels van de ziel, poel van ellende, meer van hoop. Ze kent haar pappenheimers. Zijn lepel in haar brijpot. Hij treurt nog niet, zij allang. Niet over Thomas. Toegegeven, zijn dood was onelegant. Verdiende niet de schoonheidsprijs. Recht kiest zijn eigen loop, al is het maar van een hagelgeweer. De jager komt een schot te laat. Zo is het leven. Voor de een te hard en voor de ander nog harder. Liefde is de slechtste minnares. Ze steekt een sigaret op. Het kan, het mag weer. Geen beklemming op de borst of traanoogjes. Overgevoeligheid heet dat. Alleen voor rook. Haar vuur moest hij niet.

Bedachtzaam rookt ze. Kringetjes naar het plafond, lange slierten uit haar neus. Het komt haar al te bekend voor. Jaren heeft ze zo gezeten. De kamer kleiner maar even ordelijk. Asbak onder handbereik. Van knoeien hield ze vroeger ook niet. De voeten naast elkaar voor de fauteuil. Zonder beweging. Urenlang.

Toen de lengte van Anna's dagen uitgemeten was, begon Sara de uren te tellen. Overdag niet, in het ziekenhuis vlogen ze voorbij, maar 's avonds op haar kamertje woog iedere minuut. Nadat ze het haastig dichtgeslagen ochtendbed weer afgehaald en opgemaakt had, stofte ze plichtmatig de schone meubels of legde ze truitjes en ondergoed nog rechter in de klerenkast. Moe van het nutteloos niets-doen ging ze daarna in een stoel zitten wachten op een slaap die niet komen wou.

In het ziekenhuis had ze zeker wel contacten, met de patiënten, maar in de pauzes zweeg ze. Ergens achteraf luisterde ze naar de verhalen van collega's en terwijl ze haar brood at, liet ze niet merken of ze hun verhalen goed- of afkeurde. Degene die haar bij een gesprek wilde betrekken, al was het maar omdat men haar sfinx-achtig zwijgen als een bedreiging ervoer, kon rekenen op een afwijzing. Op den duur liet iedereen die slome Van Welie met rust en zo wilde ze het ook bij gebrek aan enig idee omtrent een alternatief. Ondertussen trok de wereld aan haar voorbij. Naar een radio luisterde ze niet, televisie keek ze niet, kranten werden wel gedrukt maar niet voor haar. Op straat keek ze bevreemd naar langharige jongeren, ze wist niet waarom Nixon moordenaar genoemd werd, Vietnam lag erg ver weg, van D'66 had ze nog nooit gehoord en haar voorstelling van de Praagse Lente week nogal wat af van de werkelijkheid die voor haar in ieder geval erg onduidelijk was. Maar omdat ze persoonlijke ontmoetingen niet ambieerde en zelf niet nieuwsgierig was, viel haar gebrek aan kennis niemand op. Ondanks Anna en de feiten die ze na haar vergat te verzamelen, was ze toch een goed verpleegster, zo bekwaam dat ze moeiteloos van het ene ziekenhuis naar het andere solliciteerde.

Op de neuro-chirurgische afdeling waar ze zich door de jaren heen naar toe werkte, waren de patiënten in het algemeen niet zo babbelziek en degenen die spraken, wilden slechts geruststellende woorden horen over de aard van hun ziekte. Op het laatst beperkte haar vocabulaire zich tot mengiomen en gliomen, arachnoïdale- en hersenbloedingen. Bij de goedaardige tumoren suste ze, bij de astrocytomen, ependymomen en oligodendrogliomen deelde ze haar bezorgdheid al naar gelang hun graad van kwaadaardigheid, over de arachnoïdale bloedingen waakte ze en bij de hersenbloedingen begeleidde ze het marginale herstel of de finale aftakeling. Zuster Van Welie was de troost van de zieken en toeverlaat van de hopelozen. Wat ze de gezonden en zichzelf onthield in haar vrije tijd, gaf ze uit vrije wil en zonder voorbehoud aan de zieken. Daarvoor oogstte ze dankbaarheid en waardering hetgeen Anna, als ze nog geleefd zou hebben, als hoogste goed op deze aarde aangemerkt had. Ook de patiënten. Die keken uit naar het tijdstip waarop ze de dienst overnam en de specialisten, zeker zij die nog in opleiding waren, betrokken haar oordeel in hun diagnose of therapie.

Soms waagde een co-assistent zijn vertrouwen uit te drukken in een invitatie voor een avondje reflectieve medidatie op zijn kamer, een bezoek aan de stadsschouwburg waar een concert werd gegeven dat volgens de recensenten niemand mocht missen of een avondje stappen dat ook niemand mocht overslaan. Zuster Van Welie wel. Ze bedankte beleefd en beriep zich op andere werkzaamheden. Een andere keer wellicht. Ze ontweek de aandringers die haar uiteindelijk voor mannenhaatster uitscholden waarop zij antwoordde dat ze genoeg mannen kende bij wie de vrouwen ook niet verder mochten komen dan het aanrecht en het bed.

Langzaam maar zeker bleven de uitnodigingen achterwege. Het was inmiddels bekend dat je beter een konijn het alfabet kon leren dan Sara van Welie overhalen tot het accepteren van een uitnodiging. Het was haar om het even en rustig kauwde ze boven haar patiënten verder.

Dat was de enige kritiek die haar bijna d'r baan kostte. Het was iedereen en dus ook die voortreffelijke zuster Van Welie, verboden tijdens het werk kauwgom in de mond te hebben. De hoofdzuster, de chef van de afdeling, een van naam en faam bekende professor, niemand slaagde erin haar mond leeg te krijgen. Ze beriep zich erop dat de adem van sommige patiënten zo onwelriekend was dat deze voorzorgsmaatregel in hun beider belang genomen moest worden anders zou ze flauw vallen of weglopen, misschien op een moment dat haar aanwezigheid van vitaal belang was. Er werd een compromis gesloten. De kauwgom achter de kiezen en geen smakkende geluiden in het bijzijn van zieken of personeel, het mocht voor de eersten geen reden tot klagen zijn en voor de tweeden geen precedent.

Met één patiënt kreeg Sara een bijzondere band: mevrouw Gottschalk, een uitgeteerd besje van in de tachtig dat zich meer zorgen maakte over haar eenzaamheid dan over het gezwel onder haar kale schedel.

'Of ik nu aan het een of aan het ander dood moet, zal me een zorg zijn,' redeneerde ze. 'Maar alleen in mijn grote huis aftakelen lijkt me een nog minder prettig vooruitzicht dan hier in een fris bed sterven.'

Kon zuster Van Welie haar niet helpen? Ze spraken samen over euthanasie, Sara wilde geen beslissing nemen, de behandelend arts weigerde. Als hij het verrimpelde vel en de gammele botten buiten beschouwing liet, waren alle organen best in staat de sneldelende cellen in haar hersens verder te laten woekeren. Mevrouw Gottschalk leed geen ondraaglijke pijn, dood ging toch iedereen, maar wanneer kon hij zelfs in haar geval op geen jaar voorspellen.

Een verpleegtehuis?

'Nooit,' zei mevrouw Gottschalk. 'Hier of in mijn eigen bed. Niet op een zaal met gereutel en gepiep en altijd uitzicht op het achterwerk van een verpleegkundige die een gevallen lepel of beker op moet rapen. Ik dank je feestelijk om met al die dementen kinderliedjes te moeten zingen of te huilen over vader en moeder die zo goed waren. Mijn herinneringen bestaan uit deportaties en concentratiekampen. Dat ik er nu nog ben dank ik aan mijn wil alleen de toekomst te erkennen en die bepaal ik zelf.'

Voordat ze uit het ziekenhuis ontslagen werd, was de deal met Sara rond. Ze trok bij mevrouw Gottschalk in. Het hele huis stond tot haar beschikking. Ze mocht veranderingen aanbrengen, nieuwe kleuren kiezen, behalve geel, bepalen wat er gegeten werd, naar welk t.v. station gekeken, welke krant gelezen, behalve De Telegraaf, kortom Sara herleefde en mevrouw Gottschalk idem dito. Ze konden het uitzonderlijk goed met elkaar vinden.

Af en toe mopperde het oude vrouwtje, Sara was veel te bescheiden. Geld moest rollen en hoe. Als een rasta leefde mevrouw Gottschalk. Overal waar ze kwam rolde men een loper uit voor haar portemonnaie die eindeloos gevuld leek. Ze zwaaide meer met fooien dan naar mensen en schepte er een satanisch genoegen in de duurste gerechten met haar vingers om te woelen en tenslotte een stukje truffel of kreeft, waarin ze op dat moment beslist geen trek had, in een servet te wikkelen of een haute couture-jurk met haar uitgemergelde lichaam te veranderen in een lapje stof. 'Car tel est notre bon plaisir,' grinnikte ze dan tegen Sara die boven haar witte uniform verbleekte.

Dat eeuwige uniform irriteerde haar. Bij zo'n mooie meid pasten goede kleren en sieraden en een beetje make-up zou eveneens niet misstaan. Als het een kwestie van geld was hoefde Sara het maar te zeggen. Haar doodshemd had geen zakken en de Joodse Gemeente werd toch al goed bedacht.

Toen Sara vertelde al jaren geleden over een aardige som geld te beschikken die sindsdien tot een klein fortuin uitgegroeid was, begonnen haar oogjes boosaardig te glimmen. 'Blijf jij je maar rijk rekenen,' zei ze. 'Ik betaal graag voor jouw arme leven. Kind er valt zoveel te genieten, ik zal het je leren.'

Door mevrouw Gottschalk veranderde Sara snel. Ze werd zo gierig op haar dagen dat ze besloot nachtpit te worden. Om de twee weken draaide ze de nachtdienst, draafde ze van elf uur 's avonds tot zeven uur 's ochtends met po's, bloeddrukmeters, thermometers, telde ze polsslagen, ze controleerde infusen, gaf medicijnen en sprak met slapeloze patiënten als een ander haar niet nodig had. Mevrouw Gottschalk waakte die nachten met haar. Samen ontbeten ze en daarna sliepen ze tot twaalf uur. Mevrouw Gottschalk wilde de korte tijd die haar restte zoveel mogelijk verticaal doorbrengen en Sara moest de tijd inhalen die ze jarenlang blanco in een stoel had doorgebracht.

Iedere dag had zijn eigen programma, na de werkdagen kort en vooral op Nijmegen gericht, op de vrije dagen uitgebreid van Amsterdam tot Maastricht waar de mooiste kleren van de wereld weggehaald werden en van tentoonstellingen en uitvoeringen in Brussel tot Parijs. De wereld ging open en lag aan de voeten van Sara.

Tenminste, dat zei mevrouw Gottschalk vaak genoeg tegen haar wanneer ze opmerkte dat de bewonderende blikken van mannen Sara golden en niet haar gierekoppie onder de dure pruik. 'La belle et la bête,' hikte ze tevreden.

Wanneer de tumor van plan was de dag te verpesten, bleven ze thuis en vertelde mevrouw Gottschalk over de reizen die ze gemaakt had, de boeken die haar het meest bevielen of analyseerde ze actuele politieke situaties waarnaar Sara met stijgende verbazing luisterde. Het Jodendom en de staat Israël bleven buiten beschouwing.

'Jij je verleden, ik het mijne,' zei ze een keer tegen Sara. 'Het heeft geen zin elkaar te overtroeven zolang we nog een toekomst hebben want eens, Sara, zullen we toch gelukkig worden?'

Maar toch waren ook die dagen heerlijke dagen en de beide vrouwen genoten van elkaars aanwezigheid. De ontwikkeling van de oude vrouw compenseerde Sara's leeftijd, haar afkeer van burgerlijkheid overwon Sara's eentonige eenvoud en smaak en goede manieren was geen kwestie van afkomst maar van geld.

'Zo zit de wereld in elkaar,' zei ze vaak genoeg tegen Sara, 'en niet anders. Dat kun je al afleiden uit het gedrag van een aap die heel anders met een banaan omgaat dan met een sigarettepeuk.'

In alles kreeg mevrouw Gottschalk haar zin behalve wanneer het over geld ging. Sara wenste voor haar eigen onkosten te betalen. De discussies hierover bleven van tijd tot tijd terugkeren maar Sara weigerde in alle toonaarden op dit punt toe te geven.

Na ruim twee jaar ging de lichamelijke toestand van mevrouw Gottschalk achteruit. Het gezichtsvermogen verminderde, de coördinatie van haar bewegingen week af van wat ze wilde en de pijn in haar hoofd omschreef ze als een existentieel knagen aan de rand van haar leven.

Sara bood aan haar baan op te zeggen. 'Geen sprake van,' kreunde mevrouw Gottschalk. 'Er zijn andere mensen die jou langer nodig hebben. En waarom jouw levenswerk opgeven? Omdat mijn dagen geteld zijn? Lieve kind, jouw toekomst is veel belangrijker.'

Toch nam Sara overhaastig afscheid van neurochirurgie waar men altijd gezegd had dat ze pas met pensioen zou gaan als de medische wetenschap zo ver was dat een hersentumor niet meer betekende dan een verstopt talgkliertje.

Het was de laatste nacht van de wacht. Het lampje van kamer zeven brandde voor de zoveelste maal en zuchtend slofte Sara naar die meneer die alle ongemakken van zijn vernauwde bloedvaten toeschreef aan het feit dat hij al weken geen vrouw meer had kunnen aanraken. Ze was oververmoeid. De dexamfetamine die ze de laatste week slikte om overdag bij mevrouw Gottschalk te waken en 's nachts normaal door te kunnen werken, hielp nauwelijks meer. Ze verlangde naar het einde van de dienst en een paar uur dommelen in de stoel naast het bed van haar oude vriendin.

'Wat is er nu weer?' vroeg ze tegen haar gewoonte in.

Hij stond naast het bed, zijn pyamabroek hing naar beneden en zijn lid stond omhoog.

'U begrijpt nog steeds niet,' zei ze terwijl ze behoorlijk kwaad werd, 'dat uw penis hier een voorwerp is dat we slechts aanraken als het gewassen moet worden. U wacht maar tot de dagzuster dat met tegenzin doet.'

'U begrijpt me verkeerd zuster,' lispelde hij, 'ik geloof dat ik mijn bed heb natgemaakt.'

Sara boog zich voorover en sloeg de dekens terug. Daarna ging alles razendsnel. Hij drukte haar op het bed, hield met een hand haar nek naar beneden en graaide met de ander onder haar witte jurk. Haar broek werd opzij getrokken en haar gejammer smoorde in het matras. Hij stootte diep in haar, werkte als een bezetene en trok aan haar schaamhaar totdat hij de clitoris vond die hij pijnlijk oprekte. 'Godverdomme, eindelijk weer een teef fieken,' hijgde hij. Toen voelde ze zijn geslacht slingeren en viel hij grommend languit over haar.

Eerst dacht ze dat haar nek gebroken was maar toen zijn penis slap werd en uit haar gleed, kon ze hem met veel inspanning van zich af rollen. Hij bleef liggen als een geschoren varken op een ladder, armen wijd en benen wijd en Sara strompelde met de hand in haar nek de kamer uit om alarm te slaan. Daarna werd ze zelf even patiënt van de afdeling. Foto's wezen uit dat de wervels niet beschadigd waren, de blauwe plekken en de pijnlijkheid zouden vanzelf weer wegtrekken. Haar geslachtsdeel weigerde ze te tonen. Geen man die met zijn vingers haar nog mocht aanraken. Toen ze om de morning-after-pil vroeg, meende ze een onderdrukte glimlach op het gezicht van de arts te zien: zuster Van Welie, patrones van trutten en maagden, wilde geen bevlekte ontvangenis.

Dit beviel Sara allerminst en nog minder de houding van het aller-opperste hoofd van de afdeling die hoogst persoonlijk gekomen was en haar wel degelijk ondervroeg hoe het in godsnaam mogelijk was geweest dat een geroutineerde verpleegster in zo'n simpel opgezette val had kunnen trappen.

'Ik twijfel niet aan uw integriteit, zuster Van Welie, maar zachtjes uitgedrukt kunnen we toch spreken van enige naïefheid. Een vrouw behoort toch te weten wat de bedoelingen van een man zijn wanneer zijn penis geërecteerd is. Geen twijfel over mijn afkeuring van het gedrag van de patiënt in kwestie maar u kent zijn casus en zijn tropenverleden met betrekking tot seksualiteit.'

'Absoluut niet,' protesteerde ze, 'ik zit permanent in de wacht. Als bekend is dat de man een gevaar vormt voor het vrouwelijk personeel waarom heeft niemand mij ingelicht? Waarom geen verpleger hem laten verzorgen?'

'Ja waarom, waarom?' suste de arts. 'Dan is het een nalatigheid van ons waarvan u de dupe bent geworden. Ik bied u onze excuses aan. Het spreekt vanzelf dat ik de patiënt zal onderhouden. Wat heet onderhouden,' riep hij ineens manmoedig, 'ik zal hem duchtig zijn oren wassen. Het gaat natuurlijk niet aan een verpleegster op mijn afdeling lastig te vallen.'

Vriendelijk blikte hij naar Sara die verbaasd in het opgetogen gezicht keek.

'L'histoire se répète,' zei ze zachtjes. 'Ik ben niet lastig gevallen, ik ben als een hond van achter genomen. En nu worden de handen weer gewassen. Velen staan aan de zijlijn toe te kijken en enkele betrokkenen voelen zich onmachtig. Voor iemand die profiteert zijn er weer meer excuses dan voor iemand die de dupe is geworden.'

Ze bleef op het puntje van de stoel zitten maar de arts beschouwde het onderhoud als beëindigd, tenminste, zijn trommelende vingers op het bureau gaven aan dat er verder niets meer te vertellen viel. Gedane zaken nemen nu eenmaal geen keer en een gewaarschuwd mens telt voortaan voor twee. Omdat Sara niet opstond en de arts zijn muzikaliteit niet langer aan het bovenblad van zijn bureau wilde verspillen, ontstond er een pijnlijke stilte.

'Zo komen we niet verder,' zei hij tenslotte. 'Wat dacht u er van als ik u met ziekteverlof stuur om dit onaangename intermezzo te boven te komen. Ik ken u zuster Van Welie, u bent een uitermate verstandige vrouw. Ik hoop dat u het gebeuren van vannacht beschouwt als de daad van een ziek man, niet persoonlijk tegen u gericht. U of een ander, begrijpt u, het had iedereen kunnen gebeuren. Natuurlijk moeten we ons tegen dergelijke acties blijven wapenen. Slaapt u er een paar nachtjes over,' drong hij overredend aan. 'Nou, heb ik niet het beste met u voor?'

Sara knikte en stond langzaam op. Het had geen zin nog langer te blijven, haar diensttijd zat er voorgoed op.

'Over een paar dagen zult u mij weer heel andere verhalen kunnen vertellen,' riep de arts haar opgelucht na toen ze de deur van zijn kamer achter zich sloot.

Ze reed voorzichtig naar huis. De koppeling kraakte en protesteerde iedere keer wanneer ze de pedaal niet diep genoeg intrapte. Op het verkeer lette ze nauwelijks, wie ogen in zijn hoofd had moest haar maar zien te ontwijken. Thuis zat mevrouw Gottschalk in haar stoel voor het raam, bezorgd over het uitblijven van Sara en vooral angstig op het laatst in de steek gelaten te worden. Alhoewel Sara niet van plan was iets te laten merken of los te laten, voelde de oude vrouw dat er iets ernstigs gebeurd was. Een dode? Iemand gestorven aan wie Sara zeer gehecht was geraakt in het ziekenhuis? Sara wilde 'nee' schudden maar een kreet van pijn ontsnapte haar.

'Verkracht,' fluisterde ze.

'Door wie?'

'Een patiënt.'

Mevrouw Gottschalk bleef bewegingloos zitten. Af en toe streek ze over de weinige plukjes haar die slordig over haar schedel hingen. Ze wilde een zin beginnen die ze weer afbrak voordat het eerste woord gevormd was.

'Nee,' hoorde Sara haar fluisteren, 'we laten het verleden voor wat het is, dood en begraven. Het slachtoffer krijgt altijd de schuld. En het erge is, behalve de vernedering, ook het gevoel van machteloosheid. Je zou wel willen schreeuwen maar iemand houdt zijn hand voor je mond en niemand belet het want er zijn er te veel die baat hebben bij jouw zwijgen. Zo is het geweest, zo zal het altijd gaan. Plus je vois les hommes, plus j'admire les chiens. Hoe heet de schurk Sara?'

'Waarom?'

'Ik weiger te sterven voordat ik zijn naam weet.'

Sara noemde de naam en mevrouw Gottschalk spelde iedere letter ter controle, daarna zakte ze dieper in haar stoel en leek te slapen. Sara sufte aan de ronde tafel midden in de kamer, te moe om te blijven zitten, te gespannen om te gaan slapen. Plotseling kwam er beweging in mevrouw Gottschalk.

'Lieve kind,' zei ze, 'zou je me nog even de loep willen aangeven voordat ik je naar bed stuur?'

Terwijl Sara zich boven uitkleedde, hoorde ze aan de telefoon op haar kamer dat beneden een lang nummer gedraaid werd.

Enkele weken later las ze de krant voor.

'Liever de overlijdensberichten,' zeurde mevrouw Gottschalk. 'Op mijn leeftijd wil je graag weten welke buren naast je komen te liggen.'

Met tegenzin zocht Sara de rouwpagina. 'Wat heeft dat nou voor zin,' sputterde ze tegen, 'u wordt er toch niet vrolijker van en ik evenmin. Zullen we een plannetje bedenken voor een dag dat u zich goed voelt?'

'De overlijdensberichten,' zeurde ze weer. Aan het geritsel van de krant hoorde ze dat ze haar zin kreeg. Gespannen luisterde ze.

'Het is niet mogelijk,' zei Sara opeens.

'Wat is niet mogelijk mijn lieve kind?' vroeg mevrouw Gottschalk.

'Hij is dood.'

'Wie is dood?'

'Die verkrachter,' zei Sara en haar stem stokte.

Mevrouw Gottschalk verliet moeizaam haar plaatsje aan het raam en schoof voetje voor voetje in de richting van de krant.

'Waar staat het?' vroeg ze. Sara wees naar het midden van de pagina. Mevrouw Gottschalk loensde door de loep.

'Ik kan het niet meer lezen,' klaagde ze. 'Hoe oud is hij geworden?'

'Zesenvijftig jaar.'

'En waaraan is hij gestorven?'

'Dat staat er niet bij,' antwoordde Sara. 'Er staat alleen dat hij na een kort verblijf in het ziekenhuis toch nog geheel onverwacht is heengegaan.'

Mevrouw Gottschalk liet het gierekopje op haar borst zakken. De vliesoogjes draaide ze schuin naar Sara. 'Doet het je goed mijn lieve kind?'

'Ik moet het nog verwerken,' antwoordde Sara, 'dit had ik nooit verwacht.'

Mevrouw Gottschalk zweeg. Plotseling tikte ze met haar nagel op de rouwpagina. 'Mij doet het in ieder geval goed,' zei ze.

Ze schoof terug naar het raam en kroop voorzichtig in de stoel die de laatste tijd steeds groter werd. Daar bleef ze zitten, roerloos, totdat Sara naar haar toekwam en haar lippen op de kale schedel drukte.

'Soms,' zei mevrouw Gottschalk zachtjes, 'verplicht God de mensen hem bij te staan in zijn rechtvaardigheid. Ne touchez pas à la reine... Wat jammer,' zei ze even later, 'dat het zo mistig is buiten. Ik had zo graag deze dag met je willen vieren. En forelletje eten buiten aan het water en daarna met een taxi naar het bos waar we tussen het jonge groen een fles champagne drinken.'

Sara trok het overgordijn een beetje dicht, zo ver dat er geen zonlicht op het hoofd van mevrouw Gottschalk viel. Het was een stralende dag.

'Het leven is net een ping-pong balletje,' fluisterde mevrouw Gottschalk, 'een enkel tipje is voldoende het de verkeerde kant te laten oprollen. Oh Sara,' riep ze ineens bang, 'duw mij nog even de goede kant op, ik wil niet dood.'

Omdat de telefoon opnieuw begint te rinkelen, neemt ze op.

'Ben jij het?' vraagt Rik amicaal.

'Nee, de oppas,' antwoordt ze terwijl ze haar stem zo luchtig mogelijk laat klinken.

Even is hij in verlegenheid, dan vraagt hij: 'Is er iets met je? Je stem is zo anders.'

'Niets aan de hand,' zegt ze terwijl ze haar tranen afveegt.

'Sara, ik heb tijdens ons gezellige dineetje er niet over willen beginnen, maar zegt de naam Cormantin je iets?'

'Wat?'

'Cormantin.'

'Wie is dat?'

'Het is geen persoon maar de naam van een plaats.'

'In Nederland?'

'Ik hoor het al, het zegt je niets. Ik zal het je uitleggen. Cormantin ligt vlakbij Taizé, in Frankrijk, een religieus centrum waar veel jongeren komen. Je zoon had daar een buitenhuis.'

'Is mij niets van bekend,' zegt ze dof.

'Ik heb nog niet met mijn chef gesproken,' gaat Rik verder, 'maar het zou kunnen zijn dat ik daar even een kijkje moet gaan nemen. Mocht dat zo zijn, dan probeer ik toch in een dag heen en weer te reizen. Ik neem in ieder geval morgenvroeg contact met je op. Goed?'

'Hoever is het onderzoek, ik bedoel, hebben jullie al een aanwijzing in een of andere richting?' vraagt ze gespannen.

'Geen enkel concreet spoor maar misschien wel een brede weg naar Cormantin.'

'Waarom bel je me eigenlijk?'

Hij aarzelt. 'Vind je het gek wat ik je nu ga vertellen? Eigenlijk alleen maar om nog even je stem te horen en te weten dat alles goed met je is. Is het oké dat ik morgen weer bel? Kan ik misschien meteen vertellen wanneer de begrafenis kan plaatsvinden.'

'Ik ben morgenvroeg thuis,' antwoordt ze kort.

'Ga je nu lekker slapen?' vraagt hij opgewekt.

Ze moet bijna kotsen van ellende. Toch wringt ze een geluid uit haar keel dat het midden houdt tussen behaaglijkheid en afstand. Hij neemt er genoegen mee en verbreekt de verbinding nadat hij op zijn manier welterusten heeft gezegd: 'Droom maar van een aardige drummer.'

Terwijl ze de hoorn neerlegt, verwenst ze ook dat beroep. Politie-agent of drummer, wat maakt het uit. Ze nemen je allebei te grazen. Ze blijft hem haten terwijl ze de link zoekt tussen Dudoveen en Cormantin. Van Helden is op de hoogte van het best bewaarde geheim. Gewonnen uit zaad dat machteloos in de teelbal terugvloeide. Zijn geheim, haar geheim. Zakdoekje leggen, niemand zeggen.

'Zul je het nummer nooit gebruiken?'

Toen ze wist waar de klok hing, hoefde ze de toren niet te zoeken. Zijn klepeltje sloeg erop los. Voor veel meer dan dertig zilverlingen plus wat hij niet kan storten. Desillusie is de waarheid van de goochelaar. Liefde maakt nu eenmaal blind. Ze kwam alles te weten. De boom der kennis begon vrucht te dragen. Plutoon veranderde in Hades. Het wordt tijd niet alleen snel te vergeten, veel meer te ontkennen. Morgen in Cormantin, overmorgen hier. Een speciale armband voor

Sara. Vooruit, pak aan. Voor jou alleen. Uit eigen collectie gekozen. De biezen gepakt met de leugen om bestwil. De hielen gelicht. Rap, rap, zei de schildpad en kroop in de eerste de beste trein.

Vertwijfeld staat Sara midden in de kamer. Nu niet in paniek raken, houdt ze zichzelf voor. Nog een paar kleine inspecties uitvoeren en dan...

Ze opent haar handtasje, pakt de zakagenda en scheurt twee bladzijden eruit die ze boven de asbak verscheurt en daarna in brand steekt. Wanneer ze de zwarte schilfertjes door de w.c. spoelt, valt ze bijna tegen de closetpot. Mijn hemel, wat is ze moe en hoe lang duurt het nog? Ze besluit naar bed te gaan. Mevrouw Gottschalk zou zeggen: Le lit est une bonne chose. Si l'on n'y dort, on y repose. Verder zou ze gezwegen hebben want ze wist waar Abraham de mosterd verstopte.

Een laatste blik in de kamer die eruit ziet alsof niemand thuis is geweest. Ze doet de lampen uit en kruipt de trap op naar boven. Voordat ze haar slaapkamer bereikt, stromen de tranen over haar wangen. Wat mist ze mevrouw Gottschalk in deze dagen.

Woensdag

Om zeven uur 's morgens besluit Sara dat het tijdstip niet helemaal ongepast is commissaris Bos te bellen en hem haar besluit mee te delen. Aan zijn vrouw die duidelijk naar slaap praat, legt ze uit waarom ze hem zo dringend wil spreken. Het is altijd verstandig, heeft ze bedacht, de echtgenote in de conspiratie te betrekken wanneer het gaat om het ontwaken van haar man. Desondanks komt hij knorrig aan de telefoon en beweert hij, met een stem die nog meer het bed verraadt, dat hij juist op het punt stond naar het bureau te vertrekken.

'Mag ik nog even op uw kostbare tijd beslag leggen?' begint Sara.

Bos knort iets terug wat ze interpreteert als toestemming.

'Het gaat hierom,' vervolgt ze. 'Ik wil graag een definitieve afspraak maken met de begrafenisonderneming. Tot nu toe heb ik alles geregeld behalve de datum en het tijdstip. Kunt u mij zeggen wanneer ik ook dat laatste kan regelen?'

'Het zit zo mevrouw Van Welie,' kucht Bos gewichtig. 'Gisteravond zijn mijn collega, de officier van justitie, en ik aan de hand van het sectierapport van de patholoog-anatoom tot de conclusie gekomen dat er geen termen aanwezig zijn naar aanleiding waarvan wij het stoffelijk overschot van uw zoon niet vrij zouden geven. Dat betekent dus concreet dat u vanaf nu de nodige maatregelen kunt treffen. Uw zoon is zondag overleden, ahum, ik bedoel omgekomen. Aan de wettelijke termijn van drie dagen hoeven wij ons in uw geval niet te houden, ahum, ik bedoel morgen of vrijdag is wat betreft ons in orde. Ik had u dit gisteravond al willen mededelen maar ik kreeg op uw adres geen gehoor.'

'Dat klopt,' antwoordt Sara, 'ik was even in de stad een hapje eten. Mag ik u nog wat vragen?'

'Zeker,' zegt Bos wiens stem inmiddels klaarwakker is geworden.

'Kan ik de begrafenisonderneming machtigen in mijn plaats te treden?'

'Hoe bedoelt u?'

'Kan ik vrij gaan en staan waar ik wil?'

'U staat niet onder verdenking,' antwoordt Bos verwonderd. 'Er zal u geen strobreed in de weg worden gelegd. Maar ik begrijp uw vraag niet goed.'

'Ik bedoel,' zet ze door, 'dat ik van plan ben vandaag naar Italië af te reizen. Er is niets dat mij emotioneel nog aan Nederland bindt, dus ik dacht...'

'U wenst dus niet bij de begrafenis van uw zoon te zijn?' vraagt Bos met enige stemverheffing.

'Juist,' antwoordt ze kordaat. 'Meneer Bos, ik kan me uw verbazing voorstellen. Een moeder met een hart van steen, denkt u. Maar ik heb mijn zoon twee keer in mijn leven gezien. Bij zijn geboorte en bij de opening van het testament van vader, die ook zonder mij begraven is,' voegt ze er onnodig aan toe. 'De familieverhouding moet voor een buitenstaander erg gecompliceerd zijn maar zo liggen de zaken nu eenmaal en ik zou het vals vinden tegenover u en mijzelf bedroefdheid of andere gevoelens van dien aard voor te wenden.'

Bos protesteert: 'Ja maar, kost het u dan zoveel moeite, althans voor de buitenwacht... (Wie is de buitenwacht? denkt Sara. Dinie Aalders, Van Helden?) ... enige schijn van...'

Ze onderbreekt hem: 'Loopt u achter de lijkkist van een vreemde?'

'Nee.'

'Welnu,' besluit ze, 'in mijn geval zou dat zo zijn. Het spijt me,' voegt ze eraan toe, 'maar u moet begrijpen dat ik, als ik mijn leven zelf had kunnen bepalen, een heel andere situatie gewenst zou hebben. Begrijpt u wat ik bedoel?'

'Niet helemaal,' zegt Bos eerlijk. 'Ik kan me uw situatie voor een gedeelte indenken maar of ik zo consequent zou zijn... Ik weet het niet,' zucht hij.

'Kan ik vertrekken?'

'Als u aan alle formaliteiten voldaan hebt wel, ja.'

'Dan rest mij nog u te vertellen dat ik direct met de trein uit

Arnhem vertrek. Ik zal dus op zijn vroegst morgen of vrijdagmorgen in San Antonio zijn. U hebt mijn telefoonnummer?'

'Ja,' zegt Bos kort.

'U kunt mij dus altijd bereiken wanneer u dat nodig acht. Mag ik u verder danken voor de vriendelijke wijze waarop u mij tegemoet getreden bent. Ik zal met respect aan u terugdenken,' voegt ze er slijmerig aan toe.

'Insgelijks, mevrouw Van Welie.'

Bos' stem ruikt naar azijn en Sara weet dat ze alle good-will bij hem verspeeld heeft. Het zij zo. Ze kan in ieder geval vertrekken: het eerste anderhalve etmaal onbereikbaar voor de onthullingen in Cormantin. In gedachten blijft ze met de hoorn in haar hand staan. Hoe de politie erachter is gekomen blijft voor haar een raadsel. De notaris wist van niets, de groep had zwijgplicht. De nabije toekomst zal uitwijzen waar het lek gezeten heeft en in hoeverre zij gedwongen wordt het gat te dichten. Maar voorlopig blijft ze veilig.

Sara hangt de hoorn op de haak. Ze moet nu voortmaken, er is nog zoveel te doen.

'Vogeltjes die vroeg fluiten, zijn voor de poes,' deelt commissaris Bos minzaam mee terwijl Rik haastig zijn adem terugneemt.

'Ik had u niet op mijn kamer verwacht,' antwoordt Rik, 'bovendien kan het geen kwaad de dag met een opgewekt humeur te beginnen. Of wel soms?'

'Dat hangt van uw incasseringsvermogen af, Van Helden. We zullen na afloop van dit gesprek wel zien of u nog lust hebt tot vrolijkheid.'

'Laat u die poespas achterwege en begint u maar,' zegt Rik.

Bos knijpt meteen zijn keel dicht. 'Mevrouw van Welie,' kondigt hij aan, 'achtte het nodig in het belang van haar gebrek aan emoties de vakantie niet langer te onderbreken.'

'Ze is vertrokken?'

'Een niet onaardige conclusie, Van Helden. Uiteindelijk is het voor u ook nog vroeg.'

'Zo'n bericht had ik niet verwacht,' mompelt Rik.

'Het volgende waarschijnlijk ook niet,' triomfeert Bos. 'Van Helden, het lijkt mij een uitstekend moment u te vertellen op welke promotiekansen u in Dudoveen voorlopig niet hoeft te rekenen. Als u even gaat zitten, zal ik u dat haarfijn onder vier ogen uitleggen,' nodigt hij uit.

Bos schuift zelf een stoel voor hem aan, nota bene voor zijn eigen bureau, en met lede ogen moet hij toezien hoe het gewicht van Bos zijn ouwe vertrouwde draaistoel maltraiteert.

Rik kijkt naar buiten waar de wind een dreigend wolkendek probeert te verjagen, binnen komen de buien van alle kanten op hem af. Het onweer barst in alle hevigheid over hem los waneer Bos de ene donderslag na de andere oproept.

'Punt 1,' schreeuwt hij, 'u hebt u niet conform de richtlijnen gedragen. Punt 2, in plaats van behoedzaam en met overleg te speuren bent u als een dolleman uit uw eigen koers geraakt. Punt 3, Nijmegen is allerminst tevreden over uw eigenzinnig optreden, uw rijgedrag nog daargelaten. Punt 4... Punt 5... Punt 6...'

Uit de verte hoort Rik hem nog tellen. Het interesseert hem geen mieter. Sara is vertrokken, de zondvloed mag losbarsten.

'Maar het ergst van alles,' rommelt Bos plotseling zo hard dat de ruiten trillen, 'is uw persoonlijke betrokkenheid bij mevrouw Van Welie. Inspecteur Van Helden u bent gisteravond in een tamelijk duur restaurant gesignaleerd. Met haar. Wat is uw antwoord hierop?'

Eerst was Rik van plan geweest zich door Bos zeiknat te laten regenen maar nu hij aan Sara durft te komen, nu hij aan zijn zuur verdiende vrije tijd durft te komen, nu...

Haastig monteert hij alle bliksemafleiders waarover hij beschikt op de moord en wat daarna gebeurde: 'Punt 1,' schreeuwt hij terug, 'zondag is er precies volgens het instructieboekje gewerkt. Voor de manoeuvre van de jongens Gerritsen kunt u mij niet verantwoordelijk stellen, evenmin voor het intelligentiequotiënt van Wertz. 's Avonds ben ik inderdaad op eigen houtje naar Amsterdam vertrokken maar het resultaat was wel dat we de moeder konden bereiken. Maandag,' schreeuwt hij nog harder, 'is onder uw leiding hetzelfde instructieboekje gehanteerd. Resultaat? Nul komma nul, behalve dat de moeder bevestigde dat de dode inderdaad haar zoon is. Gisteren had ik geen zin de hele dag naar een bekeuring te zoeken en heb ik het onderzoek voortgezet. Wat ik te weten ben gekomen heb ik meteen naar dit bureau doorgebeld. Het is mijn eigen logische deductie geweest die mij via de chauffeur van de familie naar Cormantin bracht. Alle gegevens waarover u beschikt komen niet van Amsterdam, niet van Nijmegen, niet van Dudoveen maar van mij. En wat het eten met mevrouw Van Welie betreft, het moet u toch niet vreemd zijn dat bepaalde gesprekken beter op neutraal terrein gevoerd kunnen worden.'

'Ik noem een restaurant geen neutraal terrein maar meer een oord van vermaak waar men intieme contacten legt,' zegt Bos streng.

'Dan zult u wel uit ervaring spreken,' kaatst Rik terug.

'En mag ik dan weten wat het resultaat van uw zakelijke bespreking is geweest?' vraagt Bos ijzig.

'Er is geen resultaat te melden,' antwoordt Rik, 'mevrouw Van Welie had geen binding met haar zoon, heeft geen binding en wil geen binding. Ook niet naar aanleiding van de moord. En zoals u ongetwijfeld weet van Tomesen aan wie ik mijn gegevens heb doorgebeld, bestaat er geen enkele twijfel over haar betrokkenheid in deze affaire. Die is er niet. Mevrouw Van Welie beschikte over de erfenis, niet de zoon. En dat ze Jacobahuis toch aan haar zoon heeft geschonken, pleit alleen maar in haar voordeel.'

Hij is rood aangelopen tijdens zijn uitleg, zijn handen trillen wanneer hij een sigaret opsteekt. Vanaf het moment dat hij in Dudoveen kwam werken, heeft hij meteen gevoeld dat hier maar twee mogelijkheden voor hem waren: verdwijnen of zich beschikbaar stellen als voetveeg voor de Bally-schoenen van Bos. Dat laatste heeft nu lang genoeg geduurd. Zijn tolerantie is tot op de draad versleten. Het moet afgelopen zijn met de bemoeizucht van die oude kwal. Leiding geven is prima maar hem voortdurend als een onnozele snotter behandelen... over zijn lijk.

'Zo simpel ligt dat,' zegt hij strijdlustig tegen Bos die hem onderzoekend blijft aankijken.

'Zo simpel ligt het nu ook weer niet,' zegt deze met een fijn glimlachje om zijn mond, 'of misschien juist wel voor u. Om een lang verhaal kort te maken: de officier van justitie en ik zijn tot de conclusie gekomen dat vanaf nu het regionale bijstandsteam de zaak overneemt en verder uitzoekt...'

'Ik ben lid van het regionale bijstandsteam,' onderbreekt Rik hem.

Bos behandelt deze opmerking als lucht: ... 'Natuurlijk zal de betrokkenheid van Dudoveen in deze zaak gewaarborgd blijven in de persoon van uw commissaris. Aangezien de normale recherchewerkzaamheden in onze stad de laatste dagen niet de volle aandacht hebben gekregen en wij, zoals u weet, toch al kampen met een tekort aan mankracht, heb ik als korpschef besloten onze mensen niet meer ter beschikking te stellen: dat wil zeggen dat uw ondergewaardeerde ijver vanaf nu weer aan de burgers van Dudoveen toebehoort. Vanmorgen zijn er twee rechercheurs naar Cormantin vertrokken. Ik zal u zeker mededelen wanneer zij daar tot concrete resultaten zijn gekomen. U kunt gaan,' wuift hij tegen Rik, 'ook in Dudoveen gebeuren er dingen waarmee u uw dagen kunt vullen.'

Verbouwereerd blijft Rik hem aankijken. Zal hij op staande voet ontslag nemen en hem zijn huid vol schelden?

'U kunt gaan,' zwaait Bos nog een keer, 'het is in uw belang dat ik u adviseer uw eerste opwelling tot uzelf te beperken.'

Zonder Bos nog een blik waardig te keuren, verlaat Rik zijn eigen kamer. Maar tegen Teun ontleedt hij godverend Bos: die lul, die stomkop, die volgevreten pens, dikpens, hij zal 'm zijn ezelspoten onder zijn gat uittrappen, het bloed onder zijn nagels wegzuigen, hij kan een hartverlamming krijgen, de tering, dat vieze vuile aarsgezwel.

'Jezus,' zegt Teun geschrokken, 'ik zal je vanavond vast een afscheidsavondje aanbieden. Kom bij ons eten, kunnen we er rustig over praten. Ik zal Agje even bellen dat ze wat lekkers voor je moet klaarmaken.'

Die dag blijft Rik net zo somber als het weer. Nors en zonder al te veel woorden handelt hij de routinekarweitjes af. Iemand heeft het vermoeden dat een video uit een school gestolen zou kunnen worden, op de 'Goudkust' meent iemand last te hebben van een voyeur, een weduwe klaagt over vreemde mannelijke geluiden door de telefoon.

Rik vraagt en noteert, zegt toe de nodige aandacht aan ieder akkevietje te zullen schenken maar vergeet het zodra hij zijn rug gekeerd heeft. Over wat men denkt, meent of verwacht kan hij zich niet druk maken. Het wordt hem eens te meer duidelijk dat zijn dagen in Dudoveen geteld zijn. Hij houdt het hier voor gezien, het kan elders nooit slechter zijn. Sara op weg naar Italië, hij niet naar Cormantin, zelfs geen telefoontje over een begrafenis, het contact is verbroken. Wat heeft hij verkeerd gedaan? Behalve zijn eigengereide optreden in de zaak Van Welie, eigenlijk niets, in haar geval waarschijnlijk alles.

'Maar ik wil haar niet verliezen,' dreunt het de hele tijd door zijn hoofd en hoe rationeel hij zichzelf ook tot inkeer probeert te dwingen, hij blijft Sara zoeken. Dat weet hij als hij op straat naar rijpere vrouwen zoekt: die heeft de grijs-groene ogen van Sara, dat haar heeft ongeveer Sara's kleur, dat figuurtje onder die paraplu benadert Sara's lichaam en daar lopen benen die misschien met die van Sara zouden kunnen wedijveren. Ongegeneerd gaapt hij vrouwen aan die betrapt of gepikeerd naar hem terugkijken. Ze vinden hem hinderlijk, merkt hij, maar op dit moment interesseert hem dat geen moer. Hij is niet op jacht, hij verzamelt slechts onderdelen waarmee hij Sara's schilderij kan opzetten. In de namiddag staat ze nog steeds in de grondverf, ze wil niet dichterbij komen. Dan gaat hij op zoek naar zichzelf.

Wanneer iemand hem het gedrag van die middag voorspeld zou hebben, was hij in lachen uitgebarsten. Hij, die zijn spiegel alleen gebruikt om zijn rossige stoppels weg te krabben, wordt nieuwsgierig naar de man die op hem zou lijken. In een muziekhandel, bij de bakken met grammafoonplaten, hoort hij zichzelf vragen naar een plaat van Golden Earring. Op de vraag welke plaat hij zoekt, kan hij geen antwoord geven, als het er maar een is waarop een foto van het orkest staat. 'Groep,' verbetert de verkoper hem.

Enkele seconden later staat hij oog in oog met zijn evenbeeld: een man van ongeveer zijn leeftijd, ('Nee ouder,' schat de verkoper) met krullend haar en een vlezig gezicht dat niet dik is en meer mannelijk dan knap.

'Lijk ik op hem?' vraagt Rik de verkoper.

Die neemt er de tijd voor, schat en meet en monstert en komt uiteindelijk tot de conclusie dat er inderdaad, maar dan moet je er wel op gewezen worden, sprake is van enige gelijkenis.

Met dit antwoord is Rik niet ontevreden en de verkoper helemaal niet die tenslotte twee platen slijt nadat hij alle muzikale stijlen, variërend van blues en akoestische pop tot tendentieuze psychedelica en orkestrale hardrock aan de muzikale analfabeet heeft uitgelegd. En Rik blijft als een hinderlijke vlieg aan de verkoper hangen, ook nadat 'Prisoner of the night' en 'Something heavy going down' verpakt en betaald voor hem liggen.

'Weet u nog wat meer over Caesar Zuiderwijk?' begint Rik weer.

'U bedoelt Labyrinth?' vraagt de verkoper.

'Dat zal wel,' antwoordt Rik en weer gaat de koptelefoon om zijn oren en luistert hij geduldig naar toetsenist Jasper van 't Hof en een hele lange solo waarbij zijn trommelvliezen dreigen te knappen.

Ook deze plaat roffelt de powerdrummer met 'zijn gezicht' de winkel uit en eenmaal buiten loopt Rik op kousevoeten naast de man die volgens Sara als 'stuk' gekwalificeerd is.

En als Agje hem 's avonds vertelt dat hij de enige man is bij wie ze soms haar eigen loebas wil vergeten, kan hij zelfs weer glimlachen. Maar ze heeft goed in de gaten dat hem heel wat dwars zit want iedere keer vraagt ze bezorgd of het eten hem wel smaakt. Pas bij het dessert dat uit koffie met cognac bestaat, vinden ze de dader die Agje's dineetje een beetje verpest heeft. Naast de fles Courvoisier duikt Bos in volle gedaante op.

Teun voert het woord en Agje luistert instemmend. Het is waar wat hij vertelt, ze weet er alles van.

'Een tijd geleden,' zegt ze tegen Rik, 'kwam Teun iedere avond met dit soort verhalen thuis. Altijd Bos die onze avonden verknoeide. Eigenlijk wil ik er niet meer aan terugdenken,' zucht ze. 'Het was een rot tijd. Altijd rikraaien, altijd de voor- en nadelen afwegen ergens anders onze tent op te slaan, en ineens was het afgelopen. Ineens werd Bos het onbeduidendste manipulatortje van zijn eigen onmacht. Toen onze zoon spastisch geboren werd, vonden we het veel belangrijker ons aan zijn opvoeding te wijden.'

'Zo is het,' zegt Teun. 'Agje en ik vinden ons kind belangrijker. Onze familie kan nog eens een keer oppassen. We zijn allebei in Dudoveen geboren, we zijn hier diep geworteld, kortom we voelen ons hier thuis. Bos rot wel een keer op. Die klootzak weet dat ik niet meer te pakken ben. Ik doe mijn werk, punt uit. Maar,' zegt hij opeens fel, 'dat betekent niet dat mijn collega's naar de pijpen van papa Bos moeten blijven dansen. Als ik jong was en geen bindingen had, sorry Agje je begrijpt hoe ik het bedoel, vertrok ik meteen of maakte ik amok. Het is toch verdomme te gek,' roept hij verontwaardigd, 'dat we hier in Dudoveen een paskwil hebben die denkt dat hij de scepter kan zwaaien over een stelletje koddebeiers, een zooitje idioten dat zich ziek meldt omdat ze kramp in hun kuiten hebben gekregen van de horlepiep. Zolang je hier bent,' schreeuwt hij nu, 'heb je de hoofd-inspecteur nog geen seconde gezien. Die is al twee jaar met ziekteverlof en als het aan Bos ligt, zul je hem ook nooit meer te zien krijgen, en komt er ook geen ander. In Dudoveen gebeurt niets of mag volgens Bos niets gebeuren waar ie een politiekorps voor nodig heeft. En voor jou ligt zijn pen klaar om eerdaags je ontslagbrief te tekenen.'

Rik haalt zijn schouders op. 'En wat dan nog,' zegt hij laconiek.

'Wat dan nog,' herhaalt Teun, 'dat betekent dat voor de zoveelste keer een goeie politieman geruisloos verdwijnt. Je zou Bos aan moeten kunnen geven, maar het verdomde is dat je niet weet of je op dat moment tegen het beste maatje van Bos staat aan te lullen. Dan kun je inpakken met je verhaal.' Teun gaat er nu breed voor zitten, trekt zijn stropdas naar beneden en stroopt z'n mouwen op. 'Nee maat,' zegt hij bitter, 'zolang je niet in de kluppies van die topdravers meedraait en hun wijven in de kont mag knijpen, ben je niks, tel je niet mee. Hè Agje, weet je nog dat we 'n keer op zo'n feestje zijn geweest?'

Agje knikt.

'Die avond,' gaat Teun verder, 'organiseerden wat hoge piefen een feestje voor een goed doel. Het gehandicapte kind. Tomesen, zegt die uitgekotste slijmbal van een Bos tegen mij, Tomesen ik heb gehoord dat jij ook over een gehandicapt kind beschikt. Beschikt noemde die vent dat, die...'

'We weten onderhand wel hoe je over hem denkt,' onderbreekt Agje hem geïrriteerd.

'Enfin,' gaat hij wat rustiger verder, 'Agje en ik erheen uit compassie met ons eigen lot. Een tientje entrée per persoon. En toen hebben we hem daar in actie gezien, de tongpop. In zijn ene hand een grote sigaar en in zijn andere hand een glaasje kruipolie om bij een nog hogere piet of bij een andere lul van nog meer belang, een invitatie of een informatie los te krijgen. Ik heb die smeerinrichting van hem nog nooit zo hard zien werken. En je kon precies zien wie tot het kluppie behoorde en wie een tientje entrée had betaald. Langs de kant stonden rijen gapers te kijken hoe de jet-set zich vermaakte en Agje en ik stonden er achter. Met open bekken mocht het volk toekijken hoe al die poliepen zich aan elkaar vastzogen. Hè Agje, weet je nog?'

Er valt een stilte. Agje loert van Teun naar de fles cognac en als die het glas weer wil volschenken, neemt ze hem de fles af en roept kwaad: 'Zo is het genoeg Teun. Je hebt vanaf zaterdag iedere avond een stuk in je kraag gezopen.'

'Zaterdag was je jarig en van de week had ik de pest in omdat ik moet toezien hoe mijn beste vriend door Bos gekoeioneerd wordt. Zijn lot is mijn lot.'

'Prima,' zegt ze, 'dus niet de fles.'

'Geen ruzie maken,' komt Rik ertussen. 'Mijn problemen zijn gedeeltelijk opgelost. Ik heb definitief besloten naar een andere post te solliciteren. Ik hoor hier niet thuis, ik voel me hier niemand en aan het regiem van Bos zal ik nooit wennen.'

'Je zei,' probeert Agje voorzichtig, 'dat een gedeelte van je problemen zijn opgelost. Vind je het brutaal als ik je vraag met welk gedeelte je nog zit?'

'Ik ben zo verliefd,' gooit Rik er ineens met verwrongen stem uit. 'Ik ben zo verliefd geworden dat alles daarbij vergeleken onbelangrijk is. Of ik nu wel of niet aan de moord op Thomas van Welie mag meewerken, zal me een zorg zijn, als ik de moeder maar te pakken krijg. Goddomme,' jankt hij bijna, 'en nou is ze nog naar Italië vertrokken ook.'

De klok tikt, Agje peutert aan haar nagels en Teun grijpt weer naar de fles. 'Weet je zeker dat je er zo beroerd aan toe bent?' vraagt hij.

Rik knikt. 'Het kan me nooit beroerder gaan,' bekent hij.

'Ik ben kapot van die vrouw. Ik kan niet verklaren wat er met mij gebeurd is maar vanaf het moment dat ik haar zag, was ik verkocht. Eigenlijk kan ik niet meer denken, niet meer werken, ik wil alleen nog bij haar zijn.'

'Dan zou ik het weten,' zegt Teun. 'Ik zou eindelijk mijn vakantiedagen eens opnemen en die juffrouw rap achterna reizen. Wat doe je nog hier?'

Agje lacht: 'Nou weet je het Rik, waarom ik indertijd voor die man gevallen ben. Hij liet me gewoon geen keus.'

Vanaf nu blijft Sara in hun gezelschap. Eerst wordt ze door Rik voorgesteld en uitgelegd, dan krijgen al haar woorden betekenis, en verder zwijgt ze: mooi en op een afstand die, naarmate de tijd verstrijkt, steeds groter wordt.

Het echtpaar Tomesen blijft luisteren. Net zolang totdat Rik langzaam onderuit glijdt en ze hem haastig op de bank in de voorkamer sjouwen.

'Ik weet het niet,' zegt Agje later als ze naast Teun in bed stapt, 'of ik Rik geadviseerd zou hebben die vrouw achterna te reizen. Het is best mogelijk dat ze juist voor hem naar Italië teruggegaan is. Eerlijk gezegd vind ik dat hij nogal hard van stapel loopt en het is hem ook niet aan zijn verstand te peuteren dat ze misschien geen donder met hem te maken wil hebben. Ik kan me dat laatste goed voorstellen. Ik zou zelf ook de zenuwen krijgen als ik voor een moord op mijn zoon naar Nederland wordt geroepen en vervolgens een agent om mijn nek gaat hangen. Je zou dan toch denken dat hij via een smoesje erachter probeert te komen of je meer weet dan je voorgeeft te weten. Die vrouw is waarschijnlijk intelligent genoeg om aan te voelen dat haar houding tot haar zoon op z'n minst verbazing moet wekken bij anderen. Wat vind jij ervan? Heb ik gelijk of niet?'

Teun geeft geen antwoord. Hij slaapt op zijn rug, zijn mond wijd open en hij begint te snurken. Als Agje zich over hem buigt om het licht uit te maken, ruikt ze goed welke verleiding Morpheus gebruikt heeft om ruim negentig kilo zo uitgeteld in zijn armen te krijgen.

Ze zit alleen in een eerste klas coupé, op weg naar Italië. Nijmegen en Dudoveen behoren al tot het verleden. De nacht komt in het verschiet en hoe de morgen eruit ziet, is afhankelijk van de resultaten in Cormantin. Sara voelt zich verbitterd en eenzamer dan ooit. Duizenden gedachten tollen en buitelen door haar hoofd.

Na schrot komt schot in de zaak. Oneerlijkheid duurt maar een leugen lang. Wie zijn lucifers wil sparen, moet geen vuur ontsteken. Vele zwijgers maken het bericht. De ratten zitten in de val, de grendel op de kooi. Iemand heeft met zijn vingertje de afstandsbediening in werking gesteld. De raket keert naar de kern van de zaak. De bom is met eigen hand opgetrommeld. Jezus is goed maar de teerling is geworpen. De passie gebruikt. De koek is op. De één reist naar het zuiden, dezelfde met de noorderzon. Oost west, thuis best. Achter de kachel val je nooit in een wak. Allerheiligen is een mooi feest maar ook voor een Russische en een Amerikaanse leider komt 2 november. Geen vredesmars maar treurmars. De actie is door idioten ontworpen. De landkaart op de kop en de kloten in een holle boom. De kat ertussenuit. De muizen in het voorhuis. Niemand thuis? Jawel, de lont uitgerold, de granaten als appels voor de hongerwinter. In beginsel was er leven maar liefde richt alles te gronde. Als een zwaluw geen zomer maakt, blijft het vriezen. De radiator kon zijn vertrek niet verwarmen. Maar een gesmeed ijzer koelt ook gauw af. Daar zorgen scha en schande voor. Lang leve de lol. In haar geval niet langer dan veel te kort en nog te weinig. Maar binnen is binnen, zei de boer en hij kwam nog hooi te kort.

Vermoeid strekt Sara haar benen. Haar gedachten moeten in rustiger vaarwater komen. Als ze zo doorgaat, haalt ze de ochtend niet eens en dat zou mevrouw Gottschalk zeker afgekeurd hebben want zelfs na haar dood bleef ze actief.

Een jaar lang, op iedere eerste van de maand, ontving Sara van het notariskantoor waar mevrouw Gottschalk haar testament had laten opmaken een brief met instructies, vragen en adviezen over reizen, wonen en toekomstplannen.

'Lieve kind,' schreef ze in grote bijna onleesbare letters, 'ik heb je destijds niet uit louter egoïstische motieven in mijn huis gevraagd. Uit de lange gesprekken die ik in mijn ziekenhuisperiode met je voerde, werd mij je eenzaamheid duidelijk. Het werd hoog tijd dat je leven een wending kreeg. L'homme absurde est celui qui ne change jamais. En zonder om te zien, hebben wij samen genoten en gedaan wat wij wilden. Je was een snelle en intelligente leerlinge. Jammer dat ik het tempo van je leergierigheid op het laatst niet meer kon bijhouden. Het is nu aan jou te beslissen of, en in hoeverre, jij ons leven gaat voortzetten. Een kleine aanzet daartoe zijn de aanbetalingen voor reizen die ik nog zo graag met je had willen maken. Mijn notaris zal je alle inlichtingen verstrekken. Vergeef me dat ik ons huis ga verkopen. Ik voorzie een economische achteruitgang en nu kan het nog tegen een redelijke prijs. Ik adviseer jou een gerieflijke woning, goedkoop in het onderhoud en geschikt voor meerdere mensen want, lieve Sara, niet iedereen heeft het geluk op hoge leeftijd nog een kind te krijgen. Je bent jong en zeer aantrekkelijk. Grijp je kansen.'

Het nieuwe huis in de professorenbuurt was geen probleem, wel de reizen die mevrouw Gottschalk voor Sara geboekt had. In dat jaar trok ze de halve wereld rond. Doodmoe kwam ze van iedere reis thuis en dan las ze nieuwe brieven van mevrouw Gottschalk die af en toe klaagde over haar benauwde huisvesting onder de grond, jaloers op Sara die ongetwijfeld onder de indruk moest zijn geweest van het Empire State Building, de Borobudur en het Palazzo Ducale. 'Hoe smaakte de koffie bij Gerbeaud in Budapest?' vroeg ze, 'en heb je in de armen van een knappe Hongaar genoten van het heerlijke vioolspel van een Prímás?'

In dat laatste vergiste mevrouw Gottschalk zich behoorlijk. Sara's gezicht bleef op alleen staan. Zelfs wanneer een, voor het oog, keurige heer al zijn moed verzameld had haar eenzame tafeltje met zijn aanwezigheid op te fleuren, kauwde ze onverstoorbaar door. Haar blik op de reisgids naast het bord en ze keek pas weer op wanneer het pratend pak was afgedropen. In de reisgezelschappen stond ze oppervlakkig contact met oudere echtparen toe, maar meestal gaf ze toch de voorkeur aan afzondering. Eén verschil was er wel met vroeger, dit keer bleef ze liever alleen omdat ze meende dat anderen teveel beslag zouden kunnen leggen op haar kostbare tijd die ze zo hard moest gebruiken om haar kennis bij te spijkeren.

In de twaalfde en laatste brief kondigde mevrouw Gott-schalk aan voortaan te willen zwijgen. Ze was doodmoe geworden en Sara zou ondertussen wel haar eigen conclusies getrokken hebben. Voor de allerlaatste keer waarschuwde ze tegen een eenzaam leven: L'homme est né pour la société. Ze vroeg Sara in liefde aan haar terug te denken en vermaakte de opbrengst van haar roerend en onroerend goed aan haar innig beminde kind.

'U hebt aan haar voorwaarden voldaan,' zei de notaris tegen Sara toen hij de brief bevestigde. 'Mevrouw Gottschalk was een excentrieke vrouw. Ze wilde persé twee van haar drie eisen ingewilligd zien.'

'En welke waren dat?' vroeg Sara verbaasd.

'Zelfstandigheid, interesse en liefde. Een eigen huis, cultuur en een echtgenoot,' lichtte hij toe toen ze ongelovig naar hem bleef kijken. 'Ik kan er ook niets aan doen,' verontschuldigde hij zich. 'Mijn cliënte beschikte over haar volle verstand toen ze haar testament bij mij liet opmaken. U bent in het bezit van een huis, u hebt de reizen gemaakt die zij voor u gepland had, aan twee voorwaarden is voldaan dus ik hoef u niet eens naar de derde te vragen. Ik heb al haar bezittingen verkocht behalve haar sieraden, boeken en grammofoonplaten omdat ik meende u daarmee te kunnen plezieren.'

'Is het een groot bedrag dat mevrouw Gottschalk nalaat?'

'Ja,' antwoordde de notaris voorzichtig. 'Er zijn mensen die de hoogte van het bedrag nauwelijks kunnen bevatten. Ik zal u eerst vertellen hoe groot haar bezit was, daarna wat het opgebracht heeft.'

'Nee,' zei Sara, 'ik wil eerst weten of ze voor mij een andere erfgenaam had, of ze, voordat ze alles aan mij vermaakte, een ander testament door u heeft laten opmaken.'

De notaris trok zijn bolle wangen in. 'Er was een ander testament dat ten gunste van u vernietigd is,' gaf hij toe.

'Een persoon?'

'Nee.'

'Een goed doel?'

'Ja.'

'Dan zal het goede doel erven en niet ik,' besloot ze.

De notaris schoot bijna onder zijn bureau. 'Mevrouw Van

Welie,' riep hij terwijl hij zich aan de rand vastklampte, 'u hebt er geen idee van hoeveel u weggeeft. U bent een beetje overdonderd. Ik heb het vaker meegemaakt in mijn praktijk dat mensen even confuus waren. U moet uw beslissing in alle rust overwegen.'

De notaris persisteerde, Sara weigerde. Als mevrouw Gottschalk geweten had dat ze met een rijke huisgenote leefde, zou ze nooit haar testament veranderd hebben. Het was een kwestie van zorg geweest die achteraf onnodig bleek. Ze beschikte immers zelf over een aardig sommetje waarop ze tot in lengte van dagen kon teren zonder zuinig te hoeven zijn.

'Ik zal niet meer proberen u te overreden,' zei de notaris tenslotte berustend. 'Binnen enkele dagen heb ik de akte klaar waarin u afstand doet van de erfenis ten behoeve van Unicef.'

'Unicef?' echoode Sara.

'U bent het er niet mee eens?' vroeg hij onmiddellijk.

'Dat is het niet,' antwoordde Sara nadenkend. 'Ik zou alleen nooit op Unicef gekomen zijn. Ze heeft er nooit met mij over gepraat noch laten merken enige affiniteit met die instelling te hebben.'

'U wist dat mevrouw Gottschalk van origine een Duitse jodin was?' Sara knikte bevestigend. 'En dat,' ging de notaris verder, 'ze haar man en kind in de oorlog is kwijtgeraakt?'

Sara schudde nu ontkennend en zei: 'Mevrouw Gottschalk sprak niet over haar verleden. We mochten allebei niet omzien omdat we niet herinnerd wilden worden. Dat zou ons samenzijn tot een droevig afscheid hebben gemaakt.'

De notaris stond op en verliet de kamer. Even later kwam hij terug en overhandigde hij Sara een klein doosje waarin een scarabee lag. Aan de onderzijde van het kevertje was een gouden plaatje bevestigd waarop stond: Sara 21 februari. De dag waarop ze bij mevrouw Gottschalk was ingetrokken.

'Ik weet niet hoe het meisje heette,' zei de notaris, 'maar het was de scarabee van haar dochter. Aan het eind van haar leven heeft mevrouw Gottschalk haar dochter teruggevonden in uw persoon. U hebt haar veel geluk gegeven. Persoonlijk hoop ik dat de scarabee u meer geluk brengt dan...'

Hij was een beetje ontroerd. 'Kan ik u uitnodigen voor een kopje thee bij mijn vrouw?' vroeg hij.

Vanaf die tijd begon het sociale leven van Sara. In de straat waar ze woonde maakte ze vriendinnen en werd ze tante van hun kinderen. 's Morgens leek haar woning een coffeebar waar iedereen vrij en zonder te betalen in- en uitliep.

Eén avond in de week ging ze naar bridgeles, één avond naar dansles, de andere verdeelde ze zo eerlijk mogelijk tussen de notaris en zijn vrouw met wie ze dik bevriend was geraakt, de schouwburg, kennissen, en een celibataire leraar met wie ze eenvoudige zelf-ingestudeerde quatre-mains speelde. Dat ging niet eens zo slecht, zeker niet als ze zich met dubbele Ben-Bits wapende tegen de tempowisselingen die hij sissend door zijn bruin-gele tanden aangaf.

Een keer in de zoveel tijd verdween ze onder hevig protest van al haar vriendinnen die van haar huis een vrijplaats gemaakt hadden voor overtollige kinderen, echtelijk treurnis of nog meer heimelijkheden. En wanneer ze weer thuiskwam en haar vakantiekleren aan de waslijn ophing, beschouwden de vriendinnen dat als een invitatie en overlaadden ze haar met achterstallige nieuwtjes, feiten, niet verrichte daden, achterhaalde maatregelen, onverwachte gebeurtenissen en uitgekomen vermoedens. Bij Sara kon iedereen met haar hele hebben en houwen terecht.

Rustig sorteerde Sara de warwinkel aan informatie. Ze bracht structuren in de verhalen, wees op onlogische argumenten, streek tegenstellingen glad, ze hanteerde verdeelsleutels, brak vastgeroeste lagen open en bood praktische oplossingen. Ze leek wel een pastoraal werkster met een loodgietersdiploma.

Aan zichzelf kwam ze nauwelijks toe want ook de educatieve reizen waren vervangen door korte uitstapjes naar Italië waar ze zich wonderwel thuisvoelde in een klein dorpje San Antonio, dat ze bij toeval ontdekte. Dissidente gevoelens ten opzichte van Anna die haar de wereld verbood of mevrouw Gottschalk die haar de wereld gebood, kende ze niet. Voor het eerst in haar leven speelde zij de rol van vraagbaak en toeverlaat, dirigeerde zij het straatorkest waarin iedereen op haar beurt behoorlijk vals probeerde te spelen. De enige overeenkomst met vroeger was dat ze nooit over haar afkomst praatte.

Maar dat verleden stond nog wel want soms bevuilde Van

Welie senior het televisiescherm met zijn verhalen over olie-concessies, vrij markten en off-shore platforms. Dan ging de televisie uit en las ze de volgende dag ook de krant niet. Hoe-zeer ze de oude lelijkerd haatte, merkte ze pas goed toen ze haar zoon op het notariskantoor ontmoette.

De notaris belde haar plotseling op. Sara kon niets verstaan vanwege het enorme tumult in de kamer. Ze was net terug van een korte vakantie in Italië en de vriendinnen praatten haar bij over de te zware hypotheeklasten, het teruglopend maande-lijks budget, wat hun echtgenoten eraan deden en wat zij er-voor moesten laten.

'Wat zeg je?' schreeuwde Sara terwijl ze de rokende menigte tot zwijgen probeerde te brengen.

Hij articuleerde zo duidelijk mogelijk. 'Zou je vanmiddag om half twee precies op mijn kantoor kunnen komen?'

'Waarover gaat het?' brulde ze.

'Het is in verband met een erfenis. Kunnen die dames even hun schetterbekken dichthouden?' antwoordde hij kwaad.

'Ik bel je direct terug,' zei ze haastig.

Toen de kamer eindelijk leeg was, stak ze eerst een sigaret op. Ze voelde om welke erfenis het ging: de Januskop had zijn doodsmasker gekregen. Ze rookte zenuwachtig terwijl de no-taris haar vertelde hoe haar vader aan zijn eind was gekomen, wat in zijn bedoeling had gelegen en waarom de erfenis toch bij haar terechtkwam.

'Van Welie junior kan de erfenis houden,' antwoordde ze en ze gooide de volle asbak om waar ze haar peuk in wilde uitdruk-ken. Ze hoorde aan de andere kant van de lijn eerst diep zuch-ten en toen grommen.

'Nou moet je eens goed luisteren Sara, er is geen sprake van houden want je zoon heeft niets. Hoe jij deze zaak met hem regelt moet je zelf weten, maar tot nu toe ben jij de wettige erfgename. Ik verwacht je vanmiddag en alsjeblieft geen flauwe kul.'

'Ik wil hem niet zien.'

'Dan ontvang ik jullie apart,' antwoordde hij gedecideerd.

'Hoe wist je dat ik zijn dochter was?'

'Lieve Sara,' klonk hij verbaasd, 'je denkt toch niet dat heel

Nijmegen met oogkleppen loopt. Heb je nou last van verdringingsverschijnselen? Ben je nou zo naïef of verslijt je ons voor zo dom. Dat ik nooit met jou over de verhouding met je vader gesproken heb, is uit respect voor je zwijgen geweest. Datzelfde respect heb ik ook gehanteerd ten opzichte van mevrouw Gottschalk toen je mij vertelde dat jullie niet wilden omzien. Jij bent degene die onderwerpen vermijdt en ik hoef de verhalen niet te vertellen.' En na een korte stilte: 'Ben je er nog?'

'Ja.'

'Wat doe je?'

'Wat adviseer je mij?'

'Gewoon komen. Samen wassen we dat varkentje wel.'

's Middags bleek dat ze elkaar inderdaad hard nodig hadden. Sara schrok zich een ongeluk toen ze zijn kantoor binnenstapte en daar een jongere maar heviger uitgave van het televisiehoofd zag. Thomas van Welie stond niet op en weigerde haar uitgestoken hand.

Er was niets fraais aan hem, behalve zijn Nederlands dat hij correct lispelde. Het gesprek ging moeizaam en stroef. Na een uiteenzetting van de notaris hoe alles toch nog goed of mis was gegaan, 'het is maar van welke kant je het bekijkt,' zei hij droog, vond de zoon het eerst nodig een college te geven over adequate taakvervulling.

'Als uw grootvader iets langer geleefd had, was de handtekening gezet,' verweerde de notaris zich. 'Alhoewel ik ook dan uw moeder op haar rechten zou hebben gewezen.'

Waarop Van Welie repliceerde dat het woord 'rechten' misbruikt werd, dat hier sprake was van grof plichtsverzuim. Het argument van 'iets langer leven' veegde hij eveneens van tafel. Mensen kwamen voor een testament bij een notaris omdat ze eindig waren. Het ging alleen God aan te bepalen hoe en wanneer, en met een rechtsbeschermer die in Zijn tijd zat te knoeien, hoefde de Heer geen rekening te houden.

Ondertussen observeerde Sara hem. Zag ze waarom de gele hangsnor op zijn bovenlip geplant was. Iedere keer wanneer hij zijn mond opende, bleven zijn voortanden op de onderlip rusten. Hij leek op een woedende otter die al dagenlang geen vis had gezien. Zijn bolle ogen flitsten achter het John Lennonbrilletje over haar heen naar de notaris die gelaten de bui over zich heen liet komen.

In trage taal eiste Thomas van Welie zeer duidelijk en wel-overwogen het geld van zijn grootvader die hem opgevoed had als een eigen zoon omdat de moeder haar plichten verzaakte. Het moest eenieder helder zijn dat grootvader het geld nog liever aan een vreemde zou hebben gegeven dan aan zijn dochter.

Er volgde een reeks argumenten die hij in twee categorieën verdeelde: wettelijke en emotionele. Sara kwam er absoluut niet aan te pas. Integendeel. Hij negeerde haar zoals de oude Van Welie langs haar keek op Cruyslant. Zijn formuleringen spitste hij toe op de rechter die, in tegenstelling tot de vrouw die nu tegenover hem zat, een mens was van vlees en bloed en er niet de minste moeite mee zou hebben Thomas van Welie als de enige wettige erfgenaam te beschouwen. Daarover was geen misverstand mogelijk. Een vrouw die toevallig een kind had gebaard, had niets te maken met de relatie tussen groot-vader en kleinkind. Zelfs het delen van de erfenis kwam niet in het geding.

'Nou, nou,' onderbrak de notaris hem, 'in dit stadium van ons gesprek, en ik herhaal met nadruk het woord ons, zou ik graag de mening van mevrouw Van Welie horen.'

Even kon ze niet praten. Totaal verstopt, tot aan haar her-sens volgepropt met machteloosheid. Ze dacht aan Anna, aan mevrouw Gottschalk, ze greep de scarabee en hield hem stevig in haar hand. Ze kuchte een paar keer en zei toen: 'Ik ken de diepere achtergronden van zijn hebzucht niet maar laat deze meneer ervan verzekerd zijn dat hij voorlopig geen cent krijgt. En als de rechter inderdaad een mens is van vlees en bloed zal hij dat voorlopig omzetten in definitief.'

Ze stond op en verliet de kamer. De notaris vloog achter haar aan, kon nog net haar hoofd in het fonteintje bij de w.c. duwen waar ze oude restanten bloedschande braakte.

'Goed gedaan Sara,' fluisterde hij. 'Het wordt tijd dat de rollen eens omgedraaid worden.'

Misschien kwam het door de afwikkeling van de erfenis dat Sara minder geïnteresseerd was in het reilen en zeilen van bu-ren en kennissen, misschien ook door haar eigen veranderde houding, maar af en toe zat ze zich grenzeloos te vervelen bij de hapsnap, de prietpraat, de koffieleut en de borrelpraat. De kinderen mochten nog steeds blijven komen maar tante Sara maakte nu opmerkingen over de rommel die ze maakten en soms vond ze het opgewonden gekrijs uit al die kleine mondjes net iets teveel van het goede. De urenlange besprekingen met haar advocaat vraten aan haar energie. Hoe hij haar ook verzekerde dat Van Welie junior geen poot had om op te staan, ze bleef onrustig en bezorgd. Niet omdat ze zelf al dat geld wilde hebben, maar omdat ze haar vader niet gunde dat hij zelfs na zijn dood met haar kon doen en laten wat hij wilde.

Waarom Thomas tenslotte eieren voor zijn laatste geld koos en via zijn advocaat zijn eis introk en de rechtszaak afgelastte, was haar toen een raadsel. Ook de cijfers die ze onder ogen kreeg.

Ze snapte niets van agio's en pari's, boekwinsten en intrinsieke waarden, valutatransacties en over het termijn heen getilde renten. De ingewikkelde rekensommen die men voor haar optelde en aftrok, leerden haar alleen dat ze duizelingwekkend rijk was. In overleg met de notaris besloot ze de hele zaak in handen te geven van twee uitgekookte clevere jongens die een beleggingsbureau dreven.

'Hoe krijg ik het geld op,' zuchtte ze tegen de notaris toen ze de eerste afrekening zag.

'Als je maar niet zo stom bent iets over je vermogen aan anderen los te laten,' waarschuwde hij haar. 'Het leed zou niet te overzien zijn. Trossen klagers vallen over je heen, nog afgezien van de belagers, de pikkers, de jatters en de killers. Vooral bij een vrouw zoals jij, Sara. Neem me niet kwalijk maar soms denk ik meer met een kind te doen te hebben dan met een volwassen vrouw. Waarom ga je er niet tussenuit? Even in San Antonio vergeten dat je zo rijk bent.'

Dat deed ze in eerste instantie om even de koffie-ochtenden te ontvluchten die voor haar een kwelling waren geworden nu ze haar vriendinnen niet mocht laten delen in wat ze het liefst had weggegeven. Iedere keer lag het haar voor in de mond te vertellen dat niemand zich vanaf nu nog zorgen hoefde te maken. Maar in tweede instantie vertrok ze omdat ze een huwelijksaanzoek had gekregen van de celibataire leraar die ze nog steeds om humanitaire redenen op afstand handhaafde. Hem wilde ze niet, wel een ander en hoe ze dat aan ging pakken, moest ze in alle rust en stilte in San Antonio overdenken.

In Basel stopt de trein langdurig. Vele reizigers passeren haar coupé maar vlak voor het vertrek krijgt ze last van gezelschap. Een keurige jongeman die zich meer in haar verdiept dan in het boek dat hij uit zijn koffer heeft gehaald. Ze kijkt naar hem terug en hij vat dat op als een uitnodiging tot een gesprek.

'Wohin fahren Sie?' begint hij.

'Dat gaat je niets aan,' bitst ze in onvervalst Nederlands. 'En om een lang verhaal kort te maken: het feit dat u met mij dezelfde coupé deelt, geeft u geen enkel recht op mijn vertrouwen. U reist alleen en ik reis alleen.'

Hij kijkt haar onthutst aan, haalt dan zijn schouders op en pakt vervolgens zijn bagage uit het rek boven zijn zitplaats. Hij heeft zoveel uit haar woorden begrepen dat hij met boek en koffer maakt dat hij wegkomt.

Opgeruimd staat netjes, denkt Sara. Een dergelijk antwoord had ze moeten geven toen ze in San Antonio haar auto inpakte voor de terugreis naar Nederland. Ze sluit haar ogen en ziet zichzelf weer staan. Iemand kijkt naar haar lange bruine benen.

Dat voelde ze toen ze zich voor het hotel vooroverboog om haar koffers in de achterbak van de Alfetta te zetten. Ze draaide zich om en betrapte nog net de ogen van een jongeman die een kleur tot achter z'n oren kreeg. Hij herstelde zich snel en liep op haar toe.

'Mag ik u wat vragen?'

Verrast bleef ze staan. Nog een Nederlander in San Antonio? Dat kwam niet vaak voor. Wel auto's met Nederlandse nummerborden maar die raasden over de Via Cassia naar een andere bestemming. Zelfs voor een korte stop gebruikten toeristen San Antonio niet.

'Ja natuurlijk.'

'Ik ben platzak,' bekende hij. 'Ik wil graag terug naar Nederland maar ik heb geen geld voor de trein. Ik zie dat u de auto aan het inpakken bent en ik dacht dat u, misschien...'

Hij stond een beetje te schutteren. Ze nam hem op. Hij zag er zeer acceptabel uit als je zijn schone maar gerafelde spijkerbroek en het verkleurde rode t-shirt niet belangrijk vond. Zij in ieder geval niet.

'Wou je meerijden?'

'Als het kan erg graag. U zult verder geen last van mij hebben,' smeekte hij bijna. Ze had absuluut geen bezwaar, integendeel. Eigenlijk vond ze het prettig de lange afstand naar huis in gezelschap af te leggen. Alleen was maar alleen. Een praatje onderweg maakte de reis wat korter. Hij lachte dankbaar en Sara zag zijn witte tanden die in zijn donkerbruine gezicht schitterden. Zijn plunjezak ging op de achterbank en even later reden ze het dorp uit. In het begin zei hij niets en toen ze hem vroeg of hij altijd zo zwijgzaam was, legde hij uit dat sommige mensen het vervelend vonden als een lifter hen de oren van het hoofd kletste.

'Ik vind het wel gezellig,' zei ze, 'dat iemand af en toe wat tegen me zegt.' Ze wilde bijvoorbeeld weten waar hij zo bruin geworden was.

'Ik heb me niet eens voorgesteld,' begon hij. 'Ik ben Juul Manten.'

'En ik Sara.'

Hij vertelde dat hij een fijne vakantie op Sicilië achter de rug had maar dat de prijzen, zelfs in het zuiden, zo hoog waren dat hij eerder dan gepland door zijn budget heen was.

'Ik kan wel zeggen dat ik beroofd ben, maar dat is niet waar. Van de maffia heb ik niets gemerkt, de mensen waren allervriendelijkst. Ik kan alleen niet goed met geld omgaan.'

'Wat doe je voor de kost?'

'Niets, ik heb gestudeerd,' zei hij na enige aarzeling.

'Wat?'

'Frans.'

'Maar je moet toch ergens van leven?'

'Officieel sta ik nog ingeschreven. Ik ben niet afgestudeerd. Ik leef van een kleine toelage en soms verdien ik er wat bij als drummer.'

Het klonk heel gewoon en betrouwbaar en Sara vond het prettig dat ze hem meegenomen had. 'Als je goed Frans spreekt,' zei ze om het gesprek op gang te houden, 'moet

Italiaans niet zo'n probleem zijn. Ik heb achteraf spijt dat ik tijdens de Franse les heb zitten suffen want ik heb heel hard moeten blokken om het Italiaans onder de knie te krijgen.'

'Hoe ouder je wordt, hoe minder makkelijk je studeert,' stelde Juul vast.

'Hoe oud ben jij?'

'Drieentwintig. En jij?'

'Raad eens?'

Hij deed er niet moeilijk over. 'Rond de dertig.'

Ze verzweeg dat ze zevenendertig was en bij dat ene leugentje bleef het niet. Juul zei dat het een gelukkig toeval was dat ze beiden in San Antonio gestrand waren, een negorij die 'm pijn aan zijn ogen deed, en zij liet het zo. Hij was veel te jong om te begrijpen wat haar naar dat plaatsje trok.

Na al die straten, pleinen en gebouwen die ze met honderden andere vakantiegangers van de folder herkende, na al die beleefd haastige obers die ze tegemoetkwam door zich veel te vroeg op een hotelkamer terug te trekken, zocht ze de stilte van de lelijkheid en de warmte van de mens. Aan deze voorwaarden voldeed San Antonio waar gevel noch steeg om aandacht vroegen en de mensen haar in hun midden opnamen. Was dat aan een toevallige lifter uit te leggen? Ook dat het veel voor haar betekende simpelweg 'la signora' te zijn? Bekend en onbekend tegelijk. Of dat ze vanuit San Antonio vaak naar een Toscaans dorpje reed om helemaal alleen van de pracht van een verweerde muur te genieten, van een façade, van een klok boven de ingang van een vervallen kerk, van een verlaten boerenerf, van akkers en weilanden of van een cypressenlaan die zacht glooiend naar een eenzaam huis voerde?

Nee, zulke dingen zei ze niet meteen over zichzelf. Ze beperkte zich liever tot de opmerkingen van alledag en voor iedereen. Bijvoorbeeld dat het straks tijd werd een hapje te eten.

Juul antwoordde dat hij in de auto op haar bleef wachten. Zijn centen hadden het blutstadium bereikt. Even kibbelden ze op een allercharmantste manier. Zij vond het onzin dat hij niet wilde aannemen wat zij hem aanbood, en hij zei dat zij dan wel moest accepteren wat hij haar aanbood.

Sara verliet de autobaan. Ze wist ergens een klein restaurantje, zei ze, waar het Toscaanse landschap zich het mooist liet bewonderen, waar de waard nog zelf de 'bistecca alla fiorentina' grilleerde en de Chianti uit de eigen cantina geschonken werd.

Juul was verrukt toen hij de eenvoudig gedekte tafeltjes op het met druivenranken begroeide terras zag. 'Wat een sfeer,' juichte hij. 'Hoe zuiver de lucht,' snoof hij. 'En kijk eens,' wees hij, 'hoe ver we in Toscane kunnen kijken.'

'Ik heb niet overdreven, hè,' zei Sara gelukkig en ze keek toe hoe hij zijn gezonde tanden in de bistecca zette en het gebrokkelde brood, als een echte Italiaan, in de olijfolie doopte.

'Je zou hier toch altijd willen blijven,' stelde hij met volle mond vast.

'Met schoonheid moet je zuinig omgaan. Je geniet er intenser van als je je erop kunt verheugen. Bovendien is dit landschap het bruidskleed van God. Ik denk dat hij niet graag ziet dat wij het bezoedelen,' antwoordde Sara.

'Wat zeg je nou?' riep hij verbaasd uit.

Sara lachte. 'Het is een verhaal dat de moeder van Giulietta me zelf verteld heeft.'

'Wie is Giulietta?'

'Giulietta is de vrouw... is de dochter van een Toscaanse moeder,' corrigeerde ze zichzelf.

Ze schonk twee glazen wijn in. Juul weigerde het zijne. 'Vertel me dat verhaal maar,' zei hij terwijl hij een glas mineraalwater nam.

Sara nam een slok wijn. 'Het is een lang verhaal,' waarschuwde ze.

'Geeft niets,' zei Juul, 'ik eet wel door.'

'Heel lang geleden,' begon ze, 'zoveel lichtjaren terug dat de mensen het getal vergeten zijn, toen God nog een jongeling was en de aarde een gloeiende massa, riep de vader hem bij zich.

Het wordt tijd God, zei hij, dat ik je ga voorbereiden op je mens-zijn.

Ze namen allebei plaats op een wolk en de vader vertelde dat de gloeiende massa, die ze heel in de verte zagen branden, over miljoenen jaren ging afkoelen, een aardkorst kreeg en dat hij van plan was er mensen op te zetten.

Dat is goed, zei God want hij verheugde zich op wat meer leven.

Ik zou niet te vroeg juichen, zei de vader ernstig. Het mens-zijn brengt meer beperkingen dan vreugde met zich mee. Lij-den bijvoorbeeld en in jouw specifieke geval, afzien van de lichamelijke liefde.

Ik krijg nooit een bruid?

In mijn zin niet, zei de vader.

Waarom niet?

De vader aarzelde. Je bent nog jong, legde hij uit, maar het komt door onze goddelijkheid. Wij zijn de liefde in onszelf, door onszelf, en uit onszelf. Er rest ons geen andere mogelijk-heid.

Ik wil er niet aan, zei God koppig.

De vader zag het stuurse gezicht van de zoon. En omdat ze voor altijd op elkaar waren aangewezen, en hij zich geen ruzie met de zoon wilde veroorloven, stelde hij als compromis voor een bruidskleed te ontwerpen. Uiteindelijk was de tijd nog niet daar en, zo hij was aangebroken, zou hij wel raad schaffen.

De vader richtte zich naar een bepaald punt in het heelal en zie, ineens spoelde water in golven langs de verbaasde ogen van God.

Als dat het bruidskleed is, vind ik het eentonig en grauw, mokte God.

Dan wat anders, zei de vader opgewekt. Hij hief zijn handen, opende ze en toonde de zoon bergen die hij keurig in ketens voor hem uitstalde.

Het lijkt er niet op, pruilde God. Bulten en uitsteeksels, daar gaan mijn ogen van tranen.

Toen trok de vader zich vele eeuwen terug en hij werkte hard aan aarde, rivieren, gras, bomen, hij deed er nog wat sneeuw en regen bij, hij schiep het een na het ander, en toen hij eindelijk te voorschijn kwam, keurde God alles af.

Dan moet je me toch eens uitleggen wat jou precies voor ogen staat, zei de vader, want ik zou het echt niet meer weten.

Bijna had hij gezegd: ik zou het bij God niet meer weten, maar omdat de zoon het wel wist, durfde hij zich deze toespe-ling niet te veroorloven.'

'Dat verzin je er zelf bij,' zei Juul.

'Misschien heb ik me enkele vrijheden in de vertaling toe-gestaan,' antwoordde Sara. 'Maar ik ga door...

Het zijn wel onderdelen, troostte God de vader, maar er zit geen lijn in. Het deugt niet als patroon. Laat mij het eens proberen.

Daarop trok God zich eeuwen terug. De vader hoorde hem hameren en beitelen, zagen en timmeren, kloppen en boren, duwen en schuiven en op een eeuw trok God het gordijn voor het heelal weg, riep de vader en wees trots naar beneden.

Kijk eens, juichte hij, ik heb de zee tegen het land gelegd, de bergen in het noord-oosten gegroepeerd, de heuvels in het midden, ik heb ruimte gecreëerd voor akkers, bossen en weiden. Ik heb van uw bomen kastanjes, eiken en cypressen gemaakt en de rest heb ik gebruikt voor druivenranken en olijfbomen. Van de splinters heb ik struweel gemaakt dat ik zo her en der rondgestrooid heb. Een paar rivieren heb ik in beddingen gelegd. Ik wil het bruidskleed onder verschillende belichtingen kunnen zien, daarom heb ik ook seizoenen gemaakt die op hun beurt weer invloed hebben op wat groeit en bloeit.

Het is een landschap, zei de vader die zeer onder de indruk was van wat hij zag. Hoe heet het?

Toscana, antwoordde God.

Prachtig, zei de vader.

De laatste hand legt u, zei God eenvoudig. De zoom moet namelijk nog gemaakt worden. Als u dat doet, hebben we beiden aan het bruidskleed gewerkt. Hij duwde de vader wit, rose, geel, paars, rood, blauw, in allerlei schakeringen in de handen en die liet ze als trompetjes, klokjes, trosjes, kelkjes, in allerlei vormen naar beneden dwarrelen waar ze als bloemen in de berm terecht kwamen.

Fantastisch, zei God. Dit landschap is mijn eeuwig bruidskleed. Meer verlang ik niet...

En dat was het verhaal van de schepping van Toscane,' eindigde Sara die een droge keel had gekregen. Ze dronk het glas wijn in één keer leeg.

Juul legde zijn mes en vork neer. 'Ben jij religieus?' vroeg hij.

'Kerkelijk niet,' zei Sara. 'Maar vond je het een mooi verhaal?'

'Het is verzonnen,' antwoordde Juul.

'Een kerk is ook verzonnen.'

'Een kerk is een religieuze interpretatie van God.'

'Is dat dan altijd nodig?'

'Om ons de weg te wijzen wel,' glimlachte hij. 'Maar denk je nooit aan God?'

'Hij is een man,' zei Sara, 'en ik kan me niet zo goed voorstellen dat een man de oorsprong van àl het goede zou zijn.'

'God is liefde,' zei Juul, 'en wie liefde erkent, herkent schoonheid. Ik vind jou mooier dan Toscane.'

Ze bloosde. 'Zo heb ik mijn verhaal niet bedoeld,' zei ze.

Juul stond op. 'Wacht op mij,' zei hij.

Ze bleef in verwarring achter. Ze dacht aan San Antonio. Ze zag de schamele huizen die vervallen tegen elkaar aanleunden, een straat met scheefgemetselde balkonnetjes, een kerk met een vaal-groene afgebladderde voordeur, een plein waarop een treurige boom zijn takken liet hangen en ze zag gammele terrasstoelen waarop oude mannetjes kleefden maar die haar vriendelijk toelachten, Glauco die haar lachend wees op het hout van de boom dat hij weldra kon gaan gebruiken. Giulietta die haar vrees niet deelde dat de balkonnetjes naar beneden zouden storten.

Ze zag Juul in het korenveld verdwijnen, een mooi mens in een mooi landschap. Sara nam nog een glas wijn en prooste naar de hemel.

'Als u bestaat,' zei ze zachtjes, 'en dat weet u-zelf alleen dan heb ik uw teken begrepen. Bedankt dat u mij de leugen schonk. U weet dat ik het verhaal over Toscane verzonnen heb, u weet waarom ik zo graag in San Antonio ben, u weet over oorsprong en einde en dus zult u begrijpen waarom ik zeven jaren loog. Misschien zal ik u vanaf nu vergeten, maar in uw opvattingen is tijd een menselijke maat en geldt een moment als eeuwigheid. Ik bied u het moment van de liefde aan.'

Juul kwam terug uit het korenveld, zijn armen vol met halmen net zo blond als zijn haar. Toen hij bij de berm was, talmde hij.

Ze zag hem zich voorover buigen en ze telde de zeven klaprozen die hij plukte.

'Een profanatie,' zei hij toen hij haar op haar voorhoofd kuste, 'ik heb enkele robijnen uit de zoom van het bruidskleed gehaald. Dat zou jouw God zeker goed vinden want hij houdt immers van schoonheid. Het is nu mijn taak om je te versie-

125

ren.' Hij drukte het boeket in haar armen, enkele blaadjes van de klaprozen lieten los. 'Zo zou ik een foto van je willen maken,' zei Juul.

'Nee,' zei Sara, 'jij niet van mij maar ik van jou. Alle belangrijke momenten in mijn leven wil ik fotograferen.'

Ze liep naar de auto en pakte haar fototoestel. Als het klopte, zat er nog één opname op het rolletje dat ze sinds de dood van mevrouw Gottschalk nooit meer volgemaakt had.

'Ik weet niet of het lukt,' zei ze tegen Juul, 'maar houd dat boeket vast en lach even tegen mij.' Net op het moment dat ze knipte liet Juul het boeket zakken. 'Jammer,' zei Sara, 'het had een perfect plaatje kunnen worden.'

Donderdag

Op het bureau loopt Rik even langs de meldkamer. Heel Dudoveen heeft die nacht rustig op een oor gelegen. Niemand heeft naast het potje gepiest of is in een verkeerd bed wakker geworden. Iedere inwoner schijnt zich voorgenomen te hebben het weekeinde rustig af te wachten en dan twee dagen uit te rusten van alle plannen die niet gesmeed zijn. Zo hoort het ook volgens de commissaris. Aan de ontspannen sfeer onder de collega's merkt Rik dat Bos nog afwezig is. Omdat hij geen zin heeft in dat enkele dossier op zijn bureau, luistert hij naar de oubollige grappen die de mannen elkaar om de oren slingeren. Ze zijn zo druk met hun eigen lol dat niemand merkt dat hij enige moeite heeft met de spieren in zijn gezicht. Iedere keer wanneer hij probeert te lachen, voelt hij zich als een Casjinawa-indiaan bij wie zojuist de neusvleugels doorboord zijn om er felgekleurde veren in te kunnen steken. Teun is er niet veel beter aan toe.

'Ik voel me als een muizekapotje om een olifantepik,' klaagt hij tegen Rik.

'Jezus, hoe hebben we zo stom kunnen zijn,' fluistert die terug. 'Als ik mijn stem terug heb, ga ik Rotterdam bellen.'

'Rotterdam?'

'Ik heb je zaterdagavond toch verteld dat er in de krant een advertentie stond van een importeur van elektronische apparatuur die een bewakingsdienst wil opzetten.'

'Dat was toch maar een grapje.'

'Misschien toen, nu is het ernst.'

Teun kijkt langdurig naar de grond. Rik geeft hem een klap op zijn schouder. 'Kom op Teun, ik ben nog niet weg,' zegt hij schor.

Even voor half tien sluipt Rik stilletjes weg en op zijn kamer vervloekt hij eerst zijn longen en vervolgens het lege pakje sigaretten dat hij verfrommeld uit zijn broekzak haalt. Dan maar zonder peuk bellen. Eerst doet hij nog wat aan tongoefeningen en als blijkt dat hij in staat is bijna normaal te kunnen praten, draait hij het nummer in Rotterdam. Een secretaresse verbindt hem door met directeur Jaspers die een paar seconden later een rijkgeworden accent op zijn trommelvliezen loslaat. Rik slikt een paar keer zuur. Hij stelt zich uitgebreid voor terwijl hij naar woorden zoekt die het doel van dit gesprek moeten inleiden. Ondertussen kijkt hij naar buiten en ziet hij hoe Bos de regendruppels links en rechts van zijn parapluie gebiedt neer te vallen. Driftig ontwijkt hij de plassen op de grond en hij gebaart tegen iemand die voor de deur staat dat deze meteen uit de weg moet gaan. Rik draait zich om en het gesprek krijgt een wending.

Zelfverzekerd, bijna arrogant, legt hij uit dat dit gesprek niet om inlichtingen gaat, maar regelrecht als sollicitatie bedoeld is. Jaspers aarzelt, ontwijkt een direct antwoord. Rik heeft teveel verhoren afgenomen. Hij weet wanneer hij de beslissende vraag moet stellen. Als een marktkoopman die een huisvrouw met de hand op de knip ziet twijfelen, slaat hij toe. Nu of nooit. Een laatste keus. Wie geen gebruik maakt van zijn aanbod zal ongetwijfeld spijt krijgen. Op een laatste witz na, is de koop beklonken. Als Jaspers vraagt of hij verstand heeft van de branche, antwoordt Rik dat ie er geen donder van weet en dat het maar goed is ook, anders zat hij nu op de stoel van Jaspers of trof hij voorbereidingen vannacht zijn slag te slaan.

'Verdikkeme man,' roept Jaspers, 'ik zou wel eens de kop willen zien die bij zulke praatjes hoort. Vanmiddag om vier uur ontvang ik jou en dan zullen we wel uitmaken wat we aan elkaar hebben.'

'Tot vanmiddag,' groet Rik terug.

'Waar moet u naar toe?' vraagt Bos terwijl Rik de hoorn op de haak legt.

Geschrokken draait hij zich om. 'Naar de dokter,' improviseert hij meteen. 'Ik voel me behoorlijk rot vandaag.'

'Zo ziet u er ook uit.'

Rik ontwijkt de steekoogjes en realiseert zich dat wat hij zoëven zei niet ver bezijden de waarheid is.

'Als ik u was, zou ik onder de wol kruipen en er een lang weekeinde van maken,' gaat Bos minzaam verder.

'Tot maandag dan,' besluit Rik.

'A propos, Van Helden, nog één minuutje als uw conditie het toestaat,' houdt Bos hem tegen. 'Ik wil u nog even vertellen dat de zaak Van Welie praktisch is opgelost. Zoals wij geconstateerd hebben, leidde het spoor inderdaad naar Cormantin. In het buitenhuis van Van Welie hebben we wat links militant tuig opgepikt. In samenwerking met de Franse politie hebben we het stelletje ingerekend. Elf nozems beweren toevallig in Cormantin op vakantie te zijn maar de twaalfde had een interessanter verhaal voor ons. Die zegt dat ze een organisatie vormen die een hogere orde dient. Vrede en veiligheid.' Bos begint te lachen. 'In navolging van Christus,' hikt hij. 'Het schijnt dat de organisatie opgezet is omdat de knapen het niet eens zijn met onze Navo-verplichtingen. Enfin, laten wij even de kinderoproer voor wat het betekenen mag. Waar het mij om gaat is dat we de dader van de moord op Thomas van Welie te pakken hebben.'

Rik gaat zitten. 'Wie heeft het gedaan?' vraagt hij gespannen.

'Nog eventjes geduld, Van Helden. Ik houd ervan, zoals u weet, de zaak chronologisch op te bouwen. Die twaalfde knaap over wie ik u zojuist vertelde, een zekere Juul Manten, zegt dat hij een verhouding met mevrouw Van Welie heeft gehad en dat het zeer goed mogelijk zou zijn dat zij de moord heeft gepleegd. U hoeft niet zo te schrikken Van Helden want in plaats van met mevrouw Van Welie te dineren zijn wij haar gangen nagegaan. Uit onze informatie blijkt dat ze sinds begin augustus ononderbroken in Italië is geweest. Men heeft zaterdagavond nog met haar gesproken en maandagochtend hebt u haar zelf aan de telefoon gehad. Of niet soms?'

Rik zit aan zijn stoel genageld. 'Wie heeft de moord nou gepleegd?' stottert hij eindelijk.

'Juul Manten, natuurlijk.'

'Heeft hij bekend?'

Bos lacht hautain. 'Mijn beste brave Van Helden,' jubelt hij bijna, 'ik zou u dit toch niet meegedeeld hebben als ik niet vrij zeker was van de oplossing. Let goed op wat ik u nu zeggen ga. Manten is pas in de loop van maandag in Cormantin gearriveerd. De enige van het stel die geen alibi heeft. Hij beweert wel in Taizé een Amerikaanse jongen ontmoet te hebben met wie hij godsdienstige contacten zou hebben gehad, maar ach...'

Bos steekt een sigaar op. 'U zei dat Van Welie homo was?'

'Ik zei dat ik het dacht.'

'Vult u het dan zelf maar in,' besluit Bos. 'Bovendien schijnt Manten getikt te zijn volgens zijn vriendjes. Ik verwacht u maandag definitief zijn naam als dader te kunnen noemen. De knaap moet nog even onder druk gezet worden. Het lijdt geen twijfel dat Cormantin verantwoordelijk is voor het gebeuren in Dudoveen en daar ben ik heel erg blij mee, Van Helden, want Dudoveen heeft een goede naam hoog te houden.' Hij blaast wat rook in Riks gezicht. 'Maar laat ik u verder niet ophouden,' eindigt hij zo beminnelijk mogelijk. 'U gaat straks naar de dokter en houdt een paar dagen rust. Wat zijn de klachten precies? Toch geen voedselvergiftiging opgelopen tijdens uw tête-à-tête met mevrouw Van Welie?'

Alleen het mogelijke vooruitzicht binnenkort nooit meer dat gehate smoel van Bos te hoeven zien, weerhoudt Rik ervan zijn tronie in elkaar te timmeren. Hij gromt iets over een totale malaise, een onderhuidse toestand van slapte, een gebrek aan kracht, maandag zal hij zich beter voelen en hoopt hij de commissaris dat te kunnen vertellen.

Het klinkt zo neutraal dat Bos hem vriendelijk op de schouder tikt. 'Om u de waarheid te zeggen, Van Helden, gisteren had ik u al op de transferlijst gezet. Nu heb ik besloten nog even te wachten tot u beter bent. Een zieke speler brengt niet veel op. Wat zeg ik? Aan de straatstenen bent u dan niet te slijten. Conditie Van Helden, dat is alles wat ik nog van u vraag.'

Terwijl hij nog olijk omkijkt, verlaat Bos de kamer. Hij zou vreemd opgekeken hebben als hij nog even een blik in die kamer had geworpen want de zieke Van Helden danst en stampt om zijn bureau, gooit een dossier in de lucht waarna hij zich tevreden in zijn draaistoel laat zakken. Na dit weekeinde zullen de kaarten geschud zijn, houdt Rik zich voor. Alle troeven zal hij uitspelen, van hoog tot laag. Hij haalt Sara en zijn nieuwe baan binnen. Het politiebureau van Dudoveen zal te klein zijn voor alle slagen die hij die achterlijke incarnatie van de aanmatiging toebrengt. Bos heeft de werkzaamheden aan zijn eigen kruis voltooid. Hij moet er alleen nog aangespijkerd worden.

Wanneer Sara in de namiddag in San Antonio uit de bus stapt, voelt ze zich even vermoeid en gespannen als toen ze maandagochtend vertrok. Op het terrasje voor de bar van Franco spelen onder de lage zon dezelfde oude mannen hun dagelijkse potje 'briscola'. Over hun schouder loert de volgende generatie naar de kaarten die nu nog door verweerde, verrimpelde handen worden vastgehouden. Het is een kwestie van geduldig blijven en de stoelen in de gaten houden. Vrouwen drentelen achter kinderwagens, sjouwen met boodschappentassen, jongens rijden op brommers over het plein.

Zodra ze Sara in de gaten krijgen, wordt het kaartspel gestaakt, de kinderwagens gaan op de voetrem, de tassen worden op de grond gezet, de brommers uitgedraaid. Sinds maandag brandt San Antonio van nieuwsgierigheid en is de signora het onderwerp van het gesprek.

Die vreemde blonde signora die zo uitstekend Italiaans spreekt maar veel te weinig over haarzelf vertelt, die geen enkele twijfel heeft willen bevestigen zelfs niet na het grootste vermoeden, blijkt een vrouw te zijn uit wie, na gemeenschap met een man, een kind geboren is. Wie had dát achter haar gezocht. Moeder van een zoon die in Nederland om het leven is gebracht. Een nog misdadiger land dan Italië want geen enkele Italiaanse politieman, ook niet met een voorhoofd van de dunste maat spaghetti, zou het gepresteerd hebben 'la mama' te verdenken. Giulietta die ook Engels spreekt, heeft het zelf verteld. De hele bevolking is op de hoogte en wie nu zo gelukkig is toevallig op het plein te zijn, wil uit de mond van de signora de smart en schande bevestigd horen.

Sara staat hulpeloos naast haar bagage. Als de vrouwen oprukken en de mannen de stoelen op het terras verlaten, pakt ze resoluut haar koffer en baant zich, vriendelijk knikkend, een weg naar haar huis. Achter haar zwelt het rumoer verwonderd aan, maar ze blijft groeten en 'scusi' zeggen tegen degenen die met haar meelopen totdat de voordeur achter haar dichtvalt.

Het is bedompt warm in het kleine halletje van haar appartement. Uitgeput zakt ze op het bankje en wacht op Giulietta die ongetwijfeld door de kieren van de luiken de aankomst van de bus bespied heeft en nu zenuwachtig heen en weer rent omdat ze nog niet heeft kunnen kiezen tussen weten en wachten. Enkele seconden later hoort Sara de deur van de woning boven haar dichtslaan, de beslissing is gevallen.

'Oh signora,' gilt Giulietta die zo naar transpiratie ruikt dat Sara haar adem even inhoudt, 'wat een toestanden. Wat ziet u er moe uit. Het hele dorp praat over u. Ik heb weer met de politie moeten praten. Italiaanse politie. Vreemde carabinieri die hun auto bijna in de bar parkeerden. Ze deden net of ik de schuldige was. Ze wilden alles over u weten. Wanneer u gekomen was, wat u deed overdag en 's nachts, met wie u praatte, of u ook vreemdelingen ontving, wanneer u naar Olanda vertrokken was? Donder op, heb ik op het laatst geroepen, de signora is een dame en daar blijven jullie vanaf. Ik was zo overstuur van die imbecielen dat ik vrijdag en zaterdag door elkaar heb gehaald.'

'Hoe bedoel je?' vraagt Sara scherper dan ze van plan was.

Giulietta stottert: 'Ze vroegen of ik u in het weekeinde nog gezien had en ik zei: ja, zaterdagavond laat. Maar achteraf wist ik dat ik u niet zaterdagavond maar vrijdagavond gezien had. Weet u nog? U kwam nog laat in de bar om een kopje koffie te drinken. Oh, en nou weet ik niet meer wat ik doen moet.'

'Niets,' zegt Sara snel.

'Dat zegt Franco ook, maar die is bang voor de carabinieri. Oh signora, wat gebeurt er met mij als ze erachter komen dat ik niet de waarheid heb gezegd?'

'Daar komen ze niet achter.'

'Echt niet?'

'Giulietta luister. Als jij zegt dat je mij zaterdagavond gezien hebt dan zeg ik dat ook als ze het aan mij vragen.'

'U verraadt mij nooit?'

'Nooit. En maak je nou niet zo druk daarover, één dag verschil is helemaal niet belangrijk.'

Giulietta's oksels produceren nu zoveel vocht dat iedere knoflookteler deze hoeveelheid op zijn verdorde akker zou wensen. Ook haar woordenstroom is niet meer te stuiten.

Alles wil ze weten, nu meteen. Hoe het in Olanda ging, wie de moord gepleegd heeft, wanneer de arme zoon begraven is, waarom de Italiaanse carabinieri moet vragen waar de moeder was toen haar zoon in Olanda vermoord werd.

'In Olanda is iedereen verdacht,' legt Sara uit terwijl ze van vermoeidheid door de vloer denkt te zakken.

'Hoe zag het lijk eruit? Hebt u het nog gezien?'

Sara buigt haar hoofd. 'Verschrikkelijk,' fluistert ze. 'Morgen als ik me wat beter voel, zal ik je alles vertellen. Ik ben zo moe, ik heb als moeder zoveel emoties moeten verwerken...'

Eindelijk heeft Giulietta consideratie met haar toestand. Morgenvroeg zal ze terugkomen, zodra de bardienst erop zit. 'Eerst ik,' zegt ze slim, 'daarna leg ik het die stomkoppen wel uit.' Ze wijst in de richting van het plein waar het geknetter van de brommers en het geschreeuw om niets weer begonnen is. Ze krijgt Sara's erewoord en voordat ze verdwijnt knijpt ze Sara nog even bemoedigend in haar arm.

Voorzichtig opent Sara het raam op een kier. De stank in het halletje is niet meer te harden. De kauwgom die ze uit haar mond neemt, duwt ze door de opening naar buiten. Door zo'n klein gaatje is ze zelf zoëven ontsnapt. Maar voor hoelang? Iedere keer biedt zich een nieuwe verrassing aan. Eerst Cormantin, nu is ze afhankelijk van Giulietta's babbelzucht en Franco's zwijgzaamheid. Franco, ze haat hem. Ze moet nog even in San Antonio de ontwikkelingen afwachten. Daarna verdwijnt ze, waarheen is van later zorg. Eerst moet ze eens gaan slapen.

Ze trekt haar schoenen uit, loopt door de keuken naar de slaapkamer erachter en laat zich languit op het bed vallen. Haar situatie is net als het plafond waaronder drie dikke boomstammen zijn aangebracht om instorten te voorkomen: met kunst- en vliegwerk in elkaar gelapt om de constructie nog even overeind te houden.

Het eerste bezoek aan Nederland verliep volgens plan. Het tweede zoals ze zich had voorgesteld. Wanneer komt de dag waarop ze haar asiel in San Antonio kan opheffen? Als ze toen Juul Manten die lift had geweigerd, was San Antonio een fijne herinnering gebleven...

'Sara, ga eindelijk eens slapen,' zegt ze hardop tegen zichzelf. Voordat ze zich omdraait ruikt ze nog even aan haar handen. Ze stinken naar reis, maar ze komt niet meer haar bed uit om ze te wassen. Ze is veel te moe om nog aan iets anders te denken dan aan slapen. Eindelijk slapen.

Rik zit nog niet helemaal lekker in zijn auto. Na zijn sollicitatiegesprek is hij meteen doorgereden naar Italië. Hij heeft het uitgerekend, dik zestien uur rijden, een paar korte stops, omtrent het middaguur morgen in San Antonio aankomen.

Hij trommelt onrustig op het stuur. Impulsieve ideeën moet je volgen, misschien zijn ze wel de beste, maar hoe zal Sara reageren? Over één ding hoeft ze niet meer in te zitten. Binnenkort is hij juut-af. Hoofd van de bewakingsdienst en in de toekomst wellicht directeur van een eigen beveiligingsbedrijf. De een zijn nood, de ander zijn brood. Wie zijn handen niet thuis kan houden, zorgt voor nieuwe werkgelegenheid: de kringloop van de regressie. Jaspers lijkt een fijne vent. Grootste importeur van telecommunicatieapparatuur in Nederland. Prima merken, prachtig bedrijf, ziet eruit als een cruise-ship, glad, glimmend en uitnodigend. Aan het roer Jaspers, helemaal selfmade, behalve het enorme driedelige maat-kostuum, Hausmacher in kingsize-verpakking. Jaspers deed hem direct aan Teun denken, dezelfde grote handen, dezelfde wilde gebaren, alleen de kop is anders. Teun lijkt meer op een afgedankte bouvier, vooral als hij gezopen heeft.

Hoe zal Teun reageren wanneer die hoort dat hij in Italië zit? En stel voor dat Sara blij is met zijn komst en het wordt iets tussen hen... hoe zal Mieke reageren wanneer ze te weten komt dat hij en Sara...

'Vergeet mij,' zei Mieke, 'jij en ik zijn geboren om een vrouw gelukkig te maken. Zoek een andere vrouw...'

In gedachten gaat hij jaren terug, ziet hij zichzelf weer als agent staan, straatdienst op de Albert Cuyp, en Mieke, die niet weet in welke richting ze haar klompvoeten moet zetten om op het Leidseplein te komen. Even een vraagje, vervolgens een praatje. Hij liep een eindje met haar mee, langzaam, want hij zag aan haar ingespannen gezichtje dat het haar moeite kostte zijn lange benen bij te houden. Aan het einde van de straat maakten ze een afspraakje.

De eerste keren dat ze elkaar ontmoetten, bleef ze verlegen. Verwonderd dat hij nog niet naar beneden had gekeken en haar aangepaste schoenen gezien. 'Die voeten leg je toch opzij,' zeiden z'n broers toen ze Mieke voor het eerst zagen. Hij antwoordde hen in de vorm van twee bloedneuzen. Mieke en hij trouwden snel. Zij werd een stadse secretaresse en hij hoofdagent. In het begin merkte hij niets. We zijn gelukkig, dacht hij. Maar een bepaalde vriendin kwam teveel. Bemoeide zich met alles en vooral met hem wanneer hij 's avonds zijn vermoeide benen op tafel legde. Ze zei dat Mieke ook werkte en recht had op een tafel waar ze ook haar zere voeten op kon leggen. Ze kreeg gelijk, hij haalde ze eraf en zorgde voor het eten.

Maar de vriendin bleef iedere avond meekauwen en daar baalde hij van. Hij was met Mieke getrouwd en niet met die tante die de aardappels te gaar vond, de spruitjes te hard of met een vies gezicht een bord wegzette waarop eigeel van de vorige maaltijd was blijven plakken. 'Zij eruit of ik eruit,' schreeuwde hij kwaad op een avond.

Er werd een nieuw compromis gesloten onder centrale leiding van de vriendin, waarna ze gezamenlijk het eeuwige familiespel speelden: Vriendschap, liefde, haat. Ik, jij, de ander. Welles, nietes, nooit. Het haalde niets uit, maakte de zaak nog slechter. Na diensttijd bleef hij in de stad hangen en op een nacht, toen hij niet helemaal fris thuiskwam, lag de vriendin in zijn bed.

'Jouw schuld,' zei Mieke, 'als je ook mens was geweest in plaats van alleen maar viriel hadden we best gelukkig kunnen zijn.'

Hij snapte er geen barst van. Sodemieterde de vriendin het huis uit en sloeg Mieke in elkaar. Taferelen op puinhopen met een dramatisch uitzicht.

Later nam Mieke die opmerking weer terug. 'Het is jouw schuld niet,' zei ze. 'Het is niemands schuld, de jouwe niet, de mijne niet en de hare niet.'

'Waarom ben je met mij getrouwd?'

'Om veiligheid en omdat het zo hoorde. Met meisjes speelde je wel maar je dacht er niet over met hen te trouwen. Je trouwde met een man. Zo was de traditie en zo was dus de opvoeding.'

'In bed heb ik anders niet gemerkt dat je vies van me was.'

'Ik kan ook klaarkomen van mijn eigen lijf. Maar niet van jouw lijf.'

Hij had zijn hand alweer omhoog. Mieke dook weg. 'Vuile stinkpot,' schreeuwde hij bijna jankend.

Mieke bleef lesbisch en hij laaiend. Pas toen hij haar op de rechtszitting ontmoette, waar ze goddank haar mond hield over zijn handtastelijkheid, begon hij zich echt gekrenkt te voelen. Mieke was van een paardebloem uitgegroeid tot een weelderige roos. Het geluk straalde van haar gezicht. Buiten wachtte de oorzaak en arm in arm liepen ze weg.

Hij klaagde zijn nood bij de vader van Mieke. In het schuurtje achter diens huis werkten ze samen aan de Buggy.

'Al houdt het een op, het ander moet nog afgemaakt worden,' zei zijn schoonvader.

'Ik begrijp Mieke niet,' zei hij.

'Er valt niets te begrijpen, alleen te accepteren. Zo is het Rik, geef me eens even de combinatietang aan, en niet anders. Mieke wil niet aan plichten en rechten van anderen vastzitten. Ze wil van zichzelf zijn.'

'Ik heb Mieke altijd vrij gelaten.'

'Ze had klompvoeten.'

'Daar heb ik nooit een punt van gemaakt.'

'Dat is het 'm juist, mijn beste Rik. Je hebt er nooit een punt van gemaakt. Da's leuk en misschien aardig bedoeld, hou eens even deze draad vast, maar ze had ze wel. En dat is realiteit. Je hebt die voeten genegeerd. Stel voor dat je ze gezien had, dan had je er rekening mee moeten houden. Dat is meteen de kern van jouw probleem. Jij wilt niet zien dat Mieke anders is. Mieke is lesbisch en wil daar ook voor uitkomen. Accepteer dat kerel, probeer de fijne dingen die je met Mieke meegemaakt hebt te herinneren.'

'Uw vrouw begrijpt Mieke ook niet.'

'Dat betekent nog niet dat Mieke ongelijk heeft. Ik vind het heel jammer dat mijn vrouw niet solidair is, Mieke heeft het al moeilijk genoeg.' Hij haalde zijn hoofd onder de motorkap uit. 'Geloof je mij,' zei hij terwijl hij een sigaret opstak, 'als ik je zeg dat Mieke het heel erg vindt dat ze jou verdriet heeft moeten doen?'

De Buggy werd nooit afgebouwd. Waar ze samen zo enthousiast aan waren begonnen, bleef onvoltooid achter. De vader van Mieke probeerde hem nog tegen te houden.

'Denk aan al het plezier dat we gehad hebben,' zei hij. 'We zijn samen op pad gegaan om de onderdelen zo goedkoop mogelijk bij elkaar te schrapen. Weet je nog? Eerst een Volkswagen gekocht met een automatische transmissie. We hebben de kever tot op de bodemplaat gestript en ingekort, de vooras vervangen, een versnellingsbak type 2 van Mike Leighton op de kop getikt, naar een motor gezocht van S.I.R. Power Packages, 1835 cc met twee dubbele XE-plus Weber carburateurs.' Hij raakte opgewonden van zijn eigen opsomming. 'En verdomme,' zei hij, 'nu je meer weet van homokinetische koppelingen dan van processen-verbaal, laat je mij in de steek. Dat kun je niet maken. Bovendien is de auto van jou, jij hebt alles betaald. Hij blijft hier op je wachten,' schreeuwde de ouwe Broens hem na toen hij wegliep omdat hij er niet tegen kon nog langer aan Mieke herinnerd te worden. 'Misschien dat je op een dag...'

Misschien is hij nu zover, kan hij de Buggy gaan afbouwen. Voor Sara. Zijn eerste cadeau voor Sara, maar Sara... Sara heeft een nog groter handicap. Ze is rijk, schatrijk en hij een armoedzaaier die haar centen wil oogsten. Zo kan ze over hem denken... Rik begint te twijfelen. Doorrijden of omkeren? De hele onderneming is waanzinnig, in een lang weekeinde heen en weer naar Italië om de afwijzing van een vrouw in ontvangst te nemen...

In de verte ziet hij een restaurant en hij besluit een kop koffie te gaan drinken. Eventjes zich bezinnen op wat hij nu precies van plan is.

Eerst duikt hij de w.c. in en als hij door zijn knieën moet zakken, realiseert hij zich dat hij op een toilet voor gehandicapten staat. Hij denkt aan de zoon van Teun en ritst haastig zijn broek dicht. Het wordt tijd dat ie Teun vertelt waar hij uithangt. Die moet ongerust zijn want Agje heeft natuurlijk al de hele avond zijn telefoonnummer gedraaid om te informeren hoe het in Rotterdam is afgelopen. Hij moet als de donder naar Nederland bellen.

Teun is behoorlijk uit zijn humeur. 'Christus nog an toe,'

bromt hij, 'we hebben flink in de rats gezeten over jou. We zijn zelfs naar je huis gereden, zo bezorgd waren we toen we geen gehoor kregen. Had je me goddomme niet kunnen vertellen dat je zo haastig achter je hormonen aan moest?'

'Luister man,' zegt Rik, 'ik heb goed nieuws voor jou en Agje. Ik heb de baan,' laat hij er trots op volgen.

Aan de andere kant van de lijn blijft het stil. 'Fijn voor jou,' zegt Teun afgemeten. 'Maar ik had het nog fijner gevonden als we vanavond een bescheiden pikketanisje op je nieuwe baan hadden kunnen drinken want zo vaak zullen we 'm samen niet meer raken in de toekomst.'

Teun wordt helemaal chagrijnig als Rik over Italië begint. Het zint hem niet dat zijn vriend naar dat zwarthemden-land snelt. De afstand te ver, de juffrouw onzeker, een hoop stronterij voor niets. Wat hij gisteren over die juffrouw adviseerde, trekt hij nu in. The lady is a tramp. Leuk snoetje, mooie oogjes, een vingertje waar alle mannen omheen draaien maar madam verkoopt wel babbeltjes met een dubbele bodem. 'Laat je geen oren aannaaien,' foetert hij. 'Jij en ik hebben de dame glashard horen beweren dat ze niets over d'r zoon wist hè? Maar ondertussen blijkt wel dat ze het vriendje van haar zoon op zich liet drummen. Je moet de buurt over d'r horen. Onder de rokken schijnt de maagd Maria graag d'r Jozef ontvangen te hebben. Als je persé een lolletje wilt uithalen had ik in de buurt nog wel iets warms voor je geweten.'

Dat had Teun nou net niet moeten zeggen, denkt Rik als hij het gesprek voortijdig beëindigt. Wie Sara als een snol behandelt, krijgt met hem te doen. Waarmee bemoeit Tomessen zich? Wie een keer de waarheid verdraait, hoeft nog geen leugenaarster te zijn. Wie liefde geeft, geen hoer.

Grimmig staat hij aan de bar van zijn koffie te lurken. Van kwaadheid proeft hij niets. Hij weet nu zeker dat hij morgen in San Antonio wil zijn. Teun is de enige domper op zijn vreugde. Wat is dat voor een klootzak die in 'n etmaal honderdtachtig graden kan draaien, van aanraden tot afraden. Zo'n vriendschap gaat toch ook niet verder dan een politiepet. Hij moet bovendien met zijn vingers van Sara afblijven, zeker van haar rokken. Van Welie een homo, zijn vriendje het vriendje van Sara... Nou en?

'Het is niet wat u denkt, meneer Van Helden, ik hield niet van Thomas van Welie...'

Oh Sara, denkt Rik, jij bent de enige niet die af en toe wel eens uitglijdt over de waarheid.

Sara wordt wakker van het gebrul dat op het plein ontstaan is na het beginsignaal van de volleybalwedstrijd tussen de jonge knoflookboeren uit San Antonio en de korenboeren uit een naburig dorp. Een jaarlijks terugkerend festijn waarbij alles is toegestaan behalve het strikt hanteren van de spelregels. Onder luid gejoel en schor gekrijs van het verdeelde publiek slaan ze elkaar beurs met pootgaten en graankneuzen. Het snoeven in de bar over oogsten en opbrengsten wordt vanavond afgestraft of waargemaakt en de heilige Antonius mag vanuit de kerk toezien hoe het noemen van zijn naam de spelers bij elkaar brengt.

Sara knipt het schemerlampje naast haar bed aan en gaat rechtop zitten want slapen is er vanaf nu tot ver na middernacht niet meer bij. Ze wist het toen ze dit appartement huurde en niet een kamer in het enige, en voor dit dorp zelfs acceptabele, familiehotel. Ze koos met opzet deze kloostercel en nam de zomerevenementen op het plein voor lief. Het was nou eenmaal niet anders.

Met klamme vingers peutert ze een sigaret uit het pakje Camel dat ze altijd onder handbereik heeft. Ze steekt de sigaret aan en kijkt peizend voor zich uit.

Uren wachtte ze zo, met vlammend hart en brandend kruis. De maagd in verwachting. Hoop is de verslaving van het leven. In haar geval meer ingang dan uitgangspunt. Geen knollen voor citroenen. De liefde wil bemind worden. Een Pearl voor een prachtig zwijn. Komt het zien, komt het zien. Oude dame trapt in jonge minnaar. De blijde boodschap, een rotte vrucht. De apostelen in krijgsraad bijeen. De vredesduif had de grootste krop. Eerst het huis, dan de haard. Eenmaal, andermaal, verkocht. Met haar neus in zijn hand trok hij door het ganse land. Discriminatie is vals, uitbuiting veel erger. Het alfabet vult het machtsvacuüm: CCNC, ETA, IRA, RAF. Een bom de beurs. Risotto in de maag van Aldo Moro. Zij eet haar eigen zenuwen. Juuls lid bleef leeg, wilde niet ontbranden. Wel de raket in zijn aars. Thomas is haar zoon: Melkisedek in wolfs-kleren. Maar striptease geeft doorzicht. Beter ten hele gekeerd dan ten halve gedwaald. We werken allemaal naar hetzelfde doel: uiteindelijk de vlam in de pan. De booster voor de shuttle is hagel voor de hersens. Brokstukken naar het heelal. Vrouw, ziedaar uw zoon. Zoon, ziedaar uw moeder. Zo simpel ligt dat.

Agatha Christie zou alles allang geweten hebben. Sara van Welie had niets in de gaten.

Er gingen weken voorbij en Sara had allang de hoop opgegeven Juul ooit terug te zien. Maar op een herfstdag stond hij op de stoep, even nat als het druilerige weer. Toch zag hij er aantrek-kelijker uit dan zij, schoot het door haar heen. Verward schoof ze het vette blonde haar naar achter, nodigde hem uit binnen te komen, duwde hem de zitkamer in en vertrok meteen naar boven om haar uiterlijk wat meer in overeenstemming te bren-gen met zijn leeftijd. Toen ze terugkwam, merkte ze aan zijn reactie dat de poging minder geslaagd was dan ze gehoopt had. Het gesprek wilde evenmin vlotten. Juul zat onwennig op de bank en Sara op het puntje van de stoel. Ze keken elkaar aan.

'Zo,' zei Juul, 'daar ben ik dan.'

'Ja leuk,' zei Sara.

Juul drumde op zijn knieën.

'Wil je een glaasje sherry?'

'Liever thee,' zei Juul.

Ze vloog naar de keuken en terwijl ze het water opzette, dwong ze zichzelf na te denken over een onderwerp waar ze direct makkelijk en vlot over konden praten.

'Misschien wil je mijn reisalbums zien,' stelde ze voor toen Juul de thee in één slurp opdronk.

Ze pakte de plakboeken en ging naast hem op de bank zitten. Hij schoof een eindje op. Daardoor raakte ze pas vrij laat op dreef maar toen ze eindelijk zover was, wist ze niet van ophou-den. Ze rekte de bladzijden, bij elke foto vertelde ze een anec-dote, gaf ze een toelichting en hij gaapte beleefd achter zijn hand.

Pas bij het hoofdstuk 'Pompei' kreeg hij belangstelling. Hij tikte met zijn vinger tegen een foto. 'Wees eens even stil want dat herken ik. Pompei. Wanneer ben je daar geweest?' vroeg hij.

'Een paar jaar geleden.'

'Heb ik ook gezien.'

'Wanneer?'

'Oh, pas nog.' Hij tuurde lang naar een foto. 'Is dat Casa dei Vetti?'

'Kan best. Ik vind Pompei mooi, maar ik heb niet alle namen van de huizen uit mijn hoofd geleerd. Wat is er met Casa dei Vetti?'

Hij begon te lachen. 'Daar staat een beeld, ik geloof dat het oorspronkelijk een beeld op een fontein is geweest. Het stelt Priapos voor, God van de vruchtbaarheid of zoiets. Zó'n pik.'

Juul duidde iets onwaarschijnlijks aan en Sara, die aanvankelijk verrast was door zijn culturele belangstelling, kleurde tot achter haar oren. 'Uit z'n lul kwam vroeger water. Nu staat het beeld niet meer in de tuin maar in een van de kamers. Ze hebben het opgeknapt voor zover dat nog mogelijk was want zijn rechterarm hebben ze nooit gevonden. We hebben er heel wat foto's van gemaakt.'

'We?' vroeg Sara. 'Je hebt me niet verteld dat je met een ander op vakantie was in Italië.'

'Ik ontmoette toevallig een Nederlandse jongen in Italië.'

'Reisde die ook alleen?'

Meteen sloeg Juul het plakboek dicht. 'Aan alles komt een einde,' zei hij. 'Aan vragen en ook aan dit bezoek.'

'Kan ik je nog wat aanbieden?' drong Sara aan, ''n biertje, 'n borrel of 'n sherry?'

Juul zei dat hij nooit dronk, weliswaar bar ongezellig maar hij kon er niet goed tegen, bekende hij. En als hij helemaal eerlijk was, ook haar sigaretten irriteerden hem. Hij voelde aan zijn slijmvliezen dat hij er last van kreeg.

'Dat wordt een kwestie van uitmaken en geen andere opsteken,' zei ze gedienstig. Verlegen stonden ze op. Sara draaide aan haar krullen en Juul hees zich in zijn natte jack. 'Zie ik je nog een keer?' smeekte ze bijna bij de voordeur.

Hij draaide zich op de drempel om. 'Ik weet niet of je van rock-jazz houdt,' zei hij, 'maar aan het eind van de maand speelt een hartstikke goede band hier in Nijmegen. Misschien heb je zin om mee te gaan. Kan ik iets terugdoen voor de gezellige lift.'

Achteraf vond ze dat ze iets te gretig op zijn aanbod was ingegaan maar aan de andere kant, redeneerde ze, kon het weer geen kwaad hem te laten merken hoe graag ze hem mocht. En dat was nog tamelijk zwak uitgedrukt vergeleken bij de gevoelens die ze de dagen daarop onderging.

Ze was hopeloos verliefd geworden; het ene moment lag ze in zijn armen, het andere achtte ze haar zaak verloren. Vooral haar leeftijd en die verdomde striae op haar buik waarnaar ze uren in de spiegel kon kijken, beschouwde ze als onoverkomelijke minpunten. Daar stond tegenover dat haar krullen weggeknipt waren in nonchalant gelaagde lokken, die haar volgens de kapper tien jaar jonger maakten, plus een nieuwe garderobe die deze indruk moest bevestigen. Moe werd een late tiener.

Het huis kreeg ook een opknapbeurt, en van de slaapkamer bleef zelfs weinig over. Ze kocht een tweepersoonsbed waarover witkanten dekbedden geil tegen zachtrose behang pronkten en aan de muur hing ze tekeningen van jazz-musici uit een boek dat ze speciaal voor dit doel aangeschaft en verknipt had. Vriendelijk blikten Max Roach, Tito Puente, Billy Higgins en Art Blakey de kamer in.

De woorden bij het portret van de laatste leerde ze uit haar hoofd: 'I think the drum is very musical if the approach is right. The drum is the first instrument after the human voice.'

's Avonds, het hoofdeinde van het bed in leesstand, oefende ze net zolang totdat ze wist dat Buddy bij Rich hoorde en Gene bij Krupa. Juul moest niet denken dat Sara geen verstand van jazz had.

En aldus uitgerust, wandelde ze na veel te lange dagen naast hem naar een café waar een stel punkers met oorverdovend lawaai de 'dog tunes' en 'fluffs' probeerde te overstemmen. Toen Juul in de pauze vroeg hoe ze het vond, antwoordde ze: 'Mellow like a cello.'

Hij begreep het niet en zij niet waarom ze loog want ze zag er ontzettend tegenop het tweede deel van de avond weer aan de monitor van het drumstel te moeten. 'You capture rhythm, you capture life' mocht dan voor drummer Ronald Shanon Jackson gelden, niet voor haar en rock-jazz. Bewegingloos zat ze naast Juul die uitzinnig door het lawaai imaginaire sticks hanteerde op zijn dijen en haar leren rok. Ze probeerde te glimlachen maar ontdekte dat haar gezicht was opgehangen aan een grimas van verbazing over zoveel decibellen en zo weinig geluid.

Hij genoot en zij verlangde naar het einde van de vertoning, veel te laat en met een geweldige klap ingezet en overgenomen door een uitzinnig publiek dat tekeer ging alsof het massaal als levend soepvlees in kokend water werd gegooid.

'Te gek,' brulde Juul en hij omhelsde haar in zijn enthousiasme wat ze nog het beste gedeelte van de avond vond. 'Als ik een Pearldrumstel had, zou je mij eens moeten horen.'

In gedachten noteerde Sara de naam: parel, pearl, Pearl Buck, the good earth. Iedere wens van Juul viel bij haar in goede aarde. Ze zou het onthouden en op een dag...

'Nee toch, verdomme Sara, te gek, absoluut tig, te maf,' schreeuwde hij toen ze hem mee naar de zolder nam en hij zijn ogen niet durfde te geloven want wat hij daar zag was: één bassdrum, drie tomtoms, één kleine snare, twee standaards, één hihat pedaal, alles schitterend doorzichtig, twintig inch en bovenal Pearl.

Voorzichtig ging hij achter het drumstel zitten en hij produceerde miniroffels, voorslagen, triolen, kwarten, helen, breaks, fills en rudiments van zulk een erbarmelijke kwaliteit dat kort daarna de telefoon ging en de buren bezorgd informeerden hoe lang de verbouwing ging duren.

Even had ze spijt van de duizenden guldens maar toen Juul zijn gloeiende hoofd in haar nek legde en fluisterde dit nooit verdiend te hebben, zou ze hetzelfde bedrag weer willen betalen voor een ander moment van echt geluk.

Als een hondje draafde hij van haar naar z'n drumstel boven. Even zachtjes proberen en dan weer naar beneden om haar nogmaals en wederom te bedanken, omdat zij zo lief voor hem was en hij maar weinig kon teruggeven. Hij bibberde van aandoening en schudde telkens zijn hoofd heen en weer. Sara was veel te goed voor hem. Tig, maf, ongelooflijk. Hij voelde zich een parelduiker die na talloze mislukte pogingen toch nog zijn pearl in de wacht sleepte. Dat was nooit zijn opzet of zijn bedoeling geweest. Toegegeven, het was zijn innigste wens maar Sara was hem even lief, hij zou het vervelend vinden als ze...

'Hou op,' zei ze een beetje gegeneerd. 'Ik word er verlegen van. Voor jou is een drumstel een vermogen maar voor mij betekent het of ik een bosje bloemen voor iemand meebreng.'

'Zo rijk?' gaapte hij haar aan.

'Multimiljonair,' lachte Sara en toen Juul haar ongelovig aankeek, gooide ze zich boven op hem en ze rolden samen door de kamer. 'Joehoe,' schreeuwde ze, 'we gaan de tijd van ons leven tegemoet. Eindelijk de beuk erin.'

Er veranderde veel en erg weinig. De buren distantieerden zich onder fel protest van haar en de luidruchtige pogingen van Juul de Pearl-Export van katoen te geven. Daarom werd de zolder geluiddicht geïsoleerd en kwam hij vaak 's middags oefenen waarna hij meestal bleef eten.

Sara gaf het roken definitief op omdat hij meende het benauwd te krijgen. Ondanks haar aanvankelijke humeur bleef het gezellig maar als bedtijd zich aankondigde en het aan haar voelbaar was wat ze wilde, vertrok hij direct en liet hij Sara achter met een lege Cassisfles en een bang vermoeden dat hij haar, en vooral haar leeftijd, onaantrekkelijk vond.

Op hoopvolle momenten evalueerde ze de verhouding ten gunste van zichzelf en putte daaruit weer zoveel moed dat ze de verhouding met Juul niet opgaf. Uiteindelijk vrijden ze al een beetje en het bed was nog tamelijk nieuw. Alles had zijn tijd nodig, hield ze zichzelf voor. Zij moest aan Juul wennen, hij aan haar en het aanzienlijke leeftijdsverschil mocht ze vooral niet accentueren door hem haar geestelijke bagage en lichamelijke nood op te dringen.

De opvoeding en de geneugten van mevrouw Gottschalk maakten plaats voor patat met mayo, muziek van Golden Earring, Rolling Stones, Sade, spijkerbroeken die hij steevast 'ballensplitsers' noemde, gel in het haar en duiveringen in het oor. Een plaat van Chris Barber die ze voor hem kocht, vond hij de grens van zijn moderne tijdperk.

Als Juul aan zijn ellenlange monologen over het volk en zijn rechten begon, werd het minder gezellig, bar ongezellig als het woord 'kernraket' viel. Eén blik op Mient Jan Faber was voldoende voor een avondvullend programma. Kernkoppen vlogen dan over tafel, raketten door de kamer, internationaal-

144

strategische verhoudingen werden op het vloerkleed uitgemeten, het nucleair evenwicht werd tussen de meubels geëva-
lueerd, het kernwapenarsenaal op de muren geturfd. De con-
ventionele balans was doorgeslagen, de intensieve militaire
concurrentie verscherpt.

'En dat is geen emotionele voorstelling van zaken,' betoog-
de Juul, 'maar keiharde realiteit. In Nederland ziet niemand
dat in. Miljoenen mensen lopen met vredesvlaggetjes achter
jongetje Faber en meisje Strikwerda aan. Afgrijselijke idioten
die denken dat ze de wereld kunnen veranderen door onder
toezicht van de Raad van Kerken te bidden. De halzen. Ze
hebben niet eens in de gaten dat ze een gruwelijke mystificatie
in stand houden.' Hij veegde enkele schuimbelletjes van zijn
lippen. 'Nee, wat de wereld nodig heeft is persoonlijkheid en
intelligentie. Mensen die het lef hebben om het kwaad met
wortel en al uit te roeien. We hebben behoefte aan een nieuwe
orde die bestaansrecht geeft aan alle mensen. Laat Mient Jan
Faber en zijn kleuterklas maar posters kleuren. Mijn strijd-
kreet heet verzet. En als je als pacifist niet letterlijk vurig durft
te zijn, onderwerp je je aan de terreur van de machtselite.'

'Ziezo,' zei Sara die zich ondertussen gruwelijk verveelde,
'dat hebben we dan weer gehad. Ik moet je eerlijk bekennen
dat ik totaal niet begrijp wat je bedoelt. Lieve Juul,' plaagde
ze, 'je bent toch veel te mooi om je met zulk een moeilijke
materie bezig te houden. Laat jij de beslissing nou maar over
aan mensen die weten waar ze over praten. Wil je nog een
glaasje cassis?'

Dan kon Juul zo eigenaardig naar haar kijken dat ze bijna
bang voor hem werd.

Toch maakten ze ook wel eens lol. Vooral op de dagen dat
Sara's bankafrekeningen bol stonden van al het geld dat ze
verzuimde op te maken. Onder leiding van Juul stormden ze
de stad in en wakkerden ze de technische revolutie aan. Kernwapens en gifgassen ten spijt. Hier een compact disc, daar een
walkman, verderop een schaakcomputer. Zulke aanvallen be-
loofden een fijne avond want al spelend met zijn nieuwe aan-
winsten vergat Juul de verderfelijkheid van de computermaat-
schappij en herhaalde hij, bijna met tranen in de ogen, dat ze
veel te goed voor hem was en hij niet snapte waaraan hij haar

generositeit te danken had.

'Aan je gezelschap,' zei Sara gelukkig en ze probeerde niet te denken aan de dagen waarop hij zonder bericht wegbleef. Nooit vroeg ze waar hij geweest was, nooit verweet ze hem het wachten, integendeel, haar huis was zijn huis en hij kon dat naar believen gebruiken. De momenten van samen-zijn moesten belangrijker zijn dan het verdriet om zijn afwezigheid.

In het voorjaar, juist toen ze met Juul bepakt en bezakt uit de stad kwam, belde de notaris. Hij klaagde dat ze elkaar veel te weinig zagen, herinnerde haar aan hun gezellige avondjes en verweet haar dat ze zijn vrouw, toch een goede vriendin, in de steek liet. 'Ben je soms verliefd geworden?' vroeg hij.

'Ja,' juichte Sara.

'Toch niet op die sloeber met die rooftrek op zijn muil?'

Kort maar krachtig legde ze hem uit dat ze zulke termen niet duldde. Juul stond op een paar meter afstand te gloriëren in zijn nieuwe zwarte leren broek, hij gooide kushandjes naar haar en maakte een gebaar van: afschepen die indringer. 'Kunnen we nu ter zake komen?' vroeg ze kort.

De notaris trad onmiddellijk in functie. 'Je realiseert je misschien dat je nog altijd eigenaresse bent van Jacobahuis,' zei hij een beetje venijnig. 'Welnu, volgens afspraak hebben de makelaar en ik gewacht met de verkoop tot het voorjaar. Weet je nog, omdat dan het huis zo voordelig uitkomt.' Hij beschreef het park waar de krokusjes hun kopjes opstaken, de forsythia's bloeiden en het gras groener werd. Een koper bleek net zo lyrisch geworden te zijn en bijzonder gevoelig voor de combinatie van aarzelende schoonheid en verweerde trots. Hij bood zes ton. Geen cent meer. De notaris adviseerde haar dit unieke bod te accepteren. De tijden waren slecht en grote huizen nauwelijks te verkopen.

'Wat doe je?' vroeg hij haar.

Ze beloofde zo snel mogelijk een beslissing te nemen, nu was ze niet in de gelegenheid dieper op het onderwerp in te gaan maar zodra ze tijd had... Toen ze de hoorn ophing bleef ze bedenkelijk kijken. Hoe kwam de notaris aan zijn inlichtingen over haar privéleven? Het ging hem toch niet aan denigrerende opmerkingen te maken over haar vriend.

Juul voelde feilloos aan dat iets Sara uit haar humeur had gebracht en, om de nieuwe broek te vieren en Sara weer wat op te monteren, schonk hij haar een groot glas sherry in en zichzelf een zuinig glaasje cassis. Daarna wilde hij echt weten wat haar zo bedrukte.

Van het een kwam het ander. Van Jacobahuis de bekentenis dat ze ooit een vader had die haar wilde onterven ten gunste van zijn kleinzoon; haar zoon. Zelfs na uren praten en een hele fles sherry die wel haar woordenvloed maar niet haar verstand ten goede kwam, weigerde Juul te accepteren dat Sara zo ontaard kon zijn haar eigen zoon het familiehuis te ontzeggen.

'Zo rijk,' zei hij telkens, 'en geen kruimel van de overladen dis. Sara zo ken ik je niet. Stel je voor, een zoon van mijn leeftijd, een jonge knaap door zijn grootvader opgevoed en niet eens het huis waarin hij is grootgebracht. Mag je hem zijn gedrag kwalijk nemen? Je stelt me teleur. Ik dacht dat jij een en al goedheid was.'

Nu Sara hem verteld had uit haar heimelijke leven, wilde hij ook wel wat kwijt over zijn afkomst. Kommer en kwel. Vader een notoire dronkaard en moeder niet minder. Een geluk: hij had een goed stel hersens. Wel arm maar geestelijk niet onbemiddeld. Lang leve de democratie. Ook de minder gefortuneerden kregen een kans dankzij steunfondsen en overheidsgelden. De enige manier om aan je ouderlijk milieu te ontkomen. Dus het gymnasium en daarna met een studiebeurs verder. Van nog geen duizend gulden in de maand zien rond te komen, handje blijven ophouden. Zo ontdek je wel hoe de wereld in elkaar zit. De rijken steeds rijker en de armen armer. Rotzooi alom. Als drummer niet aan de bak komen en toch zelfstandig willen zijn. Niet meer afhankelijk. Geen dank je wel meer hoeven te zeggen. Vriendjespolitiek. Handen boven elkaars hoofd. Teleurstelling op teleurstelling. Zoals nu met Sara. Niet te begrijpen dat iemand met zo'n zachte inborst zo'n ijskonijn kon zijn.

Hij nam haar in zijn armen en frutselde aan haar scarabee. 'Moet ik nu soms ook geloven, na al die kleine en grote geheimpjes, dat dit sieraad van een vriendin afkomstig is? Misschien heb je talloze minnaars gehad en gebruik je mij als tijdpassering.'

Ze troefden elkaar over en weer af. Dit was waar en dat ook. IJskonijnen werden tegen pelikanen ingeruild. Het bloed stroomde warm door de aders. Het onschuldig lam werd door Juul van het offerblok gered. Hij geloofde uiteindelijk toch in de goedheid van de mensen. De nieuwe Christus. Agnus Dei. Mea Culpa. Thomas kreeg Jacobahuis.

'Nu kan ik je eindelijk tot mij nemen,' fluisterde hij. 'Sara ik wil zo graag met je naar bed.'

Het werd een grote teleurstelling.

Terwijl ze elkaar uitkleedden begon Juul naar zweet te ruiken. Zo vaak had Sara in gedachten haar benen gespreid en haar geslacht vochtig gemerkt, nu voelde het als grof schuurpapier. Zijn penis leek op een ijspegel in ontdooiing en toen ze hem probeerde op te vrijen, smaakte hij naar gegiste erwtensoep en rook hij nog kwalijker.

'Zo kan ik het niet,' bibberde Juul terwijl hij in haar mond verschrompelde.

Eerst lagen ze als vreemden naast elkaar in bed, daarna begon Juul te godveren en aan zijn lid te trekken. 'Het moet, het zal,' hijgde hij.

Sara aaide hem voorzichtig, fluisterde het aan haar over te laten. Hij gaf toe en langzaam speelden haar vingers hem stijf.

Grote zweetdruppels parelden op zijn voorhoofd toen hij boven op haar zijn werk verrichtte. Hij zwoegde als een kaaiwerker, zijn gedachten op het werk geconcentreerd, vastbesloten de lading te lossen. Hij werd nerveus, draaide haar om en beval haar het achterwerk omhoog te brengen. Ze gilde toen hij met zijn vingers haar aars wilde openbreken.

Juul sprong het bed uit, Sara hield hem tegen. 'Geeft niets,' suste ze, 'het is helemaal niet belangrijk. Er komen nog zoveel mooie momenten.'

Hij huilde als een klein kind en viel tenslotte onder het toeziend oog van Max Roach in slaap.

Morgen haal ik die troep van mijn kamer, dacht Sara en ze rolde hem naar het uiterste puntje van het bed. Daarna knipte ze het nachtlampje uit. Ze verlangde hevig naar kauwgom maar durfde niet op te staan, bang dat hij alsnog een nieuwe poging wilde ondernemen. Haar restte niets anders dan haar gedachten op nul te zetten en de nieuwe dag af te wachten.

Ze hadden beiden een kleine injectie nodig. Sara kocht een nieuwe Alfa Sud T1 en Juul reisde op haar kosten naar Noord-Ierland om de strijd en het lijden van zijn kompanen te proeven. Zij zag de lol er niet van in maar aangezien hun verhouding in retraite leek en hij toch al zo in de war was, liet ze hem met zijn eigen opvattingen en extra zakcenten vertrekken.

Ondertussen regelde ze Jacobahuis. Het deed de vriendschap tussen haar en de notarisfamilie geen goed. Mevrouw kwam hoogst persoonlijk op kantoor om haar te waarschuwen tegen uitbuiters en hun trawanten. Toegeven was het begin van het einde. Omgekeerd zou Sara nooit een cent van Thomas van Welie gekregen hebben. 'En,' vroeg ze driftig, 'met wat voor Jezusfiguur leef jij samen? Wat kan hij nog meer behalve klaplopen en uitdelen uit jouw portemonnaie? Als ik jou was zou ik dat dekseltje eens goed oplichten om precies te zien welk vlees er in het kuipje zit. Sociale bewogenheid,' hoonde ze, 'medelijden met Thomas, sinds wanneer heeft Unicef afgedaan?'

Sara zei dat ze te ver ging en de notaris voorkwam erger door haastig een kandidaat te roepen en de akte af te raffelen. Het interesseerde Sara niet wat Thomas met Jacobahuis van plan was. Hij mocht erin wonen, het doorverkopen aan de unieke koper, het verwaarlozen, het was haar zorg niet. Juuls geloof in haar was hersteld en haar eigen seksuele teleurstelling reduceerde ze tot de overweging dat alle begin moeilijk was en optimale bevrediging tijd en geduld vergde.

Na enkele weken kwam hij terug. Opgemonterd en strijdlustig. In Ierland hadden ze pas principes, daar stonden de mensen voor hun zaak, nooit zouden ze de strijd opgeven. Hij vertelde zo tomeloos en emotioneel verward dat ze achteraf nog niet begreep of hij nu tegen Engeland, voor de protestanten of met de katholieken was. Maar een ding snapte ze wel namelijk dat Juul op een overdreven manier belangstelling had voor aanslagen, bomtechnieken en guerillatactieken.

Om hem af te leiden organiseerde ze dagtrips en bezochten ze Nick Vollebregts Jazzcafé en andere gelegenheden met mogelijkheid tot veel lawaai. Het waren gezellige uitstapjes. Afgezien van het feit dat Juul geen tweede poging ondernam 'haar tot zich te nemen' gedroegen ze zich als vrolijke minnaars. Hij eeuwig en altijd met zijn arm om haar heen en Sara als een dwepende scholiere tegen hem aan. Het leeftijdsverschil speelde nauwelijks nog een rol dankzij Juuls natuurlijkheid, haar heimelijke bezoeken aan kappers en visagisten en de normale reactie van mensen met wie ze in contact kwamen. Als het altijd zo mocht blijven, wilde Sara het hongerige gevoel in haar buik wel vergeten want, hield ze zich constant voor, een mens kan niet alles hebben in het leven. Bovendien had ze zich de afgelopen jaren goed geoefend in afzien en afwachten.

In de zomer ging Juul alleen op vakantie met haar auto en een klein deel van de Pearl-uitrusting. Sara wilde best mee maar hij verzekerde haar dat het leven van een roadie voor haar te zwaar was en matig interessant. En met een rijke maîtresse op de achtergrond kon hij zich niet concentreren tijdens zijn toernee met zijn band door Frankrijk. Er bleef voor haar niets anders over dan wachten tot 'het mannetje', zoals hij zichzelf nu noemde, boordevol ervaringen en misschien wel met nieuwe contracten, haar leven weer kwam opfleuren. Op haar vragen met wie hij ging en waar precies naar toe, kreeg ze onvoldoende antwoord. Het waren uiteindelijk wisselende formaties met vage bestemmingen, het reisschema lag nog niet helemaal vast maar bij thuiskomst zou Sara alles te weten komen, beloofde hij. Als herinnering en om haar zo dicht mogelijk bij zich te houden, vroeg hij om haar scarabee. Het was de eerste keer dat hij een negatief antwoord kreeg.

In de weken tijdens zijn afwezigheid vulde Sara de dagen met wachten en verlangen. Ze durfde amper van huis, bang dat Juul bij een voortijdig terugkeren de woning verlaten zou vinden. Ze klampte zich vast aan de foto die ze in Italië van hem gemaakt had en stond uren te wachten op de postbode die uiteindelijk wel kwam maar haar geen levensteken van Juul bracht.

Eindelijk stond hij weer voor de deur: de jongen van vakantie. Gebruind, tanig, twee schitterende witte rijen tanden in een open gezicht. Juul was mooier en blonder dan ooit maar zijn humeur had evenals de Alfa een flinke deuk opgelopen.

De toernee was tegengevallen. Weinig engagementen, veel

afzeggingen, financiële stroppen, wel veel zon maar nog meer schuld. Waaraan of waardoor kwam ze niet precies te weten. Op al haar vragen gaf hij ontwijkende en halve antwoorden en op het laatst zei hij korzelig dat hij niet gewend was zich het ei uit zijn gat te laten bedelen. Om de stemming niet helemaal te bederven bood ze het ontbrekende geld aan dat Juul zuchtend in ontvangst nam. Natuurlijk lag het niet in zijn bedoeling haar financieel te misbruiken maar nood brak wet. Hij kon het ook niet helpen dat al zijn pogingen een menswaardig leven voor hemzelf en straks wellicht voor Sara op te bouwen, tot mislukken gedoemd waren. De wereld barstte van talent en niemand zat op Juul Manten te wachten.

Wat Sara ook voorstelde om de stemming erin te houden, het resultaat was niet navenant. Hij zei steeds minder en wanneer ze tot een gesprek kwamen, begon hij over Thomas die net zo ongelukkig moest zijn als hij: jong, berooid en altijd afhankelijk van degenen die rijk waren of de macht hadden.

Het waren deze tirades en zijn ongezonde belangstelling voor alles wat ze zich over Thomas herinnerde, waardoor ze ongerust werd en ineens alert. Had ze tot voor kort zijn plotseling wegblijven en opduiken als jeugdige onrust beschouwd, nu begon ze zich af te vragen wat hem naar haar toe dreef, wat hem van haar weglokte, en waar hij dan verbleef want een vast adres had hij haar nooit gegeven. Bovendien rook zijn adem vreemd. Niet vies of hongerig maar af en toe naar sigaretten en restanten alcohol. Toen ze hem vroeg of haar neus gelijk had, stopte hij zijn hand in zijn broekzak en schold hij haar met een rooie kop uit dat ze niet moest proberen moedertje over hem te spelen. Wanneer ze last kreeg van dergelijke aanvallen, was er maar een oplossing: haar eigen zoon optrommelen, de erfenis weggeven en daardoor proberen de familierelatie te herstellen. Maar toen hij, om zijn ergernis kracht bij te zetten, toch onverwacht zijn hand tevoorschijn haalde, zag ze duidelijk nicotinevlekken op de wijs- en middenvinger.

Zulke voorvalletjes en de opmerkingen over haar uiterlijk, het gesar dat ze misbruik maakte van zijn jeugd, zetten haar aan het twijfelen. Toch liet ze nog niets merken.

Wel besloot ze, in het najaar, toen zijn afwezigheid meer regelmaat dan uitzondering werd, de hulp van een particulier detective in te roepen. De kosten interesseerden haar niet, verzekerde ze hem, wel discretie en betrouwbare inlichtingen. Samen bespraken ze de werkwijze. Hij kreeg de foto uit Italië en zij beloofde hem op te bellen met de mededeling dat de rekening wel ontvangen was maar dat ze deze graag nader gespecificeerd wilde zien. Hun code voor de aankomst van Juul.

Binnen een week kon de detective aan het werk. Sara legde de hoorn op de haak en Juul sloeg zich op zijn dijen van plezier: een multimiljonaire oude vrijster die zich onledig hield met kleine winkeliers achter de broek zitten om misschien een paar centen van het eindbedrag af te knabbelen.

'Ja, ja,' zei Sara, 'lach jij maar.'

Nadat hij uitgelachen was, begon hij over zijn eigen geldzorgen. De schulden rezen de pan uit. Frankrijk werd een ramp. Achteraf bleek dat hij contractbreuk had gepleegd. Misverstanden waren daarvan de oorzaak. In de week dat hij eigenlijk in Aix-en-Provence had moeten spelen, stroopte hij met zijn band de kustplaatsen van Bretagne af. Hoe dat had kunnen gebeuren wist niemand maar via zijn impressario kreeg hij rekening op rekening gepresenteerd. Men had in Aix-en-Provence geen genoegen genomen met een tweederangs invalbandje. Nee, op zijn rekening waren artiesten van naam gecontracteerd, de heren zagen immers de kans schoon op zijn kosten een top-orkest te huren.

'Hoeveel is het dit keer?' vroeg Sara onbewogen.

'Schrik niet,' antwoordde Juul. 'Ik vermoed dat het totaalbedrag rond de ton ligt.'

'Dat is een heel bedrag,' zei ze. 'Ik weet niet of ik dat zomaar vrij zal kunnen maken. Daar gaat wat tijd over heen. Maar, ik zal zien wat ik kan doen.'

Knippend en buigend vertrok hij. Het was de laatste keer dat hij haar ooit om geld zou vragen, verzekerde hij nog. Als al zijn schulden betaald waren, bleef hij een hele poos bij haar. De Pearl-Export moest de meesterhand weer voelen. En eigenlijk verlangde hij diep in zijn hart naar... nou ja Sara begreep wel waarop hij doelde.

Sara begreep inderdaad veel. Ze keek hem na toen hij de straat uitliep. De schouders recht, de kont uitdagend in de ballensplitser. Een paar meter spijkerstof werd fier de hoek omgedragen. Een Renaultje 4 schoof langzaam door de straat.

Het spel was uit. Ze huilde niet. Haar restte slechts een paar centen van de bank te halen, de laatste prijs om erachter te komen dat ze blind roulette had gespeeld.

'Een klassiek verhaal,' zei de detective enkele weken later terwijl hij aan zijn eigen neus trok. 'Mevrouw Van Welie, als ik u vertel hoeveel vrouwen...'

'U spaart uw epiloog maar voor de ombudsman als hij u voor de televisie uitnodigt,' zei Sara. 'Ik heb u betaald voor feiten niet voor conclusies.'

De hoofdlijnen had ze al vermoed, alleen de details ontbraken nog. Die kreeg ze kort maar krachtig. Juul Manten: niet de zoon van zatladders en steuntrekkende scharrelaars maar de labiele tweede telg uit een geslacht van paardenfokkers. Juul Manten: ooit student Franse taal- en letterkunde, ook trommelaar maar niet de leider van 'Horse-rock', de band waarvoor ze een complete hippische uitrusting had gekocht. Juul Manten: niet in staat tot amoureuze betrekkingen met vrouwen, wel de schandknaap van diverse gefortuneerde heren.

'Ik denk dat ik u de naam van zijn laatste verovering of veroveraar, zo goed ben ik ook niet in die kringen thuis, moet noemen mevrouw Van Welie,' zei de detective.

'Ik geloof,' antwoordde Sara terwijl ze aan haar scarabee frommelde, 'dat ik voel aankomen welke naam u gaat noemen.'

'Thomas van Welie.'

'Die bedoel ik,' antwoordde ze kort.

'U weet waar hij woont?'

'Nee.'

'In Cormantin, in Frankrijk.'

Even later vroeg de detective of hij iets voor haar kon doen.

'Ja,' knikte Sara. Ze stond op, pakte haar portefeuille en legde een bedrag neer dat een veelvoud was van het afgesproken honorarium. 'Zwijgen,' zei ze.

'Maar mevrouw.'

'Zwijgen,' herhaalde ze. 'En als u veel fantasie hebt dan ook nog vergeten.'

Vrijdag

De zon wringt zich moeizaam tussen grauw-grijze bergwanden in het dal van de Ticino. Rik knippert vermoeid met zijn ogen in het bleke ochtendlicht wanneer de Sint Gotthardtunnel het zicht op het bergland weer vrij geeft. Een avond doorzakken, een nacht doorrijden, veel te korte stops onderweg, vreemde wegen en de onzekerheid over het uiteindelijke doel: alles eist zijn tol. Hij is doodmoe.

Vlak voor de Italiaanse grens, bij Coldrerio, laat hij de tank van zijn auto volgooien. Bij de grens koop hij Italiaans geld, duizenden lires steekt hij in zijn portefeuille maar hij voelt zich arm in waarde. Moet hij zo bij Sara aankomen?

De eerste indruk van Italië valt tegen. Teleurgesteld kijkt hij naar de sfeerloze flats en de lelijke optrekjes die tegen de heuvels aangebouwd zijn. Als hij in de buurt van Milaan komt, scheldt hij op die rot-Italianen die hem links en rechts passeren. Ze maken hem zo zenuwachtig dat hij het verkeerde betaalhokje voor de autbaantol neemt. Pas in de buurt van Bergamo ontdekt hij dat hij in de richting van Venetië rijdt in plaats van naar Florence. Vloekend zoekt hij een parkeerplaats op. Zijn vinger glijdt over de wegenkaart langs Brescia, Cremona richting Piacenza en dan via een doorsteek naar de Autostrada del Sole. Kilometers worden in tijd omgezet en hij rekent uit dat een nog hogere snelheid de achterstand kan wegwerken. Bij Fiorenzuola klopt zijn hart nog onrustig, bij Reggio nell' Emilia weer rustig maar voorbij Bologna opnieuw onregelmatig. Het reisdoel nadert en een gespannen uitgelatenheid maakt zich van hem meester. Hij besluit bij het eerste het beste wegrestaurant een kop espresso te gaan drinken en zich even te verfrissen.

Maar het maatje koffie vindt hij belachelijk en tegen de

juffrouw achter de toonbank wijst hij een grote kop aan waarop ze begrijpend 'si' roept en iets met romige melk voor hem klaar maakt waarop ze chocolade strooit. Ook dat nog, griezelt hij.

Toch is zijn humeur niet kapot te krijgen, zeker niet door Agje die hij even later opbelt om haar te zeggen dat zijn vriendschap voor haar en dat stuk onbehouwen vlees niet onder Sara zal lijden. Ze lacht vrolijk. Ze zou nooit, zegt ze, aan zijn vriendschap twijfelen. 'Het is maar goed dat je je ziek houdt,' deelt ze hem aan het eind van het gesprek mee. 'Bos zakt door zijn eigen eretribune van trots. Zelfs de pers heeft hij zo gek weten te krijgen dat ze hem de oplossing van de moord toeschrijven. Het vriendje van Thomas van Welie heeft de moord gepleegd. Een verbroken homofiele relatie is de oorzaak. Ik reken met het eten op je, maandagavond. Rij je voorzichtig?'

Die vraag vergeet Rik snel want herhaaldelijk betrapt hij zichzelf erop dat zijn aandacht meer bij het landschap is dan bij het verkeer. Hij begint van Italië te houden en hij neemt zich voor wat literatuur over het land door te nemen zodra hij weer thuis is. Sara zal ongetwijfeld veel over Italië weten. En via Sara herinnert hij zich plotseling dat hij als jongen een keer een schilderij van Henry Holiday zag.

Hij hing met zijn neus op het boek waarin de reproduktie afgebeeld stond. Hij begreep er niets van. 'Kom eens hier,' riep hij tegen zijn vader die de krant zat te lezen. Hij wees met zijn vinger naar het plaatje. 'Snap jij het?' vroeg hij.

'Wat?' vroeg zijn vader.

Hij las het hardop voor: 'Dante ziet Beatrice voor de tweede maal op 1 mei 1283 en zal weldra zijn eerste sonnetten schrijven.'

'Laat mij eens zien. Er leunt een dichter tegen een brug en die kijkt naar die vrouwen,' zei zijn vader.

'Jawel, maar welke van die drie vrouwen is nou Beatrice?'

Zijn vader keek opnieuw. 'Ik zie een kleine stille vrouw op de achtergrond, een maagdelijke schone die vastberaden verder gaat en een mondaine wulpse die half achterom kijkt,' mompelde hij. Ik zou echt niet kunnen kiezen jongen. Het zou best kunnen dat de schilder bedoelt dat alle drie de vrouwen iets hebben van Beatrice.'

'Nee, er staat toch dat Dante Beatrice ziet en dat betekent toch dat er maar één is.'

Zijn vader nam de krant weer. 'Wat kan mij het ook schelen,' zei hij een beetje verongelijkt voordat hij ging lezen.

Mijn vader wist het niet, grinnikt Rik, Dante wel en ik moet het nog uitzoeken...

Na Arezzo wordt hij oplettend. Straks komt de uitrit die hem naar San Antonio voert. Wie is zijn Beatrice en hoe zal ze reageren?

Er wordt vroeg op de deur geklopt: een paar bescheiden tikjes achter elkaar. Sara is allang op en aangekleed. Ze loopt naar de hal en vraagt wie er is.

'Sono io, ik ben het,' hoort ze iemand zachtjes fluisteren en omdat ze veronderstelt dat het Giulietta is die haar portie nieuws op komt halen, doet ze de deur van het nachtslot. Franco glipt naar binnen.

'Wat doe jij hier?' vraagt ze verbaasd en ongerust.

Hij knipoogt snel naar haar en streelt in het voorbijgaan haar borst.

In de keuken slaat ze met haar hand op de tafel: 'Porco, miseria, ellendig varken. Wat krijgen we nou? Sinds wanneer meen jij, hondsvot, mij aan te kunnen raken? Heb je nog niet begrepen dat je je behoefte ergens anders kunt deponeren?' Ze gebruikt het schelle afgebeten dialect van San Antonio, korte zinnen doorspekt met geslachtsaanduidingen en ze dreigt hem z'n ballen te kneuzen als hij niet onmiddellijk verdwijnt en die geile grijns van z'n kop haalt.

'Stik toch,' antwoordt Franco.

Hij zegt het gewend te zijn dat de wijven hem eerst uitschelden voordat ze laten zien wat hun broekje verbergt. Sara grijpt een stoel en komt dreigend op hem af. Lachend pakt hij een poot en hij sist dat hij zijn beloning opeist. 'La signora Sara,' zegt hij overdreven neerbuigend, 'heeft er alle baat bij dat ik haar uitstapje naar Florence niet bekend maak bij de carabinieri. Een kleine tegemoetkoming en ik zal zwijgen als het graf...'

Ze beloeren elkaar, de stoel blijft tussen hen in. Dan is het Sara's beurt om te lachen. 'Jij grote klootzak,' hoont ze. 'Ongelooflijke hufter. Ik ben niet te neuken door een wijnzak uit

San Antonio. Scheer je weg. Jij hebt je beloning binnen. Een vinger naar mij en ik loop naar de carabinieri. Vertel ik van je mooie verzameling in de kelder. Amforen, gestolen uit de grond. Ik weet heel goed waarvoor jij een sterke detector nodig hebt. Opgelazerd. Twintig jaar gevangenis kun je krijgen. Niet mij, vieze snuffelaar. Probeer 'm bij je moeder d'r in te steken.'

Hij is niet in het minst onder de indruk van haar beschuldigingen en grofheid. Integendeel. Eerst aait hij de krabben over zijn gezicht en dan trekt hij de stoel naar zich toe. Sara zet zich schrap. Plotseling laat ze los, Franco valt met stoel en al achterover.

Ze draait zich razendsnel om, vlucht het huis uit, de trap af, het plein over, de bar in waar Giulietta zich rot schrikt van haar gezicht en onmiddellijk aanbiedt Franco te bellen zodat hij de bar kan overnemen. Het is toch duidelijk dat de signora hulp nodig heeft. Ze schenkt nog vlug een wijntje in aan een klant, legt ondertussen uit dat die arme vrouw daar haar zoon verloren heeft en nu troost bij haar zoekt.

Het duurt lang voordat Franco de telefoon beantwoordt. 'Hij vreet als een varken, maar werken? Met Franco getrouwd zijn is ook niet alles,' zucht Giulietta terwijl ze Sara vermoeid aankijkt.

Ze passeren hem op het plein. Sara negeert hem maar Giulietta scheldt hem zijn huid vol. Bijna een uur heeft ze moeten wachten en dat terwijl de signora haar hulp nodig heeft... Franco luistert niet naar haar, stopt zijn handen in zijn broekzakken en stapt fluitend door.

Sara wacht verderop en   men met Giulietta gaat ze haar woning binnen. Daar wordt ze vertroeteld, in bed gestopt en gekalmeerd terwijl ze allang weer de rust zelve is. Maar vertellen moet ze...

Giulietta luistert op de rand van het bed. 'Madonna,' zegt ze iedere keer, 'wat moet een moeder lijden.' Ze slaat op haar hart: 'Ah, San Antonio, sta haar bij.'

Sara steekt een stuk kauwgom in haar mond. Door de uienlucht heen ruikt ze goed dat haar bezorgde vriendin nog niet gegeten heeft. Giulietta kan er niets aan doen, maar ik ook niet, denkt ze als ze na haar vertrek de ramen wijd open gooit en het huis lucht. Daarna gaat ze op een stoel voor de deur zitten die ze eerst op het nachtslot draait. Ze voelt dat ze San Antonio moet verlaten. Niet meteen, dat zou argwaan wekken. Het is beter haar vertek rustig voor te bereiden. Inmiddels moet ze waakzaam blijven, geestelijk mobiel. Het antwoord voor in de mond. Vuiligheid en rotstreek gaan samen. Net doen of je je net gedoucht hebt. Je voelt je goed, je voelt je lekker, je voelt je fris, het geheim zit in de stekker...

Het was allemaal kinderlijk eenvoudig wat haar te doen stond. Eerst moest ze Juul tot een volledige betekenis dwingen om achter het geheim van Cormantin te komen, daarna de rekening opmaken en tijd en plaats afwachten voor de presentatie.

'Als je vader ooit een voet in ons huis durft te zetten,' zei Anna eens, 'dan jaag ik hem 220 volt door zijn lijf. Eens kijken of hij dat overleeft.

'Hoe doe je dat?' vroeg Sara.

'Oh, heel makkelijk,' antwoordde ze terwijl ze de knot op haar achterhoofd recht zette. Ze was nog groot en dik en vol strijdlust: voor Sara en tegen iedereen die hun beschermde leven probeerde binnen te dringen. 'Ik neem een lang snoer waarvan ik een uiteinde bloot leg, het andere in het stopcontact, deur op slot en dan krijgertje spelen. Niemand denkt eraan,' liet ze peinzend erop volgen, 'maar als je het goed beschouwt zit een huis vol met moordwapens. Hoeveel mensen sterven niet omdat ze aan een wasmachine, 'n lamp of een elektrisch kacheltje zijn blijven hangen?'

'Als hij zijn kleren aanhoudt, kom je niet bij zijn blote vel,' zei Sara.

'Dan kleed ik hem piemelnaakt uit,' zei Anna.

Sara dacht diep na. 'Je mag niet doden,' concludeerde ze.

'Oh nee? Moet ik soms als oud vuil blijven toezien hoe hij zijn zwabber uitklopt? Ik verzeker je dat ik een goed mens ben maar waneer ik iemand haat ben ik tot alles in staat. Een schurk moet je als een schurk te lijf gaan. Oorlog is oorlog,' zei Anna.

Alhoewel haar idee voortreffelijk was, merkte Sara dat aan de uitwerking iets meer vernuft te pas kwam. Het lange snoer moest minstens een lengte van twintig meter hebben om alle uithoeken van de kamer te bestrijken, en verder ontdekte ze dat het slappe uiteinde van de omsponnen draad zich nauwelijks liet richten. Het gevaar met eigen vingers aan de blote pool te blijven hangen, was niet ondenkbeeldig. De oplossing vond ze in de vorm van een stok die ze met isoleerband stevig aan het snoer bevestigde. Achter de bank in de woonkamer rolde ze het geheel zo op dat ze in een beweging het wapen tevoorschijn kon halen. Daarna leefde ze gewoon verder.

Juul kwam eerder dan ze verwachtte. Opgewekt stond de schaamluis midden in de kamer te trillen. Er was music in the air. Hij wilde even komen regelen wanneer hij de Pearl-Export op kon halen. Het was mieters dat hij eindelijk een vrije oefenruimte had gevonden en wanneer de band succes had zou hij Sara ophalen voor een grandioze tocht langs binnen- en buitenlandse podia.

'Waarom zo'n haast,' zei Sara blij. 'Eindelijk hebben we goed nieuws te vieren. Ik reken erop dat je blijft eten en me alles vertelt over je toekomstplannen.'

Ze voelde zich merkwaardig kalm terwijl ze de maaltijd bereidde en Juul achter haar de recettes in hun toekomst investeerde. Ze at zelfs nog behoorlijk mee en tikte hem plagend op zijn vingers toen hij haar het laatste restje van de feestpudding aftroggelde. Ze lachte schalks: 'Niet alles voor jou. Jij hebt je deel gehad, nu kom ik aan de beurt.'

Ze rekte de gezelligheid totdat het donker werd, bleef luisteren naar zijn kinderlijke leugens en onvolwassen uitvluchten. Nog een laatste afscheidsdrankje bij gedempt kaarslicht...

Ze stond op en trok de gordijnen dicht, hij knipte de schemerlampen aan. Een huiselijk tafereel, een inleiding op het knus samen doorbrengen van de avond. 'Hé,' zei Juul, 'de lamp bij de bank is kapot.'

Sara kroop erachter om te kijken of de stekker in het stopcontact zat. 'Ziezo,' zuchtte ze terwijl ze met het ontblote uiteinde van het snoer op hem toeliep. 'Het is nog lang geen twaalf uur maar helaas wel de hoogste tijd onze maskers af te leggen.'

Hij begreep het niet, nog minder de stok in haar hand met die lange draad die zich achter de bank ontrolde. Hij deinsde achteruit: 'Wat bazel je, waarover heb je het. Toe Sara, doe niet zo stom,' smeekte hij.

Ze dreigde treiterend: 'Ik heb het over 220 volt in mijn hand en de kans dat ik mijn geduld verlies en je per ongeluk in aanraking breng met dit snoer.'

Hoe hij zich voelde, zag ze aan zijn gezicht: de kleuren schakeerden van links naar rechts, schaduwpartijen doemden op en tevergeefs probeerde hij met zijn demissionaire charme zichzelf te redden van de ondergang. Opties en uitgangspunten werden razendsnel overwogen, coalities in elkaar getimmerd, aanblijven of aftreden overwogen; de gelofte dekte de meineed.

Bij Sara woedde de revolutie. Ze trok op, om de tafel, achter hem aan, joeg hem weer terug naar het midden van de kamer waar hij met zijn handen omhoog radeloos bleef jammeren. Ze eiste zijn kleren, wilde de echte Justus Manten naakt op het kleedje zien.

Haastig kleedde hij zich uit: schoenen, kousen, overhemd en broek. Bij het slipje aarzelde hij: 'Moet dat ook?' Ze stak de stok als antwoord naar voren en razensnel stroopte hij het blauwe vodje naar beneden en wachtte hij met zijn handen voor zijn lid op zijn berechting.

'We beginnen bij het begin,' zei ze rustig terwijl ze op een stoel ging zitten. 'Als je een geintje uithaalt of een beweging maakt die ik niet vertrouw, stoot ik direct toe, ook al kost het mijn eigen leven. Maar jij gaat het eerst eraan.'

Hij bibberde dat hij van de prins geen kwaad wist maar zij formuleerde kort en bondig de aanklacht: hoogverraad.

'We gaan samen terug naar San Antonio,' zei Sara. 'Weet je nog dat ik de auto inpakte en jij me om een lift vroeg?'

Juul was al dagen in de buurt en hield haar in de gaten. Thomas van Welie, die hij op de universiteit van Amsterdam had leren kennen, gaf hem deze opdracht. In tegenstelling tot de moeder wist de zoon alles, waar ze woonde, met wie ze omging, hoe ze haar dagen sleet, welk vakantieadres ze regelmatig gebruikte...

Het plan was simpel van opzet. Aantrekkelijke Juul die meer vrouwen kon krijgen dan zijn belangstelling verdiende, werd als lokaas voor het geld gebruikt. Grote hilariteit over de dubbelverhouding: de moeder en Juul, de zoon en Juul. Een driehoeksverhouding met verschillende ingangen, impotent bij de moeder maar extra actief als de zoon hem in bed beloonde.

'Stootte ik zo af?' vroeg ze onbewogen.

'In Nederland wel.'

'In Italië niet?'

'Je zag er toen goed uit. Je was bruin, blond en jong. Ik vond het toen niet erg dat ik achter je aan moest. Die dag dat ik je in Nederland terugzag...'

'Viel het tegen,' vulde ze aan.

Hij knikte. 'Het werd steeds erger. Vooral toen je voelde dat je je leeftijd moest camoufleren. Je was net een Barbie-pop met een kop van craquelé. Zoals je er nu uit ziet, vind ik je minder onaantrekkelijk.'

'Bedankt voor het compliment.'

'Het spijt me dat ik je zo voor de gek gehouden heb. Ik heb altijd tegen Thomas gezegd dat ik het niet nodig vond jou eerst zo te vernederen voordat hij...'

'Mij te grazen neemt.'

Juul zweeg.

'Dan gaan we nu over tot het financiële aspect.'

'Dat zeg ik niet,' jammerde hij. 'Als Thomas te weten komt dat ik ons diepste geheim verraden heb, sta ik niet voor de gevolgen in.'

Ze drong Juul een glas cognac op om zijn tong wat losser te maken. Hij smeekte niet te hoeven drinken, hij kon er niet goed tegen. Sara bleef onverbiddelijk. Toen de fles half leeg was en hij raar met zijn ogen begon te draaien, stond ze hem toe verder te gaan met zijn onthullingen.

Treurig hakkelend vertelde hij over de nieuwe orde in Cormantin: twaalf apostelen en een leider die zich graag 'de grote Liefhebber' noemde. Zoals Jezus Christus op aarde was gekomen om de mensheid te bevrijden, zo had Thomas van Welie zichzelf uitverkoren de wereld van de ergste zonde te bevrijden: de kernwapens. Er zou een nieuw rijk komen waarin vrede en liefde de machthebbers waren. Geen onderdrukking of intimidatie, maar vrijheid en begrip voor elkander. Vaak vertelde Thomas dat hij op Christus leek. Net als de Heiland leed Thomas aan de ondergang van de wereld die hij steeds dreigender ervoer. Er was razend gevaarlijk speelgoed in ontwikkeling, er moest gehandeld worden. Nóg was het niet te laat en toen de wijnvlek op Thomas' linkerborst de vorm van een hart kreeg, wist hij zeker dat het ogenblik gekomen was tot actie over te gaan. Vanuit zijn huis in Cormantin begon de kruistocht. Vrienden die ook geloofden dat de ondergang nabij was, verzamelden zich rondom hem. Christus bleef hun voorbeeld. De tempel moest schoongeveegd worden. De moeder gebruikt. De miljonaire hoer was het middel tot het doel. Juul werd de grote vertrouweling van de Liefhebber. Er moest geld komen, geld voor bommen in ambassades van landen die deze ontwikkeling veroorzaakten, geld voor aanslagen op politici die de fatale beslissing ondertekend hadden. De groep werkte hard en efficiënt. Om zich in sabotage te bekwamen, oefenden ze met plaagkoffers op stations en andere openbare gelegenheden. Ze gijzelden en martelden elkaar om de druk van een eventueel verhoor bij ontdekking te weerstaan en bekwaamden zich in het vervaardigen van explosieven en andere terreurmiddelen.

Juul bleek te nerveus en te zwak. Bij alcohol en pijn sloeg hij door, bij overvallen was hij zijn zenuwen niet meester, de groep wilde hem elimineren. Maar de Liefhebber greep in. Zonder dat de anderen op de hoogte waren, moest Juul voor het geld zorgen dat door de nalatigheid van de grootvader in verkeerde handen was terecht gekomen. Het lukte hem met Sara in contact te komen, hij bracht inderdaad een minimaal gedeelte van het geld terug. Op gezag van de Liefhebber accepteerde de groep hem, men was gewend elkaar geen vragen te stellen, vooral niet toen bleek dat Juul een aparte plaats aan het hart van de Liefhebber innam. Hij werd voor vol aangezien. Hij was eindelijk iemand, na eerst thuis en daarna in Cormantin te hebben moeten aanhoren dat hij in de grond van zijn wezen een mislukkeling was.

Opgehitst door de drank en het feit dat Sara toch alles al wist, zelfs dat de uitrusting voor Horse-rock in feite voor de paarden in Cormantin bestemd was, ontblootte Juul niet alleen zijn leven maar ook zijn geslacht. Zwaaiend en wijzend in de richting van Cormantin en de hemel, verdedigde hij zijn minnaar. Eerst moest het bestaande rijk vernietigd worden om de nieuwe orde te laten zegevieren. Wie Thomas kende, wist de goedheid van zijn bedoelingen.

'Er zal bloed moeten vloeien,' krijste Juul, 'om de mensheid in stand te houden. De Staten staan terecht op de dag des oordeels.' Toen hij 'Voorwaar, voorwaar, ik zeg u,' begon te schreeuwen, donderde hij voorover en kreunde hij voor Sara's voeten dat hij nooit en te nimmer zou zeggen waar ze hun explosieven en plannen verborgen hielden. Alles was uitgewerkt en voorbereid.

Dat hij op een haartje na de stok miste, merkte hij niet eens. Met zijn mond in het vloerkleed wauwelde hij niets meer los te zullen laten maar toen Sara de achterkant van de stok in zijn benen prikte, kermde hij alles te zullen vertellen als hij maar levend het huis uitkwam. In de geheime opslagplaats was ze niet geïnteresseerd, wel wilde ze weten waar hij verbleef als hij zogenaamd met zijn groep ergens optrad en de tijd onvoldoende was om in Cormantin haar nieuwe afgang te vieren.

'In Amsterdam,' snikte hij. 'Thomas heeft een bovenwoning in Amsterdam.'

Hij noemde de straat en het huisnummer, het telefoonnummer, ook nog dat van Cormantin en toen wist ze genoeg, hij kon vertrekken. Onbewogen keek ze toe hoe hij wijdbeens zijn onderbroek aantrok, daarna struikelend zijn broek en overhemd. Zijn sokken en vooral de veters van zijn schoenen leverden hem nog het grootste probleem maar ze had de tijd en nog steeds de stok. Dus wachtte ze rustig totdat hij zijn neus gesnoten had en zijn gezwollen gezicht afgeveegd. Hij stond als een betrapte belhamel voor haar te wachten op zijn verdere lot. Met zijn kleren aan kreeg hij weer een beetje moed en ondanks zijn dikke tong wist hij nog vrij redelijk te vragen wat ze verder met hem van plan was.

'Niets,' zei ze, 'het zal je alleen duidelijk zijn dat je niet meer terug hoeft te komen.'

'En Cormantin?'

'Je neemt je geheim maar mee,' antwoordde ze strak.

Toen Juul weg was, de stok in tweeën en met het elektrische snoer in de vuilnisemmer, en de rust hersteld, stak ze meteen een sigaret op die haar na de eerste trek weer verrukkelijk smaakte. Ze inhaleerde diep en volgde de rook die naar de schemerlamp zweefde.

Ze verweet zichzelf niets. Met open ogen in de bedoelingen van Thomas en de avances van een pseudo-minnaar gestonken. Het zij zo. Gebeurd was gebeurd en het had absoluut geen zin bij haarzelf te onderzoeken of oprechte verliefdheid of een verlaat kind-complex de oorzaak was geweest van haar hulpeloos verlangen naar hem. Ze schaamde zich ook niet. Wie erop uit was om een ander te beduvelen kon altijd slachtoffers maken. Niets zo makkelijk als toeslaan op het zwakke moment.

Dat nam niet weg dat enkele harde maatregelen getroffen moesten worden om het gevoel van machteloosheid te compenseren. Juul had zijn straf gekregen en zou ongetwijfeld de afloop van zijn verhouding in Cormantin verzwijgen. Maar met Thomas moest ze nog een boomgaard vol appels schillen.

Ze rookte die avond heel het visitedoosje leeg, ondanks de vieze smaak die de muffe sigaretten in haar mond achterlieten. Het kon allemaal weer. Geen wonder dat Juul zichzelf het roken verbood in haar aanwezigheid. Het was zijn enige voorwaarde het gewoonteglas te kunnen laten staan. In haar bijzijn was hij voortreffelijk erin geslaagd haar een rad voor ogen te draaien. In Cormantin moest hij het gemiste inhalen.

Ze nam het laatste glas cognac en zag hem weer voor zich zwaaien; fles aan de mond, zijn tanige lijf in gevecht met de alcohol. Het was net zo gemeen als de elektrische stok maar haar wroeging slonk snel toen ze zich realiseerde dat het familielichaam van Juul nog de geur van Thomas bij zich had wanneer zij het met hete kussen overdekte. Dat was veel erger dan het geld dat hij haar afhandig had gemaakt.

Thomas bleef een geval apart.

Geen medelijden met het kind dat door een Howard Huges als grootvader opgevoed werd, nog minder clementie met de religieuze omlijsting van het criminele talent. Frans van Welie kon maar één geloof doorgegeven hebben, en dat was het geloof in geld. Ze had absoluut geen affiniteit met bewogen verzinsels over de mondiale ondergang. De zoon was een uit zijn voegen gegroeide fantast die, in navolging van de oliegigant, een nieuw imperium vanuit Cormantin dacht te kunnen opbouwen. Zo vader, zo zoon. Dat waren feiten. Ook dat vader zichzelf tot vulling onder de grond had verwerkt en de zoon al duidelijk rotte plekjes vertoonde. Het was nu haar beurt naar de macht te grijpen.

Ze tastte naar haar scarabee, schrok ontzettend toen haar hand leeg bleef. Op handen en voeten kroop ze door de kamer. Achter de bank lag het diertje op zijn rug te schitteren, de ketting vond ze verderop. Morgen moest er een nieuwe ketting gekocht worden, een zware, eentje die, al trok je er nog zo hard aan, nooit bezwijken zou.

Thomas had zijn doodvonnis ondertekend. Het werd allemaal nog slechts een kwestie van voorbereiden en perfect uitvoeren. Met de scarabee in haar hand dacht ze heel lang na.

Ze hoort de klok op de kerk van de heilige Antonius vier uur slaan. Ze staat op van de stoel bij de deur en loopt stijf naar het raam om de blinden te openen. Op dit tijdstip kan dat weer. Zonnestralen schitteren in haar ogen. Ze denkt iets te zien waarnaar ze niet kijkt, een verzinsel dat een uitvloeisel is van een wens, een vluchtige gedachte die in de nevels van haar begeerte is blijven hangen. Het is een moment van totale verwarring en als haar ogen aan het licht gewend zijn, ziet ze een oude Simca op het plein en ze herkent de man die ernaast staat. Handen in de zij, het gezicht iets omhoog om de gevels van de huizen af te turen.

'Ik ben erbij,' flitst het door haar heen, maar een seconde later wanneer hij zijn hand naar haar uitstrekt, voelt ze dat alles hem naar San Antonio gebracht kan hebben, behalve dat waarvoor ze bang is.

Het kan het conflict tussen droom en werkelijkheid geweest zijn, of Franco die in de deuropening van de bar Rik van Helden opneemt, of haar uitgeputte geestestoestand, ze weet het niet, wel dat ze de deur ontgrendelt, naar het plein rent en hem om zijn hals valt.

'Het is goed Sara, het is goed dat ik gekomen ben,' fluistert Rik.

Ze voelt het onregelmatig kloppen van zijn hart, hoort Giulietta uit het raam haar naam roepen, ziet Franco zich achter het vliegengordijn terugtrekken, ze wordt doodsbang, kijkt naar Rik en beseft dat ze haar verlangen in veiligheid moet brengen.

'Laten we samen weggaan,' zegt ze terwijl ze zich aan hem vastklampt, 'ik wil weg uit San Antonio.'

Dat ze teveel van hem gevraagd heeft, merkt ze als de wielen de berm raken.

Hij schrikt en trekt de auto weer op de weg. 'Neem me niet kwalijk,' zegt hij, 'ik was even niet met mijn gedachten bij de weg.'

Hoe herkent ze zijn toestand, de ellende van een oververmoeid lichaam in ongelijke strijd met een laatste restje kracht om nog even vol te houden. 'Je bent aan het eind van je Latijn,' antwoordt ze.

In het eerste dorpje na San Antonio, dwingt ze hem tot stoppen. 'Eerst een paar uur slapen,' commandeert ze.

'En jij?'

'Wij hebben nog de hele avond voor ons.'

In een albergo huurt ze een kamer voor hem. Hij struikelt de trap op. Boven keert hij zich om. Met rood-omrande ogen, bezweet en uitgeteld staat hij daar. 'Oh Sara,' kreunt hij, 'zo had ik me ons weerzien niet voorgesteld. Ik heb maar zo weinig tijd.'

Ze glimlacht naar hem. 'Ik wacht op je,' zegt ze.

Het is al donker in de kamer wanneer Rik wakker wordt en naar de lichtgevende wijzers op zijn horloge kijkt. Het is bijna negen uur, hij heeft veel te lang geslapen en Sara...

Buiten ziet hij haar op een bankje onder een boom zitten, het portier van de Simca staat open, uit de radio klinkt een vrouwenstem. Als hij dichterbij komt, schrikt hij. Ze is toch niet...? Voorzichtig raakt hij haar aan, ze draait haar hoofd naar hem toe.

'Ik luister naar Milva,' zegt ze verdrietig.

Hij gaat naast haar zitten en slaat zijn arm om haar heen. 'Wie is Milva?'

'Een Italiaanse zangeres.'

'Ze heeft een prachtige stem,' zegt hij. 'Waarover zingt ze?'

'Over de liefde. Ze vraagt aan God of haar geliefde nog even bij haar mag blijven, ook al is dat nog maar voor een dag of twee, drie.' Ze vertaalt het laatste couplet dat Milva zingt: 'De tijd waarin we elkaar vinden en verliezen, de tijd van hopen en lijden, mijn God, mijn God, mijn God. Ook al zou ik het misschien niet aan je mogen vragen: mijn liefde, laat hem nog even van mij blijven.'

Rik staat op en zet de radio af. 'Dat is geen tekst voor ons,' zegt hij. 'Kom lieveling, we gaan lekker samen eten.'

Maar aan tafel merkt hij dat ze uit beleefdheid besteld heeft. Ze eet nauwelijks. Ze proeft van de pasta, ze probeert een klein stukje vlees maar telkens legt ze haar vork weer neer. 'Ik heb geen honger,' klaagt ze.

Ondertussen praat hij honderduit. Hij vertelt over het ontslag dat hij maandag gaat indienen, z'n nieuwe baan, de fratsen die Teun uithaalt, de bezorgdheid en vriendelijkheid van Agje, het keukentje waar ze af en toe, zegt hij zuinig, een borreltje drinken en over het werk praten.

Sara is druk met haar servet, ze vouwt het open en dicht, in vierkanten en rechthoeken, ze slaat de punten om en weer terug.

'Wat heb je toch?' vraagt Rik haar.

Ze geeft geen antwoord.

'Sara,' zegt hij rustig, 'als er iets is dat je drukt, ook al betreft het mij, waarom zeg je het niet?'

Ze buigt haar hoofd.

'Is het soms de moord die je dwars zit?' helpt hij haar.

'Onder andere,' antwoordt ze.

Hij pakt haar hand: 'Je moet niet schrikken maar de moord op je zoon is opgelost.'

Ze schrikt op. 'Hoe ben je erachter gekomen?'

'Via de chauffeur.' Hij kalmeert haar: 'Blijf maar rustig, misschien heb je zelf ook aan die mogelijkheid gedacht.'

Ze schudt haar hoofd. 'Nooit.'

In voorzichtige bewoordingen, zo gekozen dat haar relatie met Manten niet bekend is, vertelt hij van het landhuis in Cormantin en wie daar zijn aangetroffen. 'Een van hen, een zekere Manten,' zegt hij neutraal, 'heeft geen alibi voor het weekeinde waarin je zoon vermoord is. Hij heeft een volledige bekentenis afgelegd. Je zoon was homo en volgens mijn laatste inlichtingen is een verbroken relatie het motief.'

Sara kijkt de andere kant uit en zwijgt. Rik schenkt nog een glas witte wijn in en laat haar rustig de tijd zijn boodschap te verwerken.

Hoe anders reageert ze dan hij, denkt hij, toen Mieke's wipneus naast die grote koker van haar vriendin boven zijn dekens uitstak. Zonder erbij na te denken, sleurde hij vriendin met blote borsten in een hoek van de kamer en daarna bewerkte hij Mieke's neus totdat ie aardbeienmousse geworden was. Had hij toen maar over de zelfbeheersing beschikt die Sara nu aan de dag legt...

'Hoe kwam je eigenlijk aan mijn telefoonnummer in Italië,' vraagt ze plotseling.

Hij vertelt van het huis in Amsterdam. De muurbedekking slaat hij over evenals het pornoboekje. Wel vertelt hij over het uitgeklede huis en dat hij nu begrijpt waarom het net een toonkamer leek. Thomas van Welie had veel te verbergen. 'Maar jouw telefoonnummer goddank niet,' eindigt hij. 'Daar valt me iets te binnen,' zegt hij ineens, 'hoe kwam Thomas aan jouw telefoonnummer?'

Sara staat op. 'Ik moet even weg, ik kom zo terug, ik...' Als ze terugkomt ziet hij dat ze haar gezicht gewassen heeft. Aan haar slapen kleven natte krulletjes.

'Wat vroeg je me net?' zegt ze even later.

'Hoe Thomas aan jouw nummer kwam?'

'Ik denk van de notaris. Thomas moet het hem gevraagd hebben toen de overdracht van Jacobahuis plaatsvond. Misschien wilde hij me ooit nog bedanken. Kunnen we over een ander onderwerp praten?' vraagt ze rustig.

'Graag,' antwoordt Rik, 'want eerlijk gezegd ben ik niet naar Italië gekomen om je de dader van een moord te brengen, maar wel om...'

Hij vertelt over zijn ongelukkige liefde, zijn agressiviteit, de nachten die hij zuipend heeft doorgebracht, zijn schuldcomplex tegenover Mieke, en toen kwam Sara in zijn leven, hij weet nog precies wanneer het gebeurde. 'In de auto,' zegt hij. 'Ik ging van je houden toen ik in je ogen keek. Kan dat Sara? Kan een mens ineens zo verliefd worden dat hij...?'

Ze onderbreekt hem. 'Het kan Rik,' zegt ze, 'het kan zeker. Ik herken veel in je woorden.'

Zaterdag

Het is na middernacht wanneer Rik haar tot de deur van haar appartement brengt. 'Mag ik mee naar binnen komen?' vraagt hij.

Ze kust zijn mond. 'Ik ben moe,' zegt ze, 'en wil graag gaan slapen want morgen moet ik fit voor je zijn. Morgen maken we er een gezellige dag van.'

'Ik verlang naar je.'

'Ik ook naar jou.' Hij kust haar nog een keer, dan draait hij zich om en rent de trap af.

Sara sluit niet alleen de deur achter hem, ze maakt een barricade van stoelen en koffers die ze onder de deurklink plaatst. Ze doet het licht uit en loopt bezorgd naar het raam waar ze zich in allerlei bochten wringt om door de spleten van de blinden het hele plein te overzien. De Simca is verdwenen maar achter de boom bij de bar maakt zich een schaduw los en ze herkent heel duidelijk Franco die langzaam op het huis toeloopt.

Zachtjes sluipt ze terug naar de voordeur, ze buigt zich over de stoelen en de koffers en drukt haar oor tegen de deur. Ze hoort hoe hij voorzichtig de trap opkomt, bij haar deur wacht, de klink naar beneden probeert te duwen en vervolgens weer doorloopt. Ze haalt pas weer adem wanneer boven haar halletje voetstappen weerklinken. Vannacht is ze nog veilig, maar morgen?

Doelloos loopt ze van het keukentje naar de slaapkamer. Daar kan ze het helemaal niet uithouden en rusteloos loopt ze weer terug. Vroeger zou ze in zulk een toestand kasten leeggehaald en opgeruimd hebben, stoelen nog rechter gezet, glazen opnieuw gespoeld, nutteloze handelingen tot doel verheffen om haar gedachten te ontvluchten. Nu, weet ze, heeft dat allemaal geen zin meer. De kaarten zijn geschud, de joker is getrokken, er zitten geen troeven meer in het spel. Ze kan bijna niet slikken van de zenuwen. Rik en zijn dader...

De berekeningen zijn goed, maar de cijfers kloppen niet. Te vroeg 'brand meester' geroepen. Het smeulend vuurtje flakkert op en krijgt een liefdesgoed. Alleen predictor weet het want meer zekerheid is er niet. Valse hoop is late schaamte. Het hellend vlak een roetsjbaan naar de ondergang. In het bos zijn wilde dieren. De wolf in moeders kleren, Roodkapje in joggingpak. De loop erin en over het hazepad eruit. De een is dodelijk bedroefd, de ander juicht hemelhoog. De jager wordt wild, de onschuldige het slachtoffer. De bedrieger bij de kladden.

'Of een schurk voor het ene hangt of voor het andere,' zei Anna eens, 'het belangrijkste is dat de strop om zijn nek zit.'

Juul Manten in de val en zij in de armen van Rik. Mijn God, waar moet dat naar toe? Vertwijfeld zakt ze op de enige overgebleven stoel in de keuken neer. Ze steekt maar weer eens een sigaret op.

De beslissing Thomas te doden was zo zelfsprekend, iets dat onherroepelijk met haar verbonden was, dat ze zich geen moment afvroeg hoe te rechtvaardigen, te verdedigen en te verwerken. In haar ogen verdiende hij de dood, het enige recht dat hij nog ten opzichte van haar kon doen gelden. En wanneer ze zich afvroeg waarmee ze bezig was, betrof dat niet het doel maar de onzekere middelen die haar ter beschikking stonden. Aanvankelijk had ze niets anders dan wraakgevoelens. Moord was de makkelijkste kant van de zaak, een perfecte misdaad de moeilijkste. Voorop stond dat ze weloverwogen, zonder haast en met een nauwkeurige precisie, ging opereren. Daarvoor moest ze eerst haar slordige gewoontes afleren die ze in de loop der jaren aangeleerd had. Het hap en een snap huishouden, dat ze bij de buurvrouwen afkeek en later met Juul cultiveerde, weer op rolletjes terugzetten en laten doordraaien. Vervolgens een nieuwe kennissenkring opbouwen en de vriendschap met de notaris en zijn vrouw oplappen. Voor de buitenwereld wilde ze een rustige stabiele vrouw worden die lol in het leven had en allerminst last van verstoorde familierelaties of verdriet om een verbroken verhouding. Dat was haar eerste stap om eventuele getuigenverklaringen in haar voordeel uit te laten vallen.

Het notarisechtpaar kwam maar al te graag en werkte zo onbewust mee aan het imago dat Sara opbouwde. Wel wilde hij nog even kwijt dat ze zeer ondoordacht gehandeld had Jacobahuis aan Thomas te schenken en zijn vrouw zei toen ze binnenkwam: 'Meid wat een geluk dat je die puist eruit gedrukt heb. Wat ziet je huis er weer ordentelijk uit, het leek wel een disco hier.'

Sara maakte hem duidelijk dat ze nog steeds achter haar beslissing stond, ze zou het vreselijk vinden als Thomas in wrok aan zijn moeder terugdacht en haar antwoordde ze dat ze van de snotter veel geleerd had.

'Een man van je eigen leeftijd zoeken?'

'Bijvoorbeeld,' antwoordde Sara en ze liet in het midden wat de andere uitkomsten waren.

Met de kennissenkring ging het minder vlot. De buurvrouwen bleven haar beschouwen als een vreemde oude jongedame die je, na haar vrijage met een jongen, nog geen minuut alleen met je zoon in de kamer zou durven laten. Ook hun echtgenoten reageerden koel en op afstand waarna Sara concludeerde dat heel de straat en aangrenzende achtertuinen waardeloos waren geworden voor haar plan. Maar van de leraar, die inmiddels getrouwd was met een overjarige tandartsassistente en zijn kwalijke adem geruild had voor een mond vol hagelwitte tanden, erfde ze zijn vroegere keurige en ontwikkelde soortgenoten met wie ze concerten bezocht, galeries frequenteerde en af en toe een best smakelijk hapje at. Kortom Sara was weer opgenomen en iedereen ingenomen met die hartelijke meid die altijd zo vrolijk was en van iedereen het beste dacht en slechts het goede onthield.

Alhoewel, wanneer de deur na een laatste kwinkslag of bemoedigende opmerking dichtsloeg en zij zichzelf tussen de geboende en gewreven meubels tot de orde riep, werd ze somber en vervloekte ze de schijnheiligheid waarmee ze nog maanden het oninteressante gezelschap moest verdragen. Daarbij verlangde ze intens naar het moment waarop de operatie kon beginnen.

In mei was het eindelijk zover. In Luik, op de vlooienmarkt viel het startschot.

Op een zondag scharrelde ze tussen de kraampjes met groenten, fruit, lappen en knopen, kleren, speelgoed, huishoudelijke artikelen en nog veel meer als uniek aangeprezen koopwaar, steeds meer ontevreden omdat al het verse en nieuwe niet aan het doel van haar bezoek beantwoordde. Wat ze zocht, vond ze laat in de morgen aan het eind van de markt: een versleten morsige handelaar in tweedehands schiettuig die uit gebrek aan belangstelling voor zijn oude troep met een serviezenmadam de opbrengst van die dag stond te beklagen.

Geïnteresseerd bekeek Sara de wapens die op een oud vod op de grond lagen uitgestald, niet wetend of ze nu een pistool, een revolver of een nog andere naam in haar hand nam. Ze voelde dat de koopman haar in de gaten hield en toen ze haar inspectie voortzette, kwam hij dichterbij geslenterd. 'Schoon hè,' zei hij tegen haar.

'Jammer,' zuchtte Sara, 'wat ik zoek ligt er niet bij. Eigenlijk zoek ik een geweer voor de jacht.'

'Oud of nieuw.'

'Eentje die nooit zijn doel mist want zo'n goeie schutter ben ik niet,' antwoordde ze nonchalant.

Hij vroeg niet verder, keerde zijn rug naar haar toe en begon de wapens in oude kranten te pakken. 'Hé,' zei ze, 'weet u iemand die me aan een geweer kan helpen?'

Hij knikte, streek de kranten glad en ging door met zijn werk. Ze ging een eindje van hem vandaan staan en toen hij klaar was en hij de kartonnen dozen waarin sinds die ochtend niet een wapen ontbrak, naar een gammele auto verderop bracht, liep ze als een hondje achter hem aan.

Daarna was het een kwestie van, achter de hand, loven en bieden. Voor een niet onredelijk aantal frankskes kocht ze een afgezaagd dubbelloops jachtgeweer en twee metaal-detectors: een zwakke en een sterke.

In Eysden overhandigde hij haar de spullen en hij vond het absoluut niet vreemd dat ze hem ook nog vroeg hoe ze het wapen moest hanteren. Schuin op de voorbank van zijn auto gezeten, knikte hij het geweer open, hij deed er zogenaamd patronen in, knikte het geweer dicht, wees haar op de palletjes, spande een haan en haalde de trekker over. Een droge klik klonk door de auto. Sara bezweek bijna van opwinding.

'Ik zou thuis nog maar eens een paar keer oefenen,' adviseerde hij. 'En denk erom dat de spatten om je eigen oren kunnen vliegen. Er zal niet veel heel blijven van het arme beestje.' Hij lachte vals.

Het geheimzinnige gedoe gaf Sara een kick. Een rusteloos opgewonden gevoel, dat ze nauwelijks voor de buitenwereld kon verbergen, achtervolgde haar in alles wat ze deed en met de grootst mogelijke moeite bleef ze haar dagen verdelen tussen vriendelijkheid, stiptheid en vooral belangstelling voor alle zorgjes en kwaaltjes die bij tijd en wijle de kennissenkring plaagden. Ze was de goedheid zelve.

Ook kocht ze bij een niet erkende autohandelaar een betrekkelijk goede Volkswagen-kever en daarmee reed ze half juni naar Florence waar ze een garage huurde. Geld betekende macht. Meteen daarop keerde ze naar Nederland terug, per trein. Alles bij elkaar had het uitstapje niet meer dan een paar dagen gekost en tegen wie haar gemist had, zei ze dat ze even het slechte weer beu was geworden en in een opwelling een hotel aan de Belgische kust had genomen.

Op het lekkermaken van Thomas na, waren de voorbereidingen bijna rond. Lang en zorgvuldig dacht ze over dit onderdeel na. Het hing compleet af van zijn hang naar geld hoe vlot hij zijn dood wilde afwikkelen. Het enige onzekere was haar weerzin hem te ontmoeten en ze stelde daarom van dag tot dag en van uur tot uur het ogenblik uit waarop ze de telefoon nam en zijn nummer in Amsterdam draaide. Maar toen ze op een morgen op zolder kwam en daar de Pearlbatterij zag en vooral het kledingstuk dat achteloos op de kruk lag, herinnerde ze zich het valse dankbare enthousiasme van Juul waarmee hij haar omhelsde toen ze samen bij Tip de Bruin in Rotterdam het linnen jasje kochten. 'Echt iets voor een muzikant,' zei Juul tevreden, 'licht van gewicht en lekker ruim in de rug.' En dat laatste had hij zeker nodig, dacht Sara grimmig, hij die zoveel achter zijn schouderbladen verbergen moest. Het jasje onderging hetzelfde lot als alle andere aandenkens aan Juul: in de vuilnisemmer. En het waren de grote knopen van het jasje die haar aan de visseogen van Thomas deden denken.

Resoluut draaide ze het nummer in Amsterdam. Geen gehoor. Opgelucht hing ze weer op, maar de kogel was door de kerk want na deze mislukte poging bleef ze volharden net zolang totdat, op een avond, plotseling een 'hallo' door de hoorn klonk. Onmiskenbaar Thomas die uit voorzorg anoniem wenste te blijven.

Het gesprek verliep kort en bondig. Agressief vroeg hij hoe ze aan zijn adres kwam en zij stotterde terug zich te herinneren dat de notaris ooit een keer Amsterdam noemde en ze dus alle Van Welie's gebeld had op zoek naar haar zoon met wie ze graag de familierelatie, vooral in financieel opzicht, wilde herstellen nu ze zich de laatste tijd niet meer in orde voelde. Voordat haar wat ergs overkwam, dacht ze erover het een en ander te regelen om zo straks met een gerust hart en een zuiver geweten de ogen te kunnen sluiten.

Dat van die ogen vond ze een macaber grapje waarvan zij helaas alleen kon genieten.

Thomas sliste nu wat minder onvriendelijk dat het recht weliswaar lang op zich had laten wachten maar dat hij uiteraard geen poging in de weg zou staan haar zedelijk besef in overeenstemming te brengen met de bedoeling van zijn grootvader. Zelfs wilde hij, rekening houdend met haar zwakke gezondheid, naar Nijmegen komen om de zaak te regelen. Maar zij antwoordde hem liever op neutraal terrein te ontmoeten. Een eerste echte kennismaking na zoveel jaren kon beter in een restaurant gebeuren, daar waar zij beiden geen reminiscenties hadden aan plaats of huis. Ze maakten meteen voor de volgende dag een afspraak.

In de stationsrestauratie in Utrecht ontmoetten ze elkaar: moeder en zoon. Zij leek een uitgezakte poetsvrouw met haar aangebrachte zwarte schaduwen onder de ogen en ouderwetse kleren, hij een kistkalf met twee openingen in zijn enorme kop waaruit hij lebbig naar haar loerde. Het mondje hield hij voorlopig zuinig gesloten. Maar terwijl zij koffie bestelde, smakte het een paar maal en zei het meteen ter zake te willen komen.

Sara wachtte rustig de komst van de ober af en ondertussen stelde ze objectief vast waar ze hem zou raken: tussen die gehate ogen. Die twee koele bolle schijven omringd met korte stekelige haartjes waarin de bleke pupillen onophoudelijk haar

174

kant uitdraaiden, gingen het eerst eraan. Die wetenschap maakte haar bijna vrolijk en met moeite kon ze nog net een glimlach onderdrukken.

Het gesprek dat daarna volgde werd hoofdzakelijk in cijfers gevoerd. Hij vroeg hoeveel het vermogen geslonken was en zij noemde de investeringen, de winsten en het, in haar ogen te verwaarlozen, bedrag dat ze ondanks sobere uitgaven voor zichzelf was kwijtgeraakt aan een vriend die achteraf meer op haar geld dan op haar liefde uit was. De Liefhebber vertrok geen spier, zijn gezicht bleef zo leeg als een zwembad zonder water. Toch sprong ze erin.

'Kijk,' zei ze, 'om mijn goede wil te bewijzen zou ik kunnen beginnen met een gedeelte van het geld dat ik na de dood van je grootvader zwart heb gemaakt. Je begrijpt dat ik geen enkele ruchtbaarheid aan deze schenking wil geven. Een woord van jouw kant aan wie dan ook en de hele zaak gaat niet door. Op mijn discretie kun je rekenen al was het maar om het feit dat mijn financiële adviseurs ongetwijfeld al het mogelijke zullen aanwenden mij van mijn plannen, en dus een deel van hun werkgelegenheid, af te houden. Wat niet weet, wat niet deert. Als wij afspreken onze mond te houden, kan ik in alle rust overdenken hoe en wanneer de overdracht van het kapitaal in stukjes een beetjes zal plaatsvinden. Belastingtechnisch wil ik alles zowel in jouw als in mijn voordeel laten verlopen. Kun je je overigens op dit moment financieel redden?' voegde ze er haastig aan toe toen hij nors bleef zwijgen.

Het kistkalf rook de volle room. Hij trok de bovenlip van zijn gele tanden en sliste dat hij als student nauwelijks kon rondkomen: de woninghuur, het boekengeld, de onderhoudskosten van hemzelf en de Porsche waarvan alleen het stuur nog intact was... Als hij geld had zou hij een degelijke A-33 kopen om haar in Nijmegen een keer te kunnen opzoeken...

Smakkend liepen de prijzen op en hij stak zijn hand al uit voordat Sara de envelop uit haar tas tevoorschijn kon halen. Hij draaide zijn rug naar het publiek en telde ongegeneerd hardop vijftig duizend gulden die hij daarna achteloos in zijn portefeuille stak. Daarna richtte hij zijn stallampen weer op haar en vroeg hij wanneer de fooi aangevuld werd.

Sara vertelde van haar plannen eerst naar Italië te vertrekken. Het slechte weer hier ondermijnde haar toch al zo zwakke gezondheid. In het najaar zou ze terugkomen om definitieve stappen te ondernemen. 'Maar,' zei ze, 'mocht het water je aan de lippen staan, bel mij zonder bezwaren op dit nummer in Italië en vraag naar mij. Iedere zaterdag zal ik tussen zes en zeven 's avonds te bereiken zijn. Op dat uur zit ik altijd op het plein voor de bar waarvan ik je net het telefoonnummer heb gegeven.'

Ze wilde nog wat sfeerschilderingen geven over het dorpje en zijn inwoners maar hij beschouwde het onderhoud als beëindigd. Een ezelsoortje van de poet was binnen. Onbewogen keek hij toe hoe ze de koffie afrekende en daarna vertrok hij meteen.

Sara keek hem na toen hij met zijn kop weggedoken in de hoge schouders zich ruw een weg baande tussen talmende en ongeduldige reizigers. Opzij, opzij, opzij, hij had immers haast de dageraad des heils in een afgelegen kroeg stil met zichzelf te vieren. In Cormantin zou hij zwijgen over de herkomst van het geld waarmee hij zijn plannen gestalte gaf. Daarvan was ze zeker. De Liefhebber met het ledige hart zorgde wel voor een appeltje na de dorst. Zeker een Van Welie.

Ze wilde zich niet verdiepen in zijn achtergronden noch achterhalen welke motieven een rol speelden in zijn zucht naar geweld en nieuwe macht. Net zoals de vader was de zoon uit hetzelfde graniet gehakt: een stuk onverzettelijkheid dat dwars door alles en iedereen heen zichzelf trouw bleef aan hardheid en onbewogenheid.

En zelf voelde ze zich ineens ook geen haar beter. Ze was per slot van rekening ook een Van Welie. Behept met soortgelijke familietrekjes. Tot nu toe was ze een erratisch blok geweest, geduwd, getrokken, met blutsen en kneuzen gevallen, afwachtend wat de nieuwe bestemming zou zijn maar, eenmaal vastgeschoven in de bedding even onwrikbaar als de rots waarvan ze afgescheiden was. Heel anders van samenstelling en toch dezelfde uitkomst. Van je familie moet je 't maar hebben.

Ze twijfelde er niet aan dat Thomas haar in Italië zou bellen, geld bleef zijn zwakke punt. Daarna kwam het moeilijkste gedeelte maar wel het dankbaarste van het karwei. Juul zou niet praten en als hij het deed klonk zijn waarheid zo leugenachtig dat niemand zijn uitspraken serieus zou nemen. Het verhaal van Cormantin was voldoende al de discipelen tot potentiële moordenaars te rekenen.

Ze veegde de zwarte schaduwen onder haar ogen weg en verliet de stationsrestauratie. Zoals ze nu wegliep zou niemand de afgetakelde vrouw van zoëven in haar herkend hebben.

Achter alles wat Sara in de kranten las over binnenlands terrorisme en valse bomalarmen, vermoedde ze de hand van de Liefhebber. Na zo'n bericht haalde ze het geweer tevoorschijn en oefende ze driftig totdat alle handelingen perfect en zonder tijdverlies beheerst konden worden uitgevoerd.

Eind juli ruimde ze haar huis voor de laatste keer op. Ze verbrandde aantekeningen en plattegronden, verborg het wapen en de patronen in de piano, pakte haar koffers en reed naar Florence. Daar aangekomen, liet ze de Alfa buiten de stad staan en met een taxi ging ze verder naar de garage. De Kever startte meteen.

Gedurende een half uur reed ze doelloos door de stad. Voor ieder verkeerslicht testte ze de remmen en trok als eerste op. Op de autobaan gaf ze 'm van katoen en toen het motortje van de Kever schoon genoeg gedraaid was, reed ze terug naar de garage en vertrok weer per taxi naar de Alfa die goddank onbeschadigd en met de hele bagage op haar stond te wachten.

In San Antonio was men van haar komst op de hoogte. Omdat ze niet in een hotel durfde, je kon nooit weten of Thomas van Welie haar een nieuwe maar nu definitieve slag voor wilde zijn, had ze de etage onder de woning van Franco en Giulietta gehuurd. Die stond toch leeg sinds de dood van hun tante Nanina. Het was Sara opgevallen, wanneer ze op het terras van de bar zat en de bewegingen van het echtpaar volgde, dat ze altijd zeer zorgvuldig de benedenvoordeur achter zich op slot draaiden.

Giulietta en Franco wachtten haar op. Zij klaagde over de extreme hitte, prees de koelte van de woning en Sara betaalde ongevraagd het meerbedrag dat Giulietta in haar hoofd had. Het zou flauw zijn op dit moment van de onderneming over een paar centen te struikelen.

Franco bemoeide zich niet met de geldzorgen van zijn vrouw en nadat ze klagend vertrokken was, nodigde hij Sara aan haar eigen keukentafel uit om haar eens lekker te kunnen bijpraten over wat hij achter de bar gehoord en begrepen had. Die had een kind bij een andere vrouw verwekt, die was gesignaleerd bij een fascistische bijeenkomst, Sergio was in de gemeenteraad gekocht door zijn broer de burgemeester, en de arts betrapt toen hij het huis van een hoer verliet. Wat een wereld. En hij maar zwoegen om een paar lire in de week te verdienen.

'En hoe gaat het met je Etruskische collectie?' vroeg Sara.

Schichtig keek hij om zich heen.

'De muren hebben geen oren,' fluisterde ze.

Jawel, maar in San Antonio was je nooit zeker. Hij wilde 'porco dio' niet weer achter de tralies. Had Sara al gehoord dat er nieuwe wetten uitgevaardigd waren? Wie nu nog betrapt werd bij illegale opgravingen, kon de smaak van moeders pasta helemaal vergeten. Helikopters cirkelden tegenwoordig boven die plaatsen waar men grafrovers vermoedde. Wie dacht nog wat te kunnen halen, moest meer naar boven kijken dan naar beneden. Hoe kon je nu op zo'n manier je werk doen? 'Ik ben de beste clandestino,' zei hij trots. 'Mijn grootvader is ermee begonnen, mijn vader heeft het voortgezet, maar ik heb het vak vervolmaakt. In de wijde omgeving bestaat er geen archeoloog die meer weet van Etruskische grafkamers dan ik.'

Sara wist dat hij de waarheid sprak. Af en toe lachte Franco zich kapot als zwermen geleerden, na jaren speuren en studeren, met veel bravoure aankondigden dat ze weer een graf ontdekt hadden en vervolgens teleurgesteld moesten constateren dat een grafrover ('ik,' zei Franco) hen voor was geweest. 'Helemaal in mijn eentje,' verklapte hij terwijl hij zich op de borst sloeg. 'Met een grondboor en een snorkel. De hele grafkamer stond vol water. Ik heb wel honderd keer moeten duiken om de spullen eruit te halen. En de sufferds weten niet dat onder de grafkamer die ik voor hen schoongemaakt heb, nog een tweede ligt.' Achter in zijn wijnkelder stapelde Franco de vondsten op. Sara mocht het zien maar niet aanraken. Zoals de waard is, vertrouwt hij zijn gasten. Keurig schoongemaakt en gerepareerd, want hij schuwde ook de restauratiewerkzaamheden niet, lagen daar vazen, wapens, beelden en sieraden te wachten op de hoogstbiedende.

Een keer ging het mis en mocht hij vier maanden lang overpeinzen wie hem erbij gelapt had. Hij kwam er niet achter, wel met de prijzen want toen hij vrijkwam en na verloop van tijd de familietraditie weer voortzette, vertienvoudigde hij het bedrag dat de opkopers moesten neertellen. Een kwestie van vraag en aanbod, redeneerde hij.

Nee, die helikopters hingen hem niet lekker. Als hij een metaaldetector had, een sterke, eentje die zichzelf aan de onderaardse schatten vastzoog, eentje die hem precies aanwees waar hij het kuiltje moest graven, ja dan, dan... Hij zuchtte een paar keer.

'Je praat er al zo lang over,' zei Sara, 'waarom koop je niet zo'n ding?'

'In Italië?' Hij lachte kort. 'Verkoopt de politie in Nederland snijbranders?'

Sara begreep het. 'Ik zou,' zei ze even later, 'in Nederland voor je kunnen zoeken.'

Enthousiast reageerde hij. Cara signora. Het gezicht van een madonna, het haar van een engel, het hart van een vrouw, de hersens van een man en de moed van een Etruskische krijger. Wat was hij met Giulietta slecht af. Zelfs op de deksel van een sarcofaag was ze niets waard. 'Wanneer kun je ervoor zorgen?' vroeg hij begerig. Om Sara's hoofd schilderde hij een nimbus. Heilig werd ze, gezegend bovendien. Santa Sara, patrones van de 'clandestini'.

Ze werd er verlegen van, probeerde hem tot kalmte te manen. Het was nog lang niet zo ver. Hij draafde door. Niemand kon begrijpen welk een koorts hem te pakken kreeg als hij in het holst van de nacht afdaalde in de verblijfplaatsen van zijn voorvaderen, het was alsof hij thuiskwam.

Franco trok zijn t-shirt uit en liet Sara zijn krachtige bovenlijf zien, de spierbundels op zijn armen, hard als staal, door jarenlang zwoegen en zweten ontwikkeld om de grondboor nog sneller, nog dieper in de aarde te draaien en met minimaal gereedschap het onderaardse bloot te leggen. Er bestond geen mooier leven.

's Zaterdags daarna, tussen zes en zeven, pleegde ze enkele

telefoontjes. Aan de notaris meldde ze de goede aankomst, de vrouw van de leraar feliciteerde ze met haar verjaardag en toen deze zei dat ze zich niet alleen in de maand maar ook in de datum vergiste, vulde ze de tijd op met kleine anecdotes over San Antonio. Daarna belde ze het privénummer van een van haar adviseurs en ze vroeg hem haar wekelijks bij te praten over alles en nog wat dat verband hield met haar belangen. Het telefoonnummer in San Antonio moest hij een paar maal herhalen zodat ze er zeker van was dat hij het correct genoteerd had.

Franco hield de telefooncel in de gaten. Na afloop knipoogde Sara bemoedigend naar hem en hij begreep zoveel dat hij de tikken op de telefoonmeter niet in rekening bracht.

Buiten stortte Sara zich in het feestgewoel van de jaarlijkse kermis. Ze danste met de burgemeester, dronk wijn met Enrico, plaagde de dorpsarts dat ze meer van zieken en kwalen wist dan hij en sleepte zo een uitnodiging binnen samen met hem het spreekuur te komen doen. Ze knuffelde de prachtig uitgedoste kleintjes die samen met hun moeder op afstand het feest mochten bekijken, en schoof uitgeput maar blij met Giulietta aan een van de lange tafels op het plein.

Giulietta at met lange tanden de kleffe spaghetti, Sara met net zoveel zin het worstje dat naar niks smaakte. Maar de avond kon niet meer kapot en later liep heel San Antonio uit om naar de signora te komen kijken die achter de bar van Franco het koffiezetapparaat maltraiteerde voor Nederlands brouwsel dat ze daar nog koffie durfde te noemen. Alleen de dappersten wilden het proeven en iedereen lachte zich slap wanneer een held zich naar buiten spoedde om het bruine water uit te spugen. Daarna gaf de signora een rondje en ook Franco had zo'n goede zin had hij zich zelfs permitteerde de glazen eindelijk eens vol te schenken.

Tegen middernacht verdween Giulietta met de laatste gast en eindelijk hoefde Franco zijn ongeduld niet langer te bedwingen. 'En?'

'Er wordt aan gewerkt,' antwoordde ze. 'Misschien dat ik de detector volgende week vrijdag in Florence kan afhalen. Het wachten is nog op een definitief telefoontje. Als we gaan, vertrekken we 's nachts. Ik laat mijn auto op het plein staan, stap bij jou in de garage in en samen rijden we heen en weer. Giulietta mag er niets van weten. Ik lig zogenaamd in bed en jij bent op karwei. Zo moet het gespeeld worden anders doe ik niet mee.'

Natuurlijk werd ze vanuit Nederland gebeld en verveeld luisterde ze naar de dorre cijfers, droge berekeningen en fondsen waarvan ze nog nooit had gehoord. Franco zweette als een otter. 'Alles gaat naar wens in Nederland,' zei ze even later tegen hem en hij begreep het.

Vrijdagnacht reden ze weg. Sara onder het dashboard van de Lancia totdat San Antonio achter hen lag. Franco vroeg niets en zij zei niets. Een clandestino is als een tumulus-tomba: aan de buitenkant niet te zien dat in de heuvel een geheim verborgen ligt. Sara kauwde kilometer na kilometer die Franco met hoge snelheid nam. Af en toe wees hij een afslag aan die naar een dorpje of naar een stadje voerde waar hij eens, en soms recent, een fijn wijf gepakt had.

'En Giulietta?' vroeg Sara.

'Die heeft niets te klagen,' antwoordde hij. 'Een Italiaanse man zorgt dat het zijn gezin aan niets ontbreekt. Hij zorgt dat zijn zonen werk hebben, zijn dochters een goede man, zijn vrouw een huis en na zijn dood een goed pensioen, en daarmee zijn zijn gezinsproblemen opgelost en zijn verplichtingen tegenover het leven en de dood vervuld. Wat hij daarnaast doet, komt hem toe.'

Ze zei niets meer maar draaide het raampje open om de zure wijnlucht te verdrijven die hij tijdens het spreken produceerde. Zwijgend reden ze door tot aan Florence waar Sara hem, enkele straten van de garage, liet stoppen.

Het bezoek aan de dorpsarts ging ook door. In de spreekkamer bekeek ze kelen, betastte ze knieën, nam ze de bloeddruk op en legde ze verbanden. Vanni Sperandini vond het allemaal prachtig, zeker haar omschrijvingen van diagnoses waarvoor haar Italiaans ontoereikend was, meer een mixtuur van gebaren en Latijnse woorden waarnaar de patiënten met open mond luisterden. Wanneer iemand zich moest uitkleden draaide Sara zich kies om en inspecteerde achteloos, ze moest toch wat te doen hebben, het kleine medicijnkastje waar Vanni het zware spul voor noodgevallen bewaarde. Al direct ontdekte ze de dexamfetamine en zonder dat Vanni noch de patiënt het merkte, verdween het doosje in de zak van haar rok.

Toen het spreekuur afgelopen was, onderhield ze hem ernstig en legde ze uit dat in Nederland zulke gevaarlijke middelen achter slot en grendel gingen. 'En bij jou,' foeterde ze vriendelijk, 'kan iedereen er zomaar bij. Het deurtje stond zelfs open, dat betekent dat iemand slechts zijn hand hoeft uit te steken en hij heeft wat hij hebben wil.'

Vanni lachte haar vierkant uit. In San Antonio zou nooit iemand op het idee komen. In de meer dan twintig jaar dat hij in dit plaatsje praktizeerde was er nog nooit iets voorgevallen. De mensen hadden een heilig ontzag voor hem en zijn middeltjes.

'Maar controleer jij dagelijks dit kastje?' hield Sara aan.

'Nee,' zei hij, 'maar ik kan wel in een oogopslag zien of er wat ontbreekt. En nou geen gezeur. Om je gerust te stellen zal ik het deurtje op slot doen en daarmee basta.' Hij liep naar het kastje, rommelde wat tussen de flesjes en doosjes en duwde het deurtje dicht. Er ontbrak niets... 'En nu op naar de bar om onze samenwerking te vieren,' zei hij terwijl hij schalks tegen haar wangen tikte. Met kloppend hart drentelde ze achter hem de spreekkamer uit.

Buiten viel de hitte over hen en veel sneller dan de zon toeliet, haastten ze zich naar de bar waar Franco de luchtventilatoren op volle kracht liet draaien. Hij vermeed het Sara aan te kijken en zij begreep dat hij op pad was geweest en de metaaldetector een desillusie was geworden. Bovendien stond het gedrag van de arts hem niet aan, die hing veel te amicaal met de signora over de bar en praatte over dingen waarvan Franco geen kaas had gegeten. In de bar was hij de baas en gesprekken die hij niet kon volgen lustte hij in principe niet. Niemand zette hem horentjes op en niemand zou hem voor dom verslijten, hij was een echte man.

'Madonna, wat een humeur,' zuchtte Vanni. 'Aan een sterfbed is het nog een gezellige boel vergeleken bij dat smoel van jou. Ik kom nog wel eens een keer terug als je gezicht minder zuur is dan de wijn die je schenkt.' Lachend verliet hij de bar. Sara bleef achter en wachtte gelaten op de donderpreek die volgen zou.

182

Franco keek of de bar leeg was en sloeg toen met de vuist op de rand van de spoelbak. Was hij daarvoor naar Florence gereden? Nog geen haarspeld kon dat ding aanwijzen. Hij wist zeker dat daar waar hij vannacht geweest was, de grond bol stond van de antiquiteiten. Voordat die snuffelaar eindelijk iets te pakken had, kon ie beter met zijn blote handen het terrein afgraven. De signora had hem lekker gemaakt met kinderspeelgoed maar hij liet niet met zich spelen. Ze had hem een detector beloofd, welnu die detector moest en zou er komen.

'Wind je niet zo op,' zei Sara. 'Een telefoontje naar Nederland en het probleem is opgelost.'

De notaris werd weer van stal gehaald en tien lange minuten vulde ze de lijn met prietpraat en andere flauwekul totdat hij hoorbaar opgelucht de verbinding verbrak.

'Een enorme vergissing,' tetterde ze tegen Franco. 'Een enorme blunder waarvoor ik je mijn excuses aanbied. Er zijn wel degelijk sterkere detectors. Komt allemaal in orde. Zodra mijn tussenpersoon naar Italië kan komen, brengt hij de nieuwe voor je mee. Er hoeft natuurlijk niet betaald te wor...'

Er slenterde iemand de bar in en haastig verdween ze door het vliegengordijn naar buiten. Bijna danste ze over het plein naar huis. Het ging allemaal gesmeerd, de dexamfetamine om de zware reis te doorstaan, Franco meer dan bereid weer naar Florence te rijden en binnenkort de uitslag waar en wanneer de veldtocht ondernomen kon worden. Zoals zweetlucht bij een soldatenlaars hoort, zo zeker was Sara ervan dat geldzucht Thomas in haar armen zou drijven.

Eind september, op zaterdagavond, klokslag zes uur, belde Thomas. Zijn verhaal was roerend. Hij had een gokje gewaagd in een casino, niet omdat hij speelzuchtig was maar omdat hij uit altruïstische overwegingen besloten had zijn kapitaal te vergroten zodat hij haar voorlopig niet meer hoefde lastig te vallen. Helaas, helaas, in één klap was hij alles kwijt. En nog meer... Zijn stem klonk bijna deemoedig toen hij het bedrag noemde.

Sara reageerde geschrokken. Het lag niet in haar stijl het zuurverdiende geld van grootvader aan speelschulden te besteden.

'Jij hebt toch ook op die vriend gegokt,' zei hij verwijtend. 'Daarbij komt dat ik het gedaan heb om dit telefoongesprek te voorkomen en jij hebt een veelvoud van het bedrag waarom ik vraag verspeeld en verspild in de hoop er zelf beter van te worden.'

Stukjes bij beetjes liet ze zich overhalen. Er zat wel wat in in wat hij zei maar, aan de andere kant betekende het toch een bedrag dat ze niet één, twee, drie uit haar mouw kon schudden. Ze moest er ook voor naar Nederland komen en haar gezondheid... Hij onderbrak haar.

'Je kunt het toch telefonisch aan mij laten overmaken.'

'Zwart geld,' hijgde ze, 'maar beste Thomas je bent toch niet zo naïef dat je niet beseft over welke risico's je praat.'

Koel zette hij haar voor de keus, of het geld of de fiscale recherche.

Sara jammerde nu bijna. Het lag niet in haar bedoeling hem af te schepen met een weigering. Ze wilde naar Nederland komen, het geld opnemen en het hem overhandigen.

'Ik kom wel naar Nijmegen,' antwoordde hij.

Het zweet stond in haar handen, niet alleen van de hitte in de kleine telefooncel. Haar hart ging zo tekeer dat ze meende flauw te vallen, haar mond was kurkdroog. Het cruciale moment was aangebroken. Haar stem beefde van emoties toen ze hees in de hoorn fluisterde dat ze één wens had, meer een nostalgisch verlangen naar de tijd dat ze haar kind verwachtte, nog hoop had voor een betere toekomst, bereidwillig het kind die jeugd te geven die zij zo vroeg moest afstaan.

'Kunnen we terzake komen?' zei hij ongeduldig.

'Ik zou je zo graag,' zei ze, 'bij 'de kleine oase' in het Leeuwendaelse bos bij Dudoveen in mijn armen sluiten. Een keer weten hoe het voelt je bloedeigen zoon te ontmoeten.'

Een tijdje bleef het stil, toen protesteerde hij. Hoe moest hij in Dudoveen komen? Dacht ze, als hij blut was, dat hij nog auto reed? De Porsche was van ellende in elkaar gezakt en ze hoefde er niet op te rekenen dat hij de afstand Amsterdam-Dudoveen liftend aflegde. Sara stelde een taxi op haar kosten voor. Het werd een koehandel waarbij de een de prijs verhoogde, de ander de voorwaarden aanscherpte. Het tijdstip van acht uur 's morgens wees hij rigoureus van de hand. Belachelijk voorstel van iemand die een zwakke gezondheid pretendeerde. Het loven en bieden ging nog even door. Voor de telefooncel groeide een rijtje wachtenden en Sara voelde zich net zo ongeduldig, de hitte was ondraaglijk geworden.

'Ik sta hier bijna te sterven,' zei ze naar waarheid, 'en ik wil het gesprek nu beëindigen. Je kunt kiezen of delen. Zondag over een week om acht uur 's morgens bij 'de kleine oase' of fluiten naar het geld en de erfenis. Je kunt rustig de fiscale recherche op me afsturen want ik ben rijk genoeg en voor een kleine financiële aderlating niet bang. Aan jou nu de beslissing.'

Grommend ging hij door de knieën. Goed wijs was ze nooit geweest volgens hem, en ze hoefde hem ook niet uit te leggen waar de 'kleine oase' was. Vlak voordat grootvader doodging waren ze samen in Dudoveen gaan joggen, langs het huis gelopen waar hij zou zijn geboren als alles normaal verlopen was, ze hadden 'de kleine oase' bezocht, die plek waar die meid besloten had grootvader en hem uit Jacobahuis te gooien.

Van deemoed geen sprake, evenmin van vreugde over het toegezegde bedrag. Al het gif waarmee hij jarenlang was ingespoten, stroomde overvloedig door de telefoonlijn. 'Ik had je allang kapot moeten maken,' siste hij voordat hij de hoorn op de haak gooide.

De Liefhebber toonde zijn ware aard en Sara voelde dat uitstel van zijn executie weldra haar eigen liquidatie betekende. Glimlachend verontschuldigde ze zich tegenover de mensen die zuchtend hun ongenoegen over het lange telefoongesprek lieten merken.

Even dacht ze dat Giulietta in de bar was maar toen ze bij Franco een biertje bestelde, rook ze haar eigen transpiratie. Ze knikte hem toe en hij concludeerde dat het zojuist gevoerde gesprek over de detector was gegaan.

Alhoewel ze zich voorgenomen had haar lichaam goed op de uitputtingsslag voor te bereiden, was haar conditie ver beneden peil toen ze in de nacht van vrijdag op zaterdag weer onder het dashboard San Antonio verliet. Franco, die dreigend achter het stuur zat, had nog steeds de pest in en begreep ook niet waarom hij haar en de detector niet meteen uit Florence kon terugnemen. Sara verzon een paar zwakke leugens. Ze vertelde dat ze aan het ophalen van de detector een weekeinde Florence wilde koppelen, maar ze zei ook dat ze op de leverancier moest wachten, en gaf hem gelijk toen hij een minnaar veronderstelde.

Alles bij elkaar een gammel verhaal waarvan de redactie steeds onduidelijker werd omdat ze gek was van angst dat de Kever niet zou starten, het geweer weigerde af te gaan, Thomas het verrekte naar 'de kleine oase' te komen, en ze bovenal bekaf was van die afgrijselijke hitte. Overdag scheen de zon onbarmhartig op het uitgestorven plein en de geblindeerde ramen van haar appartement waarin het, ondanks de prijs die ze Giulietta voor koelte betaald had, warmer en warmer werd. De muren leken wel stoomijzers, de vloer een pas geteerde onderlaag. In zo'n sauna raakte ze bijna overspannen. Zelfs had ze momenten gekend de hele onderneming te schrappen, vooral toen de radio niet reageerde op de tijdklok die ze speciaal uit Nederland had meegebracht om voor dag en dauw Giulietta boven erop te wijzen dat de signora beneden ontwaakt was. Pas op de laatste ochtend reageerde het kreng op het gewenste tijdstip.

Zwijgend zat Sara in de auto. Alles kwam haar ineens belachelijk voor, maar ze kon en wilde ook niet terug. De wrok tegen de beide Van Welie's was heviger dan de zorg om ontdekking. Echte vrijheid, hield ze zich voor, zou ze nooit kennen zolang ze het mikpunt bleef van vunzigheid, van de oude op de jonge Van Welie overdragen.

Franco zong een schunnig liedje, werd hitsig van de tekst en vroeg of haar haar beneden dezelfde kleur had als dat op haar hoofd. Ze gaf geen antwoord daarop. Wel godverde ze hem uit, inclusief alle lichaamsdelen die de arts haar tijdens hun gezamenlijke spreekuur in hoog- en plat-Italiaans had bijgebracht, toen hij zonder snelheid te verminderen zijn gulp openritste en zijn 'natuurlijke detector' toonde.

'Dit ijzer,' zei Franco, 'weet al op meters afstand waar de sappigste spleet zich verborgen houdt.'

Grommend trok hij zijn rits weer dicht en hij zei dat Giulietta, hoe stom ze verder ook was, door de inhoud van zijn broek meer smaak ontwikkeld had. Tot Florence spraken ze geen woord meer, ze waren allebei diep beledigd. Op een ander punt dan de vorige reis stapte ze uit, nadat ze hem nogmaals op het hart drukte maandagnacht om drie uur op dezelfde plaats op haar te wachten.

'In bocca al lupo,' zei hij en Sara antwoordde: 'Crepi il lupo.'

Haar horloge wees tien over drie toen ze het hotel binnenging waar ze een kamer onder een andere naam besproken had. De nachtportier vroeg niet naar haar pas. Op haar kamer raake ze het bed niet aan, in een stoel gezeten rookte ze talloze sigaretten. In gedachten reisde ze vast vooruit.

Om acht uur naar de garage, starten, rond kwart over acht op de autobaan richting noorden. Bij München goed op de afslag Nürnberg letten, bij Frankfurt hetzelfde. Na middernacht in Nijmegen, auto op de Oranjesingel parkeren, regenjas aantrekken en donkere pruik opzetten, via de achterzijde haar huis benaderen. Op de tast piano openen, geweer eruit nemen, dezelfde weg terug. Niet in paniek raken, rustig de tijd overbruggen, meer in de drie dan in de vier, van dorp tot dorp, grote cirkels rond Dudoveen en dan eindelijk, godddank eindelijk, de neus van de Kever richting oase.

Vlak voordat ze naar Italië vertrok, had ze nog het Leeuwendaelse bos verkend en de route uitgestippeld: van de noordzijde eerst over klinkerwegen, dan langs eenzame boerderijen die te ver van de weg liggen om het verkeer vanuit huis bij te houden, naar de bosrand waar 'de kleine oase' op rode bordjes aangegeven staat.

Ook al was ze aan de late kant, meende ze, het was nu slechts een kwestie van de route volgen en haar zenuwen de baas zien te blijven. Vermoeidheid voelde ze niet meer, in plaats daarvan een adembenemende opwinding, zoals bij bokswedstrijden als twee zwaargewichten om elkaar heen draaien en naar een punt zoeken waar de moker de fatale stoot kan plaatsen. Tot nu toe ging alles volgens plan, maar toen de fijne regendruppels in een hevige regenbui overgingen, sloeg de schrik haar om het hart. Stel voor dat Thomas niet zou komen...

Om vijf voor acht stopte ze de auto naast het bankje bij 'de kleine oase'. Zoals ze geoefend had, handelde ze. Toen was het geen werkelijkheid, nu leek het een droom. Eerst de regenjas uit, dan het geweer voorbereiden, het raampje open draaien en het wapen in aanslag. De regen maakte de linker zijde van de pruik nat. Ze liet de moter draaien, de ruitenwissers zette ze in de hoogste stand en af en toe boog ze zich uit het raam om het pad achter de auto te inspecteren op ongenode getuigen. Niemand, niets, zo rustig en vredig dat ze zichzelf wat kalmer begon te voelen. Het water sijpelde van de pruik in haar nek maar ze durfde zich niet meer te bewegen, bang de trekker van het geweer over te halen. Seconden verstreken en leken uren. Plotseling schrok ze; in de verte hoorde ze een hond blaffen. Een mannenstem riep, maar wat kon ze niet horen. Paniek bevloog haar. Wat moest ze doen als een ander dan Thomas 'de kleine oase' naderde? Razendsnel overwoog ze de mogelijkheden, indien het fatale schot gelost werd, mocht ze niet gezien worden maar als iemand haar zag, kon ze de moord niet plegen.

Voordat ze een besluit kon nemen, draafde Thomas de hoek om. In een blauw joggingpak duwde hij zijn logge lijf naar de eindstreep. Zijn blonde haren hingen in pieken om zijn gezicht waarop de inspanning van het lopen zich bleekrood aftekende. Als in een vertraagde film liep hij op haar toe, op zijn gezicht nu de uitdrukking van iemand die niet gelooft wat hij ziet: de shuffle van Cassius Clay in slow motion. Ze hoorde het geblaf van de hond dichterbij komen, ze zag Thomas voordat hij zich naar haar raampje overboog een paar keer met zijn vinger op zijn voorhoofd tikken. Alles registreerde ze, ook zijn verbazing toen ze de afgezaagde loop van het geweer iets omhoog richtte en zijn kop in flarden schoot. Even sprong hij omhoog en met een klap donderde hij naast de auto. De hond blafte schel en uitgelaten. Snel zette ze het geweer naast zich, versnelling in de één, het stuur met een zwaai naar links, over een hobbel, door de berm, rakelings langs het bankje waarop ze jaren terug Thomas dood wenste, slippende koppeling, de auto onder controle, op naar de twee, naar de drie, met een razende vaart er vandoor.

Ze reed als een bezetene. De pruik zakte door het gewicht van het water over haar linkeroor. Ze moest lachen toen ze het voelde, hysterisch lachen waardoor ze bijna de macht over het stuur verloor. In de verte lagen de boerderijen, daar was de klinkerweg, verderop de bewoonde wereld. Ze minderde snelheid. Klinkerwegen hebben een verraderlijk glad wegdek wanneer het regent. Ze juichte bijna toen een wolkbreuk boven de auto losbarstte. Autolampen aan, met de neus bijna op de voorruit. Niemand op straat. Zondag, rot dag, rustdag.

Vlak bij de oprit naar de autobaan, volgde ze de wegwijzers naar de autoparkeerplaats bij het zuiggat waar ze die zomer weinig surfers en nog minder zwemmers aantrof. Ze reed tot aan de graskant, nam het geweer bij de kolf en gooide het met een krachtige zwaai ver in de woelige plas. Terug in de auto, natte pruik onder de mat. Op naar de autobaan.

'Douaniers zijn net geiten,' zei mevrouw Gottschalk eens. 'Als het regent staan ze binnen.'

Sara wachtte keurig totdat de Nederlandse en de Duitse douane met elkaar uitgesproken waren en zonder haar aan te zien gebaarden dat ze kon doorrijden. Ze trok rustig op maar eenmaal uit zicht dwong ze de auto tot topsnelheid. Het lampje van de benzinemeter flakkerde op. Bij het eerste het beste benzinestation tanken, eventueel koffie drinken.

Alles kwam goed, de auto op tijd verzadigd en zij gelaafd met twee sterke bakken. De regenjas liet ze aan de kapstok in het wegrestaurant hangen en de pruik belandde met een sierlijke boog tussen etensresten, sinaasappelschillen en lege bierblikjes in de afvalemmer op de parkeerplaats. Door de stromende regen liep ze terug naar de auto, ze stapte in en weer uit; ze was totaal vergeten te kijken of de detector nog in de achterbak lag. Ze dacht dat ze flauw viel toen de klep niet op slot bleek en de achterbak leeg. De metaaldetector was verdwenen. Jezus Christus, wat had ze de dexamfetamine nodig om de afstand naar Florence te overbruggen.

Achteraf wist ze niet of ze van geluk of pech moest spreken. Aan de Italiaanse grens werd 's avonds de auto grondig geinspecteerd: de vloermatten omgekeerd, de zittingen beklopt en de beautycase tot in de intiemste vakjes gecontroleerd. Toen ze vroeg waarom al die poespas nodig was en ze het grijnzende gezicht van de douanier zag, begreep ze dat pettengein haar aan het schrikken hadden gebracht. Vermoeid zakte ze terug achter het stuur, reageerde met een schouderophalen nadat hij van de pasfoto vragend naar haar keek. Behalve haar beau-jour, miste ze vooral het bed. Hij mocht denken wat hij wilde als ze maar door kon rijden en eindelijk haar ogen sluiten.

De laatste paar honderd kilometers tikten behoorlijk aan. Afgezien van honger en dorst, tintelende benen, gezwollen handen, stekende droge ogen, de autobaan die verstoppertje met de auto speelde en pas op het laatste moment weer tevoorschijn kwam, kwelde de vraag waar de detector gebleven was haar nog het meest. Er waren teveel mogelijkheden zonder oplossing. Van de garagehuurder tot een mogelijke dief in Nijmegen, en misschien was er nooit sprake geweest van een tweede detector, ze wist het niet meer. Het triomfantelijke gevoel van vanmorgen nadat Thomas haar niet goed wijs verklaarde en zij vriendelijk glimlachend de trekker overhaalde, de vleugels die haar over de grens droegen, het uitzicht in alle zekerheid en veiligheid San Antonio te bereiken, alles in een klap vernietigd door de martelende angst Franco met lege handen onder ogen te moeten komen.

Bang al uit Nederland opgeroepen te zijn, was ze niet. Voordat de commotie om de ontdekking van het lijk bedaard was in een gericht antecedentenonderzoek, zouden uren verstrijken en mocht men, eerder dan verwacht, toch er achter komen dat de moeder in het buitenland verbleef, dan liep ze nog geen gevaar omdat ze telefonisch onbereikbaar was: Franco's bar, bij haar weten de enige in heel Italië, was op zondag gesloten.

Eindelijk kwam Florence in zicht. De reis had ook niet veel langer moeten duren. Ergens in het centrum schoof ze de auto over een trottoir, de sleuteltjes liet ze in het contact zitten, dan hoefde een dief niet eens de auto open te breken. Ze pakte de beautycase en strompelde naar de plaats waar ze met Franco afgesproken had. Meer dood dan levend viel ze naast hem op de voorbank.

Eerst vloekte hij dat ze veel te laat was, toen riep hij alle heiligen aan om de getuigen hoe 'de signora', hoonde hij, met de kloten van een man speelde. Taxichauffeur voor een stuk ijzer waarmee een ander haar had onderzocht. Hem het hoofd op hol brengen terwijl de ander haar likte. De hele zondag naar de bliksem. Giulietta zoet houden om 's nachts te kunnen vertrekken. 'Porco, porco, porco,' schreeuwde hij. 'Denk maar niet dat ik ongestraft met me laat sollen.'

Sara begreep dat zwijgen het beste was. Praten kon ze trouwens ook niet meer. Uitgeput zakte ze opzij en hoorde nog in de verte brokstukken van zinnen die iets te maken hadden met het geslacht van zijn vader, de borsten van zijn moeder, de verrotte genitaliën van San Apollinare, San Marco, Giorgo of Pietro. Er mankeerde iets aan de neus van Federigo da Montefeltro, daarentegen zag het ene oog alles en vooral verdomde goed. Hij sprak over Leonardo da Vinci, Borgia, de glasproduktie van Venetië. Ze kon er geen touw aan vastknopen. 'Viva Italia,' mompelde ze en toen viel ze in een diep zwart gat.

Ze droomde sensationeel. Behaaglijk wendde en keerde ze zich in lauw zilvergrijs water dat rose uiteenspatte. Ze voelde zich krachtig en slap tegelijk, een willoze overgave waaruit ze nieuwe energie putte. Een warm gevoel doorstroomde haar, een eindeloze fijne streling, een zo onbekend geluk dat ze haar lichaam verlangend strekte. Plotseling werd het gevoel pijnlijk, een lucht van verrotte aardappels prikkelde haar neus. Ze gaf een gil en schrok wakker.

Meteen wist ze wat er gaande was. Haar borsten hingen uit de bloes, Franco's vinger stootte diep in haar. Zomaar, langs de kant van de weg, met draaiende motor, fluisterde hij hees zijn begeerte in haar neus. Ze duwde hem van zich af en toen dat niet lukte, krabde ze hem in zijn gezicht. Ze drukte op de claxon, gilde en sloeg totdat hij overeind ging zitten. Hij zei niets en terwijl Sara haar kleren fatsoeneerde, stuurde hij langzaam de wagen de autobaan op.

Er werd geen woord meer gesproken. Franco reed alsof de duvel hem op zijn hielen zat, Sara reed met grote staarogen mee. Het was al licht toen ze San Antonio bereikten. Hij zette de auto in de garage onder het huis en stapte uit zonder haar een blik waardig te keuren. Pas toen ze boven een deur hoorde dichtvallen, kroop ze onder het dashboard uit.

Toen ze in haar appartement kwam, klonk zwaar klassieke muziek uit de radio. Ze draaide de knop om. De tijdklok stopte ze in een plastic zak die ze morgen op de stoep bij het andere vuil zou zetten. Daarna viel ze op bed. Een eeuwigheid slapen was nog het enige dat ze verlangde.

Sara drinkt een glas water en leegt de asbak, dan drentelt ze met een nieuwe sigaret door de keuken. Het verleden is afgelopen en voorbij, het doel is bereikt, de ballingschap in San Antonio kan opgeheven worden. Eindelijk vrij. De toekomst lokt, het leven is grandioos.

Ze opent de luiken naar het plein. Ook al is het oktober en nog vroeg in de ochtend, toch voelt de lucht al lauwwarm aan. Ze ademt diep. Oh, wat is het leven heerlijk. Weg uit San Antonio, niet terug naar Nijmegen. Geld in overvloed dat ze vanaf nu laat rollen. Een prachtig landgoed in Toscane. Met Rik over de bebouwde akkers en velden lopen, hand in hand, dicht tegen elkaar aan. Door de cypressenlaan terug naar hun huis, en knus bij de haard vertellen ze elkaar de verhalen die ze nog niet samen delen. Zo komt ze alles over hem te weten. En hij over haar...?

Er valt een steen op haar hart. Het kan niet. Een moordenares met een ex-politieman. Ze moet verstandig zijn en uit zijn leven verdwijnen. Haar eigen leven weer oppakken, alleen wat chiquer voortzetten. Een riante flat in de Randstad. 's Morgens koffie drinken in Des Indes, een strandwandeling in Scheveningen. Uitgaan in Amsterdam. Bij Hoppe eerst een ondergrondje nemen om op een paar vierkante centimeter nog wat menselijk contact te voelen. Alleen met het programmaboekje naar theater of schouwburg. Souperen aan een éénpersoonstafeltje bij Dikker en Thijs.

Of de rijke vrouw uithangen in het buitenland. Leven zoals Zelda Fitzgerald in de twintiger jaren. Elegante conversaties, koele flirten. Een race-car en een speed-boat. Genot en voldoening. Een uitgelaten gezelschap in het kielzog. De beau-monde van Parijs, de jet-set van New York. Baby-boomers, yuppies, dinkies, heel de santenkraam op visite. Chanel achter het oor, Dior om het lijf, Cerruti op het been, Kélian aan de voet. Gewaagde jurkjes tegen dubbelgestikte gulpen. Een wirwar van frutsels en gefluoriseerde tanden. En maar lachen tot de tranen van verveling over de wangen rollen.

Nee, er blijft niets over dan liefdadigheid. Boeten voor de zonde. Een tehuis à la Josephine Baker. Geen bedelbrieven, locale acties of internationale publiciteit. Geld is geen probleem. Moeder Sara ontfermt zich rinkelend over de verschoppelingen. De notaris en zijn vrouw komen op bezoek en zien met welgevallen toe. De mens leeft niet alleen voor zichzelf, ook de ander telt mee. Goedheid is een voorschot op de hemel. Eens gegeven, blijft gegeven. Mevrouw Gottschalk hield van kinderen, maar ook van haar...

Het waren haar laatste dagen. 'A chaque fois que l'heure sonne, tout ici-bas nous dit adieu,' zei ze zwak.

'U verbeeldt het zich maar,' zei Sara, 'er is hier geen klok die het uur aangeeft. Kom, laten we over iets anders praten.'

'Nee kindje,' fluisterde ze, 'het is met mij gebeurd. Ik voel het aan mijn lichaam maar mijn geest verzet zich nog. Ik zou ook wel willen maar ik heb zo'n zorg over jou. Waar blijf jij Sara?'

'Hier,' antwoordde ze en ze trok het broze lichaampje dicht tegen zich aan.

Ze gloeide en Sara veegde zweetdruppels van haar gezicht. 'Het is de onzekerheid,' fluisterde ze.

'We gaan allemaal naar een beter leven,' zei Sara.

'Nee, dat bedoel ik niet.'

'Wat dan wel?'

'Ik bedoel dat ik jou niet zo kan achterlaten.'

Tastend zochten haar vingers het gezicht van Sara. 'Mijn lief meisje,' fluisterde ze, 'beloof me een ding, blijf niet alleen. Geef je geluk een kans. Wijs niet meteen af maar laat het groeien.'

'Hoe kan ik geluk herkennen?' vroeg Sara.

'Dat herken je doordat je je hand uitstrekt om het te pakken. Nooit terugtrekken Sara...'

Ze sukkelde in slaap en Sara wist dat ze nooit meer wakker zou worden.

Het plein komt tot leven. Sara ziet Rina la Postina de deur van het postkantoor openen, een gemeentearbeider veegt met een takkenbezem de uitbundigheid van de vorige dag op een hoop. Links stopt een vrachtwagen voor de latteria, aan de overkant loopt de hoek vol met mannetjes die in bed niets meer te zoeken hebben. Een bus arriveert, Giulietta holt in een blauwe schortjurk naar de bar om de eerste klanten te bedienen. San Antonio maakt zich op voor een nieuwe dag.

Ze trekt zich terug uit het raam. De beslissing is gevallen. De moord op Thomas van Welie speelt geen rol meer. Hij is dood en begraven. Wat Anna haar leerde over haar moeder, zal Sara met de zoon weer in praktijk brengen. Nooit zal ze meer aan hem denken. Daarom kan ze best met Rik verder leven. Hij zal nooit iets te weten komen.

Terwijl ze het bad vol laat lopen, zoekt ze in de kast naar een outfit voor vandaag. Iets tussen uitgelaten en ingetogen, aantrekkelijk voor Rik maar ook passend bij de meewarige blikken die de dorpelingen haar toewerpen. Rustig kijkt ze een tijdje later naar haar spiegelbeeld: een aantrekkelijke vrouw in een witte pantalon en daarboven een dito t-shirt met zilveren borduursel. Het gezicht licht opgemaakt, de sporen van vermoeidheid zijn toch niet meer weg te werken.

Ze verlangt naar het pruttelende geluidje dat de motor van de Simca maakt. En als ze meent iets op het plein te horen dat erop lijkt, opent ze wijd de ramen van haar slaapkamer. In de verte ziet ze de Simca aankomen.

'Mag ik binnenkomen?' roept Rik blij nadat hij uitgestapt is.

Ze gooit de voordeursleutels naar beneden en haalt de barricade voor de deur weg.

Wanneer ze naar buiten komen, staat Giulietta in de deuropening van de bar te wenken. 'Signora, kom toch eens hier,' roept ze zo hard ze kan.

In de bar kleven haar ogen aan Rik. Ze kan er niet over uit, de broer van de signora, even blond en knap. Wat attent van hem de signora in haar verdriet bij te staan. 'Spreekt hij Engels?' vraagt ze.

Sara ontkent haastig en tegen Rik die glimlachend het gesprek over zich heen laat gaan, legt ze uit dat hij, om praatjes te voorkomen, haar broer geworden is.

Aan een tafeltje, achter in de bar, ontbijten ze en bespreken ze de dag. Sara stelt voor eerst wat rond te toeren en daarna door te rijden naar zee waar ze een gezellig restaurant weet met voortreffelijke wijnen en uitgelezen visgerechten. Rik vindt alles best als hij maar bij haar is en van haar mag genieten.

Maar onderweg wordt de auto een smeltkroes en van het

verschroeide landschap dat onder de zon siddert genieten ze nauwelijks. 'Dit is niet uit te houden,' zegt Rik en wanneer hij een verlaten kerkje ziet stopt hij. Hij springt uit de auto en rent naar het verzakte portaal. Sara volgt hem langzaam. In de kerk wacht hij op haar. Samen slenteren ze door de koele ruimte. Het interieur is nog armoediger dan de buitenkant. Het kerkje bestaat uit één schip. Tussen uitgestucte steunpilaren staan uitgebeten houten banken, tegen de zijmuren altaartafels bedekt met morsig gerafeld linnen. Schilferige schimmelige heiligen plakken in bleke fresco's boven het hoofdaltaar.

'Ik ga niet verder,' huivert Sara.

'Waarom niet?'

Ze wijst naar een grafsteen in de uitgesleten zwart-grijze marmeren vloer.

'Daar mag je over lopen,' zegt Rik terwijl hij haar verwonderd aankijkt.

'Ik wil niet op dood,' antwoordt ze. 'Kom we gaan naar zee.' Ze draait zich om en loopt de kerk uit.

Aan zee dineren ze uitstekend zoals Sara voorspeld heeft. De onderwerpen die ze aansnijden zijn net zo luchtig als de maaltijd. Rik vertelt over zijn ouders, zijn broers, en Sara over San Antonio. Ze tafelen lang en als de zon wat milder wordt en ze het strand op kunnen, haalt Sara de plaid uit de auto en samen wandelen ze ver voorbij de laatste strandganger. Rik trekt zijn kleren uit en ploft in z'n blauwe onderbroek naast Sara die als een pilaarheilige in vol ornaat naar de zee blijft staren. 'Wat is het warm,' zucht hij. 'Heb jij geen last van de hitte?'

Ze draait haar rug naar hem toe en trekt ook haar kleren uit. Maar preuts blijft ze want ze klemt haar armen over haar borsten wanneer zijn hand haar aanraakt. 'Je hoeft niet bang te zijn,' zegt hij, 'ik wilde alleen dat sieraad even zien.'

Zonder haar armen te verroeren, peutert ze voorzichtig de scarabee van de ketting. 'Van mevrouw Gottschalk.'

Hij draait de jaden kever om en leest de inscriptie: Sara 21 februari.

'De dag dat ik bij haar in huis kwam,' legt ze uit.

'Wat lief,' merkt Rik op. 'Wees er maar zuinig op.' Het zweet loopt in straaltjes van zijn rug. 'Ga je mee zwemmen?

'Toe nou Sara,' dringt hij aan, 'het zou niet de eerste keer zijn dat ik borsten zie.'

Even twijfelt ze nog, dan stopt ze de scarabee in haar handtasje en rent voor hem uit het water in. Als kleine kinderen jagen ze elkaar na, stoeien in de golven, duwen elkaar onder en wanneer hij haar in zijn armen door het water draagt, kust hij één voor één de zware gouden schakels in haar hals. 'Beloof je me lieveling dat we samen oud worden?' fluistert hij.

'Ik houd van je,' antwoordt ze.

Hij draagt haar terug naar het strand en legt haar op de plaid. 'Ik voel me 'pop',' zegt hij.

'Wat betekent dat?'

'Dat ik me gelukkig voel. Het is een term die Buggybouwers gebruiken als ze voor de eerste keer een rit maken in hun zelfgebouwde auto. Dan voelen ze zich 'pop'. Ik bouw de Buggy voor jou af, Sara. Ik wil je alles geven,' zegt hij, 'en dat is nog veel te weinig. Alles wat ik bezit en ben is voor jou.' Hij drukt haar tegen zich aan. Zo zal hij altijd met haar liggen, zachtjes streelt hij haar krullen en hij voelt zich zo gelukkig.

Wanneer hij wakker wordt, zijn z'n armen leeg. Hij gaat zitten en ziet Sara met grote staarogen naast zich. Ze is ver weg want ze reageert niet op zijn aanraking. 'Wat is er?' vraagt hij bezorgd. 'Lieveling zeg eens iets?'

Langzaam komt ze overeind. 'Het is niets,' antwoordt ze, 'het gaat wel weer over.'

'Wat?' Rik dringt aan, hij moet weten waarom haar gezicht zo verkrampt is. 'Heb je rot gedroomd?'

'Nee, het is een gevoel.'

'Wat voor 'n gevoel, Sara? Ik wil het weten. Je kunt me toch vertrouwen, je weet hoeveel je voor mij betekent.'

'Ik wil me niet belachelijk maken,' ontwijkt ze.

Hij pakt haar gezicht: 'Vertel me alles. Jij kunt je nooit belachelijk maken.'

'Het komt door die kerk,' aarzelt ze.

'Wat komt door die kerk?'

'Het gevoel dat ik...'

Hij neemt haar in zijn armen.

'In die kerk,' zegt ze, 'had ik weer het gevoel zoals toen op de binnenplaats...'

196

'Vertel maar door.'

'Ik zat nog op de lagere school, een katholieke, waar jongens niet mochten bestaan en meisjes verplicht werden in groepjes te spelen.' Ze legt haar hoofd tegen zijn schouder en gaat verder: 'Ik ben niet katholiek en toch had Anna het op de een of andere manier voor elkaar gekregen dat ik naar die school ging. Er was een meisje met wie ik zo graag alléén wilde spelen. Ze had van die vrolijke vlechtjes en ze lachte altijd. We werden vriendinnen, tenminste in mijn gedachten want op de binnen-plaats van de school keek altijd een strenge zuster toe of twee meisjes zich niet afzonderden en buiten wachtte Anna. Op een middag, na de bel van vier uur, verstopte ik me op een w.c. en toen het stil geworden was, sloop ik naar de binnenplaats waar ik een hinkelbaan tekende.'

'Met hemel, hel en vagevuur,' lacht Rik. 'We noemden dat vroeger een meidenspelletje.'

'Nee,' zegt Sara ernstig, 'mijn hinkelbaan bestaat uit acht vakken en daarboven een halve cirkel met het woord 'dood'. Als je daarin kwam, was je 'af' zoals dat heette. Er gebeurde iets merkwaardigs. Als ik voor mijn vriendinnetje hinkelde, schopte ik het blokje keurig van één naar acht, maar als ik zelf aan de beurt was, belandde ik steevast op 'dood'. Ook als ik heel eventjes stechelde, overkwam mij dat. Het werd donker. Mijn vriendinnetje zei dat ze naar huis wilde en verdween. Toen moest ik ook gaan. Ik trok aan de deuren die uitkwamen op de binnenplaats, de ramen waren donker en de muren sloten me op. Er was geen uitweg. Ik holde over het plein, ik probeer-de die pikdonkere lucht te onwijken die als een zwart laken naar beneden dwarrelde. De binnenplaats werd een kerkhof, de ramen glanzende marmeren zerken, de hinkelbaan een vers gedolven graf. De muren rukten op, de zerken brokkelden af, uit de graven klonken stemmen, een lichtflits verblindde mij. Ik sloeg mijn handen voor mijn gezicht, ik voelde hoe ik naar de hinkelbaan gesleurd werd, door elkaar gerammeld, ik wist niet dat doodgaan zoveel pijn deed...'

'Hoe bedoel je?'

'Het was Anna,' zegt ze, 'en ondanks de klappen die ze gul uitdeelde, was ik zielsgelukkig weer bij haar te zijn.'

Rik staat op en knielt voor Sara neer. Ze ziet hoe de onder-

gaande zon de fijne zandkorreltjes op zijn lichaam tot stof-
goud verandert. Hij steekt zijn handen uit naar haar. 'Je bent
veel alleen geweest in je leven.'

'Ik geloof het wel, ja.'

'Ben je bang weer alleen gelaten te worden?'

'Misschien, het zou kunnen, ik weet het eigenlijk niet. Ik
voel me zo beklemd Rik,' klaagt ze. 'Het is of ik iedere keer
wegglijd in een leegte, zo'n vreemde sensatie die je overkomt
wanneer je jezelf in slaap voelt vallen.' Ze zucht een paar maal
diep. 'Er dreigt je iets te ontglippen dat je niet tegen kunt
houden. Je bent bang en nieuwsgierig tegelijk en ook een beetje
verwonderd omdat je dacht dat het jou nooit overkwam. Begrijp je me?'

'Nee, niet helemaal,' antwoordt hij.

'Door die kerk ben ik weer op de binnenplaats. Ik hinkel en
kom op 'dood' terecht. Ik kan niet weg...'

'Je kunt wel weg,' sust hij.

'Hoe?'

'Met mij,' glimlacht hij. 'Ik ben waarschijnlijk niet alleen
naar Italië gekomen om je te vertellen dat ik van je houd, maar
om je op te halen. Vanaf nu blijf je bij me. Ik neem je mee terug
naar Nederland.' Hij trekt haar omhoog en slaat zijn armen
om haar heen. 'Herinner je je wat je zojuist zei toen Anna je
van de binnenplaats haalde?' Hij voelt dat ze 'nee' schudt. 'Je
zei dat je zielsgelukkig was. Dat gevoel moet je vasthouden,
dat mag je niet laten ontglippen. Er bestaat geen hinkelbaan
met acht vakken op een binnenplaats, dat was een zwarte
droom. Jij en ik worden zielsgelukkig. We gaan samen weg en
als we bij elkaar blijven, kan ons niets gebeuren. Kijk om je
heen Sara en vertel me wat je ziet.'

'Waarom?'

'Omdat het belangrijk is dat je iets ziet.'

Ze heft haar hoofd en kijkt links en rechts over zijn schouder. 'Ik zie een wolk die slordig wegdrijft tegen een bloedrode
hemel, een vuilgrijze zee, zand met duizenden dingen die mensen achter laten,' somt ze op.

'En wat nog meer?'

'Een dood strand, leegte, stilte, verlatenheid. Een zee die op
niets eindigt.'

Voorzichtig draait hij haar hoofd naar zich toe. 'En wat zie je nu?'

'Jou,' antwoordt ze schuchter.

'En wat nog meer?'

'Alleen maar jou.'

Hij laat haar los, loopt naar de waterkant, zet zijn handen aan zijn mond en roept: 'Sara is mijn bruid.' Wanneer hij terugkomt, wijst hij haar op een klein golfje dat terugstroomt naar zee. 'Kijk,' zegt hij, 'de boodschap wordt doorgegeven, de zee is er spoedig vol van. Vissen voeden zich ermee en straks komt er een meeuw die mijn boodschap uit zee oppikt en ermee wegvliegt naar Toscane. Daar strijkt hij neer en bouwt er een nestje.'

'Waarom Toscane?' vraagt Sara verwonderd.

'In Toscane zijn hinkelbanen verboden,' lacht Rik. 'Aan de grens werd ik tegengehouden door een man in een blauw pak. Die vroeg aan mij of ik iets had aan te geven. Alleen liefde, antwoordde ik. Dat mag, zei hij, als u maar geen krijt bij u hebt want het Toscaanse landschap is beschermd.'

In het restaurant waar ze nog een maaltijd gebruiken voordat ze naar Nederland vertrekken, is het benauwd en rumoerig. De ramen staan wijd open, ventilatoren draaien wel op volle kracht maar brengen geen verfrissing. Sara klaagt dat ze zich niet goed voelt. Het bonkt in haar hoofd en haar buik en maag lijken van elastiek, die rekken en krimpen en dat geeft zo'n naar gevoel.

'Het is ook broeierig warm,' zegt Rik. 'Ik denk dat er onweer op komst is.'

Naast hun tafeltje tikt een klein kind met een vork tegen een bord. 'Kan ie niet ophouden?' vraagt ze.

'Het is een kind, hij verveelt zich,' vergoelijkt hij.

Anna, denk ze, zou er wat van gezegd hebben. Orde en tucht waren haar ijzeren wetten. Ze zei dat kinderen zich moesten gedragen aan tafel. Kinderen behoorden zich altijd te gedragen, mochten nooit blijven zitten als er bezoek kwam, waren verplicht op te staan en netjes een hand te geven. Thomas was onbeleefd want die bleef zitten en negeerde de hand van zijn moeder. Thomas had geen manieren, was ook niet opgevoed.

Anna zou korte metten gemaakt hebben. Wie niet horen wil moet voelen, zei ze altijd. Ze had flinke handen en Thomas een groot hoofd...

Het kind krast nu met de vork over het bord. 'Het doet pijn aan m'n oren,' kreunt ze.

'Je bent oververmoeid en daardoor hypergevoelig,' sust hij. 'We eten vlug door, rijden naar San Antonio, pakken je spullen en dan wegwezen.'

Ze probeert zich te concentreren op het eten, maar de gefrituurde aardappelblokjes worden brokjes marmer en ze ziet hoe Thomas in de vloer van de hal in Jacobahuis kraste. Toen was hij even oud als het kind naast haar en hij wist nog van niets, voelde niet dat ze boven naar hem loerde en misschien al de kiem legde voor...

'Ssst,' zegt Rik tegen het kind. Hij houdt zijn vork omhoog en legt die demonstratief naast zijn bord. Het kleintje kijkt naar Sara, twee bolle oogjes vragen om uitleg.

Sara zet hem een brilletje op zijn neus dat Thomas vergat af te zetten toen hij de akte gelezen had. Bij het joggen hoefde hij geen bril te dragen, werden de glazen maar nat, net als zijn trainingspak. Dat deerde hem niet want verderop wachtte de poet. Hij kon wel honderdduizend joggingpakken nat laten worden omdat hij bij iedere stap rijker werd. Slechts één bocht scheidde hem nog van de auto waarin ze wachtte. Het kwijl liep uit zijn mond, de Volkswagen werd een goudkever, ze lachte naar hem en trakteerde hem op moorddadig lood dat ze gul tussen zijn ogen strooide. Hij spatte uit elkaar, braakte hersens, slijm en bloed, een gillende zak vuiligheid die openbarstte en...

Rik houdt zijn bord onder haar mond. 'Ik schaam me dood,' hijgt Sara terwijl ze bijna stikt.

Zondag

Ze zit stil naast hem in de auto. Zijn rechterarm ligt om haar heen en pas op het laatst, wanneer een bocht in de weg het nodig maakt te schakelen, laat hij haar heel even los.

Sara's maag is wel leeg maar haar hoofd houdt geen uitverkoop. Het is tot barstens toe gevuld met brokken, flarden, stukken, delen die in slordige stapels tegen haar slapen drukken en haar keel dichtsnoeren. Ze probeert aan mevrouw Gottschalk te denken. 'Vogue la galère,' zou die geroepen hebben. En Anna waarschuwde: 'Niet omkijken want daar word je gek of ongelukkig van.' Gek en ongelukkig, de twee terroristen die de inrichting van haar hoofd nu willen opblazen. Ze moet zich rustig houden. Ook Rik zei dat. Ze moest de week afsluiten, nergens meer aan denken. Alleen het goede bewaren, alleen aan hem denken. Vivre sans aimer n'est pas proprement vivre. Ze wil liefhebben, ze wil leven. Het eind is in zicht. Straks slapen. Als een roos. Als een os. Van de os op de ezel. 'Twee violen en een bas, bas, bas,' zong ze vroeger voor het slapengaan. Vader baste, Thomas baste, kreeg een kopstem voordat hij naast de goudkever neerdonderde. Goudkever? Scarabee? 'Ik ben mijn scarabee kwijt,' roept ze wanneer ze aan haar hals voelt.

'Die heb je op het strand in je tasje gedaan,' antwoordt Rik. Zenuwachtig rommelt ze in het tasje. 'Direct doe je 'm weer om, zodra we boven zijn,' stelt hij haar gerust.

Boven, denkt ze, boven? Waar is boven? Wie is boven? Wat is boven? De pruik, de zakagenda met de nummers van Cormantin en Amsterdam. Rik mag niet boven komen. Foetsie Fata Morgana. Luchtkasteel in wolkbreuk. Boompje groot, plantertje dood. Pruikebol, kop op hol. Twee papiertjes en de aantekening wordt aanklacht. Aanbidder, verrader... En ze leefden nog lang en ongelukkig...

'Wat heb je?' vraagt Rik bezorgd. 'Moet je soms weer? Moet ik stoppen?' Hij houdt haar stevig vast. 'Sara,' dringt hij aan, 'wat is er met je? Waarom beef je zo?'

'Niets, niets,' bibbert ze. 'Jij gaat niet mee naar boven. Ik moet pakken.'

'Ik help je.'

'Nee, ik doe het alleen.'

'Onzin,' zegt hij bezorgd, 'je bent totaal overstuur. Je bent absoluut jezelf niet... Sara, Sara, wat heb jij je van de week in de nesten gewerkt. Je bent een wrak. Ik zorg er voor dat je een hele tijd rust krijgt. Straks slaap je lekker tegen me aan.'

'Ik wil niet,' zegt ze gejaagd.

'Wat wil je niet?'

'Dat je mee naar boven gaat.'

'Het is al goed,' geeft hij toe. 'Dan wacht ik beneden maar je draagt de koffer niet alleen. Hoeveel tijd denk je nodig te hebben?'

'...'

'Sara, ik vroeg je wat?'

'Wat?'

'Hoeveel tijd denk je nodig te hebben? En geef je me een seintje als je klaar bent met pakken?'

'Ja, ja, tien minuten.'

Ik moet me pop gaan voelen, dreinst het door haar heen. Pop is de Buggy. Pop is Rik. Rik is goed. Pop... Pop... Pen op papier. Poeder op pruik. Pas op Priapos... Schuldig, schuldig wijst het lid...

Wanneer ze San Antonio binnenrijden, klinkt in de verte het gerommel van onweer. Het plein is uitgestorven en donker. Zelfs de lantaarns branden niet meer. Rik zet de motor af en nog voordat hij de handrem heeft kunnen aantrekken, valt Sara de wagen uit.

'Je handtasje,' roept hij. 'Sara je bent je scarabee vergeten.'

Ze hoort hem niet, holt naar de voordeur. Hij ziet haar als een witte vlek in het donker verdwijnen.

In het donker rent ze de trap op, ze kent de treden die ze zo vaak gelopen heeft. Ze opent de deur van haar appartement en knipt het licht aan. Het ruikt muf in huis. Rillend loopt ze door naar de keuken waar ze een glas water drinkt. Haar mond blijft kurkdroog. 'En nou is het afgelopen,' zegt ze hardop tegen zichzelf als ze het glas met een klap op het aanrechtje terugzet. 'Nu denk je eerst rustig na waar de pruik en de zakagenda zijn. Niet meer in paniek raken, Sara. Het komt goed. Alles komt goed. Il faut bonne mémoire, après qu'on a menti. Mevrouw Gottschalk was rustig en kalm, liet zich door niemand of niets van de wijs brengen. Even nadenken waar de pruik en de zakagenda zijn.'

De zakagenda ligt voor het grijpen, gewoon op het nachtkastje naast haar bed. Snel bladert ze erin en als ze de gekartelde randjes papier in plaats van de nummers tegenkomt, schiet haar ineens te binnen dat ze al in Nijmegen het belastende materiaal vernietigd heeft. Waar de pruik gebleven is, weet ze nu ook: in de vuilnisemmer op het parkeerterrein langs de autobaan. Vlak voordat ze ontdekte dat de metaaldetector verdwenen was. Hoe heeft ze het kunnen vergeten, in paniek kunnen raken. Een nachtmerrie heeft ze gehad...

Ze twijfelt nu of ze Rik alsnog naar boven zal roepen. Ach onzin, besluit ze, als ze voortmaakt is het een kwestie van nog een paar minuten. Haastig gooit ze een koffer op het bed en propt er kledingstukken in. Een paar maar, de rest mag Giulietta houden. Van de slaapkamer holt ze naar de badkamer. Ze trekt laadjes en kastjes open, wat niet direct nodig is, mag achterblijven. Evenals het afscheid van de dorpelingen. De huur is betaald, het besluit genomen. De sleutels op tafel naast de asbak waarin ze behalve haar sigaretten ook haar verleden verbrand heeft. Weg uit San Antonio. Een nieuwe toekomst tegemoet. Hoe die er uit ziet, moet ze afwachten. Als je alles wist, deed je weinig. Rik zal voor haar zorgen. Wat talmt ze nu, weg met die rotzooi. Ze hoeft zich niet meer op te maken, het leven met Rik heeft geen opsmuk nodig...

Op het moment dat ze het spiegelkastje boven de wastafel wil sluiten, ziet ze Franco achter zich staan. Ze beseft alles meteen. Aan het eind heeft ze toch nog een fout gemaakt, vergeten de deur van haar appartement op slot te doen. Ze wil schreeuwen, maar het is alsof ze geen stem meer heeft. Koud zweet bedekt haar lichaam. Ze deinst achteruit. De verkeerde kant op, realiseert ze zich onmiddellijk. Met zijn voet trapt hij de badkamerdeur dicht. Hij drijft haar in de hoek van de badkamer en trekt zijn broek los. 'Rik,' hijgt ze.

'Hoer,' fluistert hij. 'Giulietta mag je wijsmaken dat je broer uit Nederland gekomen is, maar ik ken jouw gezicht en jouw leugens. Voordat je verdwijnt kom ik mijn loon voor Florence ophalen.'

Van angst kan ze niet meer praten, de toiletspullen kletteren uit haar handen. Franco stapt eroverheen en grijpt haar.

Wanhopig vecht ze. Ze probeert hem tussen zijn benen te schoppen, de krassen in zijn gezicht opnieuw open te halen. Ze slaat met haar vuisten op zijn rug. Ze wil schreeuwen maar hij slaat haar in haar gezicht. Het is een hopeloze ongelijke strijd en ze voelt wat er gebeuren gaat. Zijn gezicht is dieprood van woede, zijn adem stinkt naar drank. Ze valt hem niet meer aan, maar probeert haar broek omhoog te houden. Doldronken door haar weerstand grijpt hij naar de zware gouden ketting. De schakels snijden diep in haar hals. Ze krijgt het benauwd, ze hapt naar adem, haar tong hangt uit haar mond, haar ogen knappen...

Rik trekt aan de handel naast zijn stoel en stapt uit. Het gerommel wordt heviger, het onweer komt dichterbij. Uit de achterklep van de Alfa haalt hij de plaid en legt die op de stoel van Sara. Na een onweer kan het plotseling koud worden en dan dekt hij Sara onder. Vervolgens loopt hij naar zijn oude Simca en pakt zijn toilettas, een verschoten regenjas en een aangebroken pakje sigaretten. Even streelt hij de verweerde lak van zijn auto. Goed beestje, trouw beestje, heeft ie niet verdiend op het plein in San Antonio weg te roesten. Zijn schamele bezittingen zet hij in de Alfa, daarna steekt hij een sigaret op en kijkt op zijn horloge. Het is bij tweeën en Sara is al tien minuten weg. Boven brandt licht achter al haar ramen. Rusteloos drentelt hij om de auto. Het begint te waaien. Waar blijft ze nou? Na een paar trekjes gooit hij de sigaret weg. Hij gaat haar halen. Direct begint het te regenen.

Resoluut stapt hij op de deur af. Hij vloekt omdat hij de lichtschakelaar niet vindt. Op de tast schuifelt hij naar de trap maar halverwege staat hij stil. Hij hoort gestommel, onbestemde geluiden, een deur die dichtslaat. Nu kan Sara ieder moment komen, denkt hij. Dan is hij niet buiten waar hij beloofd heeft te wachten. Mieke kon er ook niet tegen als hij ongeduldig achter haar aanjoeg.

'Schreeuw apporte, dan ren ik nog harder,' beet ze hem wel eens toe.

Zijn moeder noemde hem soms 'de sergeant van de week'. 'Dat drillen en bevelen ligt niet in onze aard. Ik snap niet van wie jij dat hebt,' merkte ze op.

Het zou stom zijn, besluit hij, dezelfde fouten met Sara te maken. Hij hoort iets zwaars op de grond vallen en hij moet even grinniken omdat ze haar vertrek zo luidruchtig voorbereidt. Ze is en blijft zenuwachtig. Straks bereikt ze het tegenovergestelde van wat ze wil, niet heimelijk met hem er tussenuit knijpen maar een roerend afscheid van de hele bevolking van San Antonio. In het donker sluipt hij weer het huis uit. Buiten ziet hij een gestalte naast de Alfa staan. Hij herinnert zich wat hij Sara zo vriendelijk heeft horen zeggen vanmorgen. 'Buon giorno,' groet hij opgewekt.

Een man groet in het Italiaans terug en steekt daarna een verhaal af waar Rik geen moer van kan maken. Eén woord denkt hij te begrijpen. 'Medico?' herhaalt hij.

Een bliksemflits verlicht het gezicht van de man en Rik herkent de arts die Sara hem aangewezen heeft. Hij opent het portier van de Alfa, bij het zwakke binnenlichtje kunnen ze elkaar tenminste een beetje zien. Rik gebaart dat het jammer is dat ze niet met elkaar kunnen praten. Hij wijst op zijn mond en dan naar boven. 'Sara,' zegt hij.

'Si, si,' herhaalt de arts. 'Sara.'

Aan de arts wil Rik zijn geheim wel kwijt, daarom wijst hij op zijn hart en draait hij zijn ogen raar heen en weer.

'Ik ben dodelijk verliefd op Sara,' zegt hij in het Nederlands. 'È malata?' vraagt de arts.

Omdat het gesprek op niets uitloopt en Rik zich wat onrustig begint te voelen onder de wantrouwende blik van de arts, grijpt hij diens hand, hij pompt er een paar keer mee en zegt dringend doch beleefd: 'Buongiorno.'

De vent moet oprotten. Sara wenst geen afscheid te nemen.

'Ik ben stil gekomen en ik zal stil vertrekken,' zei ze. 'Tegen de tijd dat iemand mij mist, ben ik al ver weg. En dat is goed.'

Eindelijk schijnt de dorpsarts te begrijpen dat hij bijzonder ongewenst is op dit moment. Hij haalt nors zijn schouders op en verdwijnt in de duisternis nadat hij Rik nog een keer onderzoekend heeft aangekeken.

Rik weet dat hij geen goede indruk heeft achtergelaten. Jammer, Sara vertelde dat ze hem zo graag mocht.

'De enige man in Italië,' zei ze, 'die alleen maar beroepshalve naar je borsten kijkt.'

'Hoezo, houdt hij niet van vrouwen?'

'Oh jawel, maar omdat hij niet getrouwd is en van verkrachten zijn hobby niet heeft gemaakt, betaalt hij er gewoon voor,' antwoordde ze.

Weer steekt Rik een sigaret op. Sara is nu zeker zestien minuten weg en het lijkt al een eeuwigheid. Nog twee minuten, dan staan de wijzers van zijn horloge op kwart over twee en gaat hij haar halen want langer wachten kan hij niet.

Rik denkt aan Dante, aan Beatrice, hij heeft zijn Beatrice ook gevonden. Nu weet hij welke van de drie vrouwen op het schilderij zijn geliefde is. Hij kiest voor de kleine stille vrouw op de achtergrond. Direct zal ze naast hem zitten en als ze slaapt, begint hij zijn eerste sonnet. Nee, hij schrijft geen sonnet, hij schrijft een hooglied want in een sonnet, herinnert hij zich van school, zit een val, een wending na de eerste acht regels. Of moet hij een variant bedenken? Gewoon een loflied in de vorm van een sonnet? Tenslotte was Dante geen Van Helden, Beatrice geen schijntje van Sara.

Hij schrikt op. Met een donderende klap scheurt een bleekblauwe bliksemflits de hemel in tweeën, stofwolken jagen over het plein, een opengeslagen luik klappert, de bliksemflits verdwijnt zigzaggend in de aarde, het wordt zwart. De eerste regendruppels vallen.

Hij trapt zijn sigaret uit en kijkt verlangend naar de verlichte ramen. Daar, uit dat achterste raam, gooide Sara vanmorgen de sleutels naar beneden. Sara, zijn geliefde voor eeuwig, waar blijft ze nou?